ENGEL

BARBARA TAYLOR BRADFORD

ENGEL

POEMA POCKET

POEMA-POCKET is een onderdeel van Luitingh ~ Sijthoff

Derde druk
© 1993 Barbara Taylor Bradford
All rights reserved including the rights of reproduction
in whole or in part in any form
© 1993, 1999 Nederlandse vertaling
Uitgeverij Luitingh ~ Sijthoff B.V., Amsterdam
Alle rechten voorbehouden
Oorspronkelijke titel: *Angel*
Vertaling: Tom van Beek
Omslagontwerp: Edd, Amsterdam
Omslagfotografie: Mark Bolster/Zefa

CIP/ISBN 90 245 2629 9

The angels keep their ancient places;
Turn but a stone, and start a wing!
'Tis ye, 'tis ye, your estrangèd faces,
That miss the many-splendoured thing.

[*Geen engel stond ooit zijn hemeltroon af;*
Ga dus vrijuit en pluk de dag!
Gij zijt het die beschroomd en laf
't Grootste geluk nimmer smaken mag.]

Francis Thompson

Deel Een

Stralende Sterren

I

Half verscholen in de schaduw van de zware pilaar stond ze te kijken naar het gevecht.

Rosalind was nerveus en gespannen. Handen stijf tegen zich aangedrukt, adem ingehouden, lippen die verder van elkaar gingen naarmate de angst, die zich in haar ogen weerspiegelde, groter werd.

Het geluid van metaal op metaal, als de degens op elkaar sloegen.

Het was een verbeten gevecht, een strijd op leven en dood. Ze wist dat er maar één kon winnen.

Felle strepen zonlicht, die binnenvielen door de hoge ramen in de muren van het kasteel, weerkaatsten op het staal van de dodelijke degens. Gavin, de kleinste van de twee, was slank, soepel en snel. Met rappe, gevaarlijke stoten ging hij in de aanval. Hij dreef zijn tegenstander terug... terug... over de stenen vloer van de onafzienbare Grote Hal. Plotseling had hij de overhand.

James, de andere ridder, groter, breder, minder beweeglijk, werd in een hoek gedrongen. Hij stond met zijn rug tegen de muur, zijn gezicht vertrokken van woede en angst.

Het leek de vrouw of het gevecht sneller tot een eind zou komen dan ze aanvankelijk had gedacht. Het was haar maar al te duidelijk dat Gavin op het punt stond de overwinning te behalen. Toen, tot haar opperste verbazing, wist James zich met een kleine beweging zo te draaien dat hij de kans kreeg zijn volle gewicht in de strijd te werpen. Onverwacht deed hij een uitval, en met succes. Ze hield haar adem in. Nu had híj de overhand.

Gavin werd door deze verrassingsaanval in de verdediging gedrongen. Dit was toch zeker niet de bedoeling, dacht ze. Ze boog zich voorover, de ogen strak gericht op de beide mannen.

Flexibel als altijd sprong Gavin, licht als een danser, achteruit en pareerde de aanvallen van James met ongelooflijke handigheid en kracht.

James hield hem onder druk. Hij ademde zwaar, maar zijn rapier flitste met evenveel meesterschap, al was hij niet zo licht en lenig als zijn tegenstander.

Het gevecht verplaatste zich naar het midden van de grote hal in het kasteel. De mannen schermden koortsachtig. Aanvallen. Pareren. Aanvallen. Pareren. James hijgde nu hoorbaar en zijn bewegingen werden langzamer. Gavin won weer terrein. Hij ging in de aanval met een schitterende beheersing van zijn wapen, klaar voor de beslissende slag.

James struikelde en viel. Zijn rapier kletterde op de stenen en vloog weg, buiten zijn bereik.

Met één sprong stond Gavin naast hem, de punt van zijn degen op de keel van de gevallen ridder.

Ze keken elkaar strak aan. Geen van beiden kon zich losmaken van de blik van de ander.

'Dood me, dan is het voorbij,' riep James eindelijk.

'Ik verkies mijn degen niet vuil te maken aan jouw bloed,' zei Gavin koel, maar o, zo zachtjes. 'Het is genoeg dat ik dit gevecht, deze laatste ronde, gewonnen heb. Nu zijn we eindelijk van elkaar verlost. Verdwijn uit deze streken, en wee als je ooit terugkeert.'

Hij deed een paar stappen achteruit, stak zijn degen in het gevest dat aan zijn riem hing en liep zonder om te kijken de hal door en de brede trap op. Pas toen hij op de bovenste trede stond keek hij even neer op James, voordat hij in de schaduw verdween.

Een ogenblik was het volkomen stil.

Toen klonk de stem van de regisseur. 'Cut! En printen!' Triomfantelijk riep hij er achteraan: 'Het zit erop, jongens!'

De acteur die James heette krabbelde overeind, de regisseur liep de hal door om te overleggen met de cameraman en iedereen begon door elkaar te praten. Ze kwamen uit alle hoeken en gaten, lachend, grapjes makend, elkaar op de schouder slaand.

Zonder zich van die plotselinge herrie iets aan te trekken pakte Rosalind Madigan haar tas, holde de hal door en de trap op, op zoek naar Gavin. Hij stond nog in de schaduw op de praktikabel, daar waar de trap ophield. Toen ze bij hem was zag ze hoe hij zich stond te verbijten. Door de schmink heen kon je zien dat zijn gezicht bleek was weggetrokken.

'Je hebt pijn,' zei ze.

'Een beetje. Het is of mijn hoofd door een ijzeren hand wordt samengeknepen. Ik wil graag mijn kraag hebben, Rosie.'

Meteen haalde zij het gevraagde uit haar tas en ze hielp hem met het omdoen. Een week geleden was Gavin, op locatie in Yorkshire, van zijn paard gevallen. De spieren en zenuwen in zijn nek en rechter schouder waren beschadigd en sinds die tijd had hij rondgelopen met pijn.

Terwijl ze de orthopedische kraag vastmaakte keek hij haar dankbaar aan en hij lachte, duidelijk opgelucht nu hij steun kreeg van het koele leer. Hij had ontdekt dat die kraag beter hielp dan pijnstillers.

'Ik kon het niet helpen, maar ik heb doodsangsten uitgestaan bij die laatste scène,' zei Rosie en ze schudde haar hoofd. 'Ik snap niet hoe je het volgehouden hebt.'

'Dat is nu juist de magie – de magie van het theater, van acteren. Je adrenaline begint als een gek te stromen en opeens is de pijn weg. Ik ging helemaal op in de rol van Warwick. Ik voelde me zoals hij. Ik was Warwick gewòrden. Zo word je meegesleept door je rol. Als ik acteer vergeet ik alles om me heen.'

'Ik weet het. Maar toch heb ik me ongerust gemaakt.' Ze glimlachte vaag. 'Ik zou beter moeten weten na al die jaren, zou je denken. Daarbij: ik weet maar al te goed dat je een groot deel van je succes te danken hebt aan je concentratie.' Ze nam hem bij zijn arm. 'Kom, ga mee. Charlie wacht op je, met James, Aida en de hele ploeg.'

Toen Rosie en Gavin de trap af kwamen brak er een enthousiast applaus los. Iedereen wist maar al te goed dat de ster van hun film al dagen met pijn rondliep. Ze hadden grote bewondering voor Gavin Ambrose, niet alleen voor zijn talent, maar ook voor zijn ijzeren wilskracht na die val en zijn volledige toewijding aan de film. Hij was vastbesloten binnen de gestelde tijd de opnamen af te maken, zo professioneel was hij, en de mensen van de filmploeg wilden hem laten weten hoe ze dat bewonderden en op prijs stelden.

'Je was groots, Gavin. Groots!' zei Charlie Blake, de regisseur, en hij greep zijn hand toen Gavin en Rosie de onderste trede hadden bereikt. 'Ik moet eerlijk zeggen, ik had niet gedacht dat het er in drie takes op zou staan.'

'Jammer dat het er niet in één take opstond,' antwoordde Gavin droogjes. 'Maar dank je, Charlie, en dank je dat je ons zo onze gang hebt laten gaan zonder te onderbreken. Het werkte uitstekend, die laatste take, vond je niet?'

'Dat mag je wel zeggen, ja! Ik zal iedere seconde van deze opname gebruiken.'

'Met jou kan je de oorlog winnen, Gavin.' Aida Young, de producente, kwam naar hem toe en sloeg haar armen om hem heen, maar heel voorzichtig vanwege zijn blessure. 'Jij bent er een van het beste soort. Jij hebt gewoon alles in huis.'

'Dank je, Aida, voor dit compliment. Zo ken ik je niet.' Gavin keek naar James Lane, de acteur waar hij net de schermscène mee had gespeeld, en grinnikte. 'Gefeliciteerd, Jimbo.'

James lachte terug. 'Jij ook gefeliciteerd, maat.'

'Dank je dat je het me zo makkelijk hebt gemaakt,' ging Gavin door.

'Schermscènes zijn moeilijk van tevoren vast te leggen, maar jouw timing was geweldig. Wat zeg ik? Perfect!'

'Eigenlijk zijn we een prachtig stel Errol Flynns,' antwoordde James, met een knipoog naar Gavin. 'Jammer dat Kevin Costner net *Robin Hood* opnieuw heeft verfilmd, anders hadden wij er hoge ogen mee kunnen gooien.'

Gavin lachte en knikte, tot hij Aida zag fronsen. 'Kijk maar niet zo bezorgd, schat. Er is niks mis met mijn nek, hoor. Echt niet. En ik kom vanavond nog op het slotfeest ook!'

'Fijn, daar verheug ik me op,' zei de producente, en zij voegde er voorzichtig aan toe: 'Alleen als je niet te moe bent.'

Gavin keek naar de filmploeg. 'Dank je wel, jongens,' zei hij uit de grond van zijn hart. 'Dank je voor alles. Jullie waren geweldig, en dat gaan we vanavond eens goed vieren.'

'Reken maar!' zei een van de belichters, en de anderen drongen naar voren om Gavin te complimenteren, om hem de hand te schudden en te zeggen hoe geweldig hij was, de beste van allemaal.

Even later liepen Rosie en Gavin de gigantische filmstudio uit, waar de Grote Hal van Middleham Castle was nagebouwd. Ze moesten achter de decors om.

Daar was het een wirwar van kabels en steigers, die tot het dak reikten. Daarop waren de zware schijnwerpers gemonteerd, die voor de bundels zonlicht in de Hal hadden gezorgd. Voorzichtig zochten ze hun weg door het web van leidingen en snoeren, touwen en schoren. Ze hadden allebei hun eigen redenen om blij te zijn dat de laatste scène geschoten was, dat de opnamen erop zaten. Zwijgend, verdiept in hun eigen gedachten, liepen ze in de richting van de bijgebouwen, waar Gavin zijn kamers had.

'Ga je echt naar New York aan het eind van de week?' vroeg Gavin, terwijl hij bleef staan bij de deur van de badkamer, die aan zijn kleedkamer grensde. Hij trok de band van zijn badjas strak om zijn middel en keek haar oplettend aan.

Rosie keek op van haar aantekeningen en ze beantwoordde zijn strakke blik.

'Ja,' zei ze na een korte stilte. Ze stopte het blocnote terug in haar tas. 'Ik heb een afspraak met een paar Broadway-producenten. Het gaat over een nieuwe musical. En ik moet Jan Sutton ook spreken. Ze loopt rond met plannen om *My Fair Lady* opnieuw uit te brengen.'

Gavin begon te lachen. 'Daar zal voor *jou* niet zoveel eer aan te behalen zijn, dacht je niet?' vroeg hij, en hij begon met snelle passen door de kamer te lopen. 'Tenslotte heeft Cecil Beaton een onvergetelijke indruk achtergelaten met zijn kostuums voor de originele produktie en voor de film. Daar zal je altijd mee vergeleken worden.'

'Dat is waar, ja,' beaamde Rosie. 'Maar aan de andere kant – het is wel een uitdaging. Die zou ik graag aannemen... Enfin, we zullen wel zien wat er gebeurt.' Ze haalde haar schouders op en veranderde snel van onderwerp. 'Van New York moet ik naar Los Angeles. Garry Marshall heeft naar me gevraagd. Hij wil dat ik de kleding doe voor zijn volgende film.'

'In plaats van Broadway, of ernaast?' viel Gavin haar in de rede.

'Ernaast.'

'Ben je nou helemaal gek geworden, Rosie? Dat is toch veel te veel! Je werkt je kapot de laatste tijd. Dit jaar heb je al twee West End produkties gedaan, en mijn film. En laten we eerlijk zijn, dat laatste was niet makkelijk. Het heeft heel wat van je gevergd, om het maar eens zacht uit te drukken. Krijg je volgend jaar weer zo'n overladen programma? Drie of vier produkties? Leer in godsnaam nou eens waar je grenzen liggen.'

'Ik heb het geld nodig.'

'Ik kan je net zoveel geven als je wilt. Dat heb ik al zo vaak gezegd – alles wat van mij is, is van jou.'

'Natuurlijk, Gavin. Dank je, je weet hoe ik dat op prijs stel. Maar het is niet hetzelfde... Ik bedoel – geld van jou is niet hetzelfde als geld dat ik zelf verdien. Daarbij, het is niet voor mezelf. Ik moet mijn familie helpen.'

'Het is je familie helemaal niet!' viel hij uit met een heftigheid die ze niet van hem gewend was. Irritatie trok over zijn gezicht.

Rosie keek hem aan na die onverwachte aanval en ze had moeite de woorden in te slikken die meteen in haar opkwamen. Ze deed er het zwijgen toe, getroffen door die zo doorzichtige uitbarsting, die felle reactie waar ze niet op had gerekend.

Met een plotselinge draai liet Gavin zich vallen in de stoel tegenover de schminktafel, greep naar een pot vaseline en een doos tissues en begon zich af te schminken.

'Het ís mijn familie,' zei ze tenslotte.

'Néé. Wij zijn je familie. Ik en Nell en Kevin!' riep hij. Met een bruusk en onbeheerst gebaar schoof hij de crème en de tissues opzij. Rosie trok zich er niets van aan.

En Mikey, dacht ze. Hij hoort er ook bij, waar hij dan ook is. En Sunny.

Een vage schaduw viel over haar hart, en ze zuchtte zachtjes terwijl ze aan hen dacht, zich zorgen maakte.

Een fractie van een seconde later stond Rosie achter Gavin, haar handen op de rugleuning van zijn stoel. Glanzend kastanjebruin haar boven zijn donkere dos, groene ogen die hem vragend aankeken toen ze zijn grijs-blauwe blik in de spiegel ontmoette.

Alsof hij antwoord gaf op een onuitgesproken vraag mompelde hij op een vriendelijker toon 'We zouden toch bij elkaar horen, weet je nog wel?' Zijn ogen dwaalden naar de foto op de schminktafel.

Rosie volgde zijn blik en ook zij keek naar de gezichten in de zilveren lijst. Allemaal samen op een foto. Zijzelf en Nell, Gavin, Kevin, Mikey en Sunny, armen om elkaars schouder, vrolijke, lachende gezichten, heldere ogen vol hoop en verwachting. Een foto van zo lang geleden. Ze waren daar nog zo jong... dat stel weeskinderen.

'We hebben beloofd dat we er altijd voor elkaar zouden zijn, wat er ook zou gebeuren, Rosie. Als een familie,' drong Gavin aan. 'En dat waren we toch ook. Dat zijn we toch?'

'Ja,' fluisterde ze. 'Een familie, Gavin.' Ze onderdrukte met moeite een plotselinge vlaag van verdriet, die haar dreigde te overmeesteren. De ellende was – ze hadden stuk voor stuk hun woord gebroken ten opzichte van de anderen...

Gavin keek op en ontmoette weer haar blik in de spiegel. Zijn bekende, en nu dan beroemde, scheve glimlach was vertederend. Zijn hele gezicht lichtte ervan op. 'Als je jezelf dan zo dolgraag wil doodwerken, kan je het beter doen aan een van míjn films, dan ben ik tenminste in de buurt om de scherven bij elkaar te vegen, als dat nodig is. Wat denk je, wil je mijn volgende film doen?'

De ernst smolt weg van haar gezicht, de bezorgdheid in haar blik verdween en ze begon te lachen. 'Afgesproken!' riep ze. 'Daar zit je aan vast, meneer Ambrose!'

Er werd op de deur geklopt. Will Brent kwam binnen. Will was van de kostuumafdeling en hij begon zich meteen te verontschuldigen. 'Ik wou je helpen met uitkleden, Gavin, maar je bent al bijna klaar, zie ik. Het spijt me dat ik zo laat ben.'

'Geeft niet, Will, ik heb alleen mijn vest maar uitgetrokken. De rest heb ik voor jou bewaard. Als je me vooral even wilt helpen met die laarzen,' grinnikte Gavin, en hij stak een been naar voren.

'Natuurlijk,' zei Will en hij liep naar hem toe.

'Ik zie je op het feest, vanavond,' mompelde Rosie. Ze gaf Gavin een vluchtige kus op zijn hoofd en liep naar haar tas, die op de bank lag.

'Denk erom wat we afgesproken hebben, Engelensmoeltje. Jij doet mijn volgende film,' riep Gavin haar achterna, voordat hij zich concentreerde op zijn orthopedische halskraag. Hij maakte hem stevig vast en hij trok allerlei grimassen terwijl hij bezig was.

2

Een koude wind sloeg Rosie in het gezicht toen ze naar buiten ging. Huiverend trok ze haar jas dichter om zich heen. Ze keek omhoog.

De lucht boven haar was donker en dreigend, vol loodkleurige wolken. Nog maar net middag en nu al schemerig. En het werd snel donkerder. Weer zo'n typische Engelse winterdag, waaraan zij de laatste weken gewoon was geraakt.

Er kwamen een paar druppeltjes mee met de wind, en ze vroeg zich plotseling af wat die arme Engelse kinderen nou moesten als het regende.

Vandaag was het de vijfde november. Bonfire Night, zoals dat in Engeland heette. Aida had er verleden week over verteld tijdens de lunch en de producente had zelfs een oud versje voorgedragen, dat ze als kind geleerd had: 'Remember, remember, the fifth of November, gunpowder, treason and plot.' Aida had de hele geschiedenis van het Buskruitverraad in 1605 uit de doeken gedaan. Een zekere Guy Fawkes en zijn handlangers waren van plan geweest de parlementsgebouwen op te blazen en koning James I erbij. Maar het komplot werd ontdekt voordat er ernstige schade was aangericht, Fawkes werd voor het gerecht gesleept op verdenking van hoogverraad, schuldig bevonden en geëxecuteerd. En vanaf die dag herdenken de Engelsen hem op de vijfde november, Guy Fawkes Day – een officiële vrije dag.

Vanavond zouden in heel Engeland grote vreugdevuren worden ontstoken en poppen, die Guy Fawkes moesten voorstellen, werden dan in de vlammen gegooid. Er was ook altijd vuurwerk – Engelsen houden van traditie – en je kon geroosterde aardappelen en gepofte kastanjes krijgen. Dat alles natuurlijk alleen als het niet regende.

'Als alles goed gaat zijn we op de vijfde klaar met de opnamen,' had Aida afgelopen woensdag tegen haar gezegd bij een hapje in het restaurant van de studio. 'Alleen – ik ben bang dat we hier geen vreugdevuur mogen stoken van de brandweer, vanwege het brandgevaar. Maar misschien bedenk ik nog wel iets passends waarmee we zowel Bonfire Night als het einde van de opnamen kunnen vieren.'

Het was Rosie niet helemaal duidelijk waar Aida aan dacht toen ze het had over 'iets passends', maar ze zou het, samen met de anderen, gauw weten. Over een paar uur zou het slotfeest beginnen.

Rosie keek om zich heen terwijl ze snel over het terrein van de studio liep, op weg naar haar atelier op de produktie-afdeling.

Hier had ze de afgelopen negen maanden doorgebracht en de omgeving was haar zo vertrouwd geworden dat ze zich er volkomen thuis voelde. Ze had ook heel plezierig gewerkt met Aida en de rest van de ploeg, allemaal Engelsen. Van het begin af aan had ze zich prettig en op haar gemak gevoeld.

Onverwacht schoot het door haar heen hoe ze Shepperton zou missen en iedereen die had meegewerkt aan deze film. Dat was wel eens anders geweest. Soms was ze opgelucht en dankbaar als een film eenmaal klaar was, zodat ze snel kon vertrekken, kon wegvluchten zonder om te kijken. Maar de saamhorigheid en de vriendschappelijke sfeer tussen spelers, technici en produktiemensen was bij *Kingmaker* heerlijk geweest en tijdens de lange maanden van samenwerking was het gevoel van eenheid alleen nog maar toegenomen. Misschien kwam het door de moeilijkheden waarmee deze produktie van het begin af aan te kampen had gehad, zodat de mensen samen de schouders eronder moesten zetten om de zaak op de rails te houden. Iedereen had z'n uiterste best gedaan er een succes van te maken. Ze was er bijna zeker van dat het ook een succes zou wòrden. In de filmwereld is het een soort wet dat een film die moeizaam tot stand is gekomen vaak groot succes heeft als hij eenmaal gesneden, gemonteerd en van muziek voorzien in de bioscoop draait.

Ze hadden allemaal onvoorstelbaar hard gewerkt, veel harder dan een producent mocht verwachten. Tot ze er bijna bij neervielen. Maar toch waren ze ook dan op de een of andere manier doorgegaan. En Gavin, die zijn ziel en zaligheid in de rol van Richard Neville, graaf van Warwick, had gelegd, had een topprestatie geleverd. Hij had een rol neergezet die zeker goed was voor een Oscar. Tenminste naar haar idee. Maar zij was bevooroordeeld, dat stond als een paal boven water.

Rosie duwde de dubbele glazen deuren van de produktie-afdeling open en liep door de nauwe gangen naar haar atelier. Ze trok de deur achter zich dicht en leunde er even tegenaan, terwijl ze de ruimte nog eens goed in zich opnam: de tekeningen aan de muur, de rekken met kostuums, de enorme tafel vol boeken en prenten die ze tijdens de voorbereidingen bestudeerd had, de stof- en leermonsters en de honderden sieraden en accessoires die ze had ontworpen.

In die negen maanden dat ze hier de scepter had gezwaaid had ze een enorme hoeveelheid bezittingen bij elkaar gesprokkeld, en het schoot door haar heen dat ze de komende dagen heel wat in te pakken had. Gelukkig kreeg ze hulp van haar beide assistenten, Val Horner en Fanny Leyland, die haar tekeningen zouden catalogiseren en opbergen voor haar archief, samen met de kostuums die ze wilde bewaren en de boeken die ze voor de studie van de stijlperiode had geraadpleegd.

De tekeningen van Gavins kostuums waren met punaises tegen de lange wand van het atelier geprikt. Ze liep er naartoe om ze nog eens goed te bekijken. Ze bestudeerde de schetsen aandachtig, het hoofd schuin. Toen knikte ze tegen zichzelf: Gavin had gelijk, *Kingmaker* wàs niet makkelijk geweest. Deze produktie had veel van haar gevergd. Niet alleen vanwege de lengte van de film, de vele details en het grote aantal acteurs, maar ook vanwege de pracht en praal en al het ceremonieel, wat vroeg om bewerkelijke en historisch verantwoorde kostuums. Het was een hele uitdaging geweest. Maar een uitdaging ging ze nooit uit de weg – als de spanning maar groot genoeg was kon ze zichzelf overtreffen. En al was haar taak moeilijk en uitputtend geweest, ze was blij dat ze had kunnen meewerken aan zo'n groots project, aan zo'n belangrijke film.

Vanaf het begin, bij de voorbereidingen al, had ze er zich met groot enthousiasme op geworpen, vol opwinding en bruisend van energie.

Haar uitgangspunt was Gavin, die Warwick, de hoofdrol, zou spelen. In het midden van de vijftiende eeuw was de graaf van Warwick tientallen jaren de machtigste man van Engeland geweest. Deze edelman uit Yorkshire, afstammeling van Koning Edward III, was in zijn tijd een vooraanstaand Engels politicus en een van de dapperste krijgslieden die ooit hadden geleefd – een waarlijk legendarische figuur. Het was Warwick die zijn neef Edward Plantagenet tot koning van Engeland liet kronen na een overwinning op Lancaster in wat we nu de Rozenoorlogen noemen – de strijd tussen het huis Lancaster en het huis York. Lancaster droeg een rode en York een witte roos in het vaandel. Warwick heeft een grote rol gespeeld in die oorlogen. Hij versloeg de Lancasters in een aantal bloedige veldslagen, waarna hij Edward van York, de rechtmatige troonopvolger, tot koning Edward IV liet kronen.

Omdat Warwick de macht was achter de troon en de voornaamste adviseur van zijn negentienjarige beschermeling, noemden zijn tijdgenoten hem wel *The Kingmaker*, de koningsmaker. Deze bijnaam, die vier eeuwen had overleefd, werd dus de titel van de film. Het script, van Oscarwinnares Vivienne Citrine, begint in 1461. Warwick is dan drieëndertig jaar oud en op het hoogtepunt van zijn macht. Het verhaal speelt zich af in de daaropvolgende twee jaar. De film eindigt in 1463.

Rosie had als taak historisch verantwoorde kostuums voor Gavin te ontwerpen in de stijl van de middeleeuwen. Maar dat niet alleen – ze moesten hem ook passen, ze moesten hem ook stáán, ze moesten effectvolle plaatjes opleveren, en dan moesten ze ook nog goed zitten, handelbaar zijn, makkelijk om je in te bewegen.

Ze ging, zoals altijd, uit van de historische feiten, om alles zo authentiek mogelijk te laten lijken. Ze geloofde heilig dat kostuums, net als decors en rekwisieten, een bepaalde stijlperiode tot leven konden brengen op het scherm, waardoor een film echt en geloofwaardig wordt. En zij kreeg dat iedere keer weer voor elkaar, daar stond ze om bekend. Dat, en haar grote talent, maakte haar tot een succesvol en veelgevraagd ontwerpster. De kostuums van Rosalind Madigan vielen altijd op door hun unieke en consequent volgehouden stijl, of het nu ging om een moderne of een historische film of om een theaterproduktie. Ook zorgde ze er altijd voor dat haar kostuums in alle details recht deden aan de rang, de stand en de nationaliteit van een historische figuur.

Haar bronnenonderzoek voor *Kingmaker* was zo uitgebreid dat ze zich op een gegeven moment realiseerde dat ze veel meer had gedaan dan gewoonlijk, veel meer dan, strikt gezien, noodzakelijk was. Dat kwam door Gavin. De film was zijn idee, zijn project. Hij was een van de co-producenten en hij had het geld bijeengebracht dat nodig was om de produktie te financieren. Hollywood had er niets van willen weten, ondanks het feit dat Gavin een minstens zo bekend acteur was als Costner, Stallone of Schwarzenegger, een echte publiekstrekker, een kasmagneet van de eerste orde. In feite werd Gavin geconfronteerd met precies dezelfde moeilijkheden die Kevin Costner had gehad toen hij de Hollywood-studio's probeerde te interesseren voor *Dances with Wolves*.

Niemand dorst zijn nek uit te steken en toen had Costner zelf maar het heft in handen genomen en geld bijeengebracht, geholpen door Jake Ebert, een onafhankelijk producent uit Europa.

Kingmaker was helemaal Gavins idee – het was zijn geesteskind, zijn visie op de historische gebeurtenissen in het vijftiende-eeuwse Engeland. Hij stond er zo volledig achter, hij geloofde er zo heilig in, dat hij iedereen om zich heen enthousiast wist te maken.

Geschiedenis had altijd zijn belangstelling gehad en de figuur van Warwick intrigeerde hem al een hele tijd. Steeds als hij een nieuwe biografie las werd hij weer gegrepen door het drama, de spanning, de doelgerichtheid, de overwinning en tenslotte de tragedie in het leven van de graaf. Zijn verbeelding werd geprikkeld en heel geïnspireerd had hij een filmverhaal gecomponeerd, uitgaande van de jaren waarin Warwick op het hoogtepunt van zijn macht was. Daarna had hij Vivienne Citrine ingeschakeld om het script te schrijven. Samen hadden ze er meer dan een jaar aan gewerkt, tot Gavin eindelijk tevreden was. Daarmee hadden ze de best denkbare basis gelegd voor een succesvolle film.

Rosie zelf was meteen geïnteresseerd, vrijwel vanaf het allereerste begin. Gavin had er een paar jaar geleden, in Beverly Hills, voor het eerst met haar over gesproken en haar enthousiasme kende geen grenzen toen hij er verleden jaar eindelijk in geslaagd was het project van de grond te krijgen.

Lang voordat de eigenlijke voorbereidingen in Engeland waren begonnen zat ze al met haar neus in de boeken. Ze las biografieën over Warwick en Edward IV en geschiedenisboeken over Engeland en Frankrijk in de middeleeuwen. Ze had de kunst en de architectuur uit de vijftiende eeuw bestudeerd om een beeld te krijgen van die tijd en toen ze eenmaal in Londen was had ze uren doorgebracht op de kostuumafdelingen van verschillende musea.

Toen Gavin met de regie-assistent, de decorontwerper, de produktiemanager en een aantal andere leden van de filmploeg locaties ging bekijken, was ze meegegaan.

Ze hadden eerst een kijkje genomen op Middleham Castle in de moerassen van Yorkshire, eens het machtige noordelijke steunpunt van Warwick. Het slot stond er nog wel, maar het was allang niet veel meer dan een verkommerde ruïne; de afgebrokkelde torens en overwoekerde zalen en binnenplaatsen ten prooi aan de elementen. Maar Gavin had het toch belangrijk gevonden om erheen te gaan, om de sfeer te proeven, de omgeving te zien waar Warwick geboren was en waar hij een groot deel van zijn leven had doorgebracht.

Samen met Gavin had ze rondgelopen in de enorme ruimte, die vroeger de Grote Hal was geweest. Het dak was verdwenen, de muren waren half ingezakt en er was niets gedaan om het verval een halt toe te roepen. Onder een strakblauwe hemel hadden ze over een stenen mozaïekvloer gewandeld, die grotendeels overwoekerd was met gras. Tussen de naden schoten frêle, zachtgele lentebloemetjes op. Ondanks de bouwvalligheid was de Hal nog steeds zó indrukwekkend dat haar fantasie erdoor geprikkeld werd, en die van Gavin ook. Later waren ze door de sombere, onheilszwangere moerassen gereden waar Warwick een paar van zijn beslissende veldslagen had geleverd.

Hun reis bracht hen ook naar de oostkust, waar Gavin een bezoek wilde brengen aan York Minster, de schitterende gotische kathedraal in het oude, ommuurde stadje York. Hier waren Warwick en Edward iv als overwinnaars binnengetrokken. Over de vlakten van York waren ze aan komen rijden op hun paarden met kleurige sjabrak, aan het hoofd van hun grote legers, hun zijden vaandels en banieren wapperend in de wind, deze twee mannen, de helden van heel Engeland – de dappere jonge koning en de koningsmaker. Een kleurrijker en effectvoller scène kon je je niet bedenken en Rosie werd al opgewonden bij de gedachte alleen dat zij voor dit alles de kostuums zou mogen ontwerpen.

Na nog een aantal tochten door Yorkshire en na vele uren in de stille beslotenheid van bibliotheken en musea, had ze tenslotte genoeg indrukken opgedaan, genoeg kennis vergaard om met het eigenlijke ontwerpen te beginnen, in de vaste overtuiging dat ze meer van de Engelse middeleeuwen wist dan wie ook.

Voor Rosie bleek het grootste probleem het ontwerpen van de wapenrusting te zijn. Ze dacht weer terug aan die angst en zorgen toen ze dat harnas in de hoek van het atelier zag staan, en ze kreunde zachtjes. Ze zou nooit vergeten wat een ellende ze had doorgemaakt, hoeveel strijd het had gekost voor ze een prototype klaar had.

In het script kwam een grote veldslag voor die goudgeld kostte en nog moeilijk te verfilmen was ook. Maar Gavin wilde die scène absoluut niet schrappen. Dus zat er niets anders op dan iets te verzinnen wat eruit zou zien als een middeleeuws harnas.

Op het laatst was ze er dan toch in geslaagd, ondanks alle problemen, en dat had ze niet in de laatste plaats te danken aan Brian Ackland-Snow. Brian, de buitengewoon talentvolle decorontwerper, Oscar-winnaar ook – voor de film *A Room with a View* – had tot taak de Engelse middeleeuwen tot leven te brengen in de grote studiohallen van Shepperton. Rosie vond Brian niet minder dan geniaal, en ze was er zich maar al te zeer van bewust dat ze voor eeuwig bij hem in het krijt stond. Hij had haar voorgesteld aan een fabrikant van duikerpakken, die erin geslaagd was haar ontwerpen uit te voeren in neopreen, een soort dikke, stevige kunststof. Voorzien van een zilverachtig laagje leek het op film precies het ijzer van een middeleeuwse wapenrusting. Dit soort synthetische rubber was licht in gewicht en de acteurs konden zich er prima in bewegen, terwijl het op het beeld volkomen echt leek.

Rosie draaide zich om en liep naar de grote tafel aan de andere kant van de ruimte, waar de hoge stapels studiemateriaal lagen die ze moest uitzoeken.

Ze realiseerde zich dat ze op z'n minst zes grote kratten nodig zou hebben, wilde ze alles meenemen. Behalve boeken, tekeningen en foto's waren er ook nog bundels speciaal voor haar geverfde stoffen – tweed, wol en laken; suède- en leermonsters voor laarzen, broeken, wambuizen en vesten; stukjes bont en een grote collectie zijde en fluweel. Schalen en manden lagen vol glanzende, glinsterende juwelen voor bij de kostuums – broches, ringen, halskettingen, oorbellen, armbanden, fantasieknopen, gespen, versierde gevesten en vergulde kronen. Al de pracht en praal die hoort bij een historische film van dat kaliber.

Wat een produktie was me dat geweest, dacht ze bijna verbaasd – duurder, bewerkelijker en gecompliceerder dan ze ooit had vermoed toen ze eraan begon. En er waren nogal wat spanningen geweest, zo nu en dan. Woede-uitbarstingen, scheldpartijen en een paar heftige scènes, nog afgezien van de echt ernstige problemen waar ze mee te kampen hadden gehad – slecht weer en ziekte, om er maar een paar te noemen, de oorzaak van veel oponthoud en uit de hand lopende kosten. Aan de andere kant waren de opnamen altijd even opwindend geweest – dat was het enige goede woord om de sfeer te omschrijven – en het was dan ook de mooiste produktie waar ze ooit aan had meegewerkt, en misschien ooit nog aan zou meewerken.

Als ze de kans kreeg was ze altijd met Gavin meegegaan om de rushes te bekijken, de opnamen van de dag ervoor, die 's nachts in het laboratorium waren ontwikkeld. Iedere scène die ze in het kleine bioscoopzaaltje van de studio had gezien, was adembenemend. De sfeer was raak getroffen, levendig en aantrekkelijk om te zien; er zat een oplopende spanning in het verhaal en er werd fantastisch gespeeld.

Gavin maakte zich steeds zorgen over de film – iedereen trouwens, op de een of andere manier. Maar daarnet, toen de laatste scène erop stond en de opnamen klaar waren, wist ze tot in het diepst van haar wezen dat ze een topprodukt hadden gemaakt. Dat stond voor haar vast. Ze was ervan overtuigd dat Gavin een film had gemaakt die van dezelfde kwaliteit en van hetzelfde kaliber en belang was als *The Lion in Winter*, en dat hij er een hele tros Oscars mee zou verdienen.

Rosie wist zich eindelijk los te rukken van al die gedachten aan de film en haar werk, die kriskras door haar hoofd speelden. Ze realiseerde zich wat ze de komende drie dagen nog allemaal te doen had.

Ze ging zitten aan haar bureau onder het raam, trok de telefoon naar zich toe en begon een nummer te draaien. Het duurde een tijd voordat er werd opgenomen. Een bekende meisjesachtige stem riep: 'Hallo, Rosalind. 't Spijt me dat ik je zo lang liet wachten. Ik stond net op de ladder. Ik heb de dozen met je dossiers op de bovenste plank gezet.'

'Hoe wist je dat ik het was?' vroeg Rosie, met een lachje in haar stem.

'Kom nou, Rosalind, niemand anders belt me toch op dit nummer, dat weet je toch!'

'Je hebt volkomen gelijk. Had ik even niet aan gedacht. Maar goed, Yvonne – hoe gaat het?'

'Prima, en met de anderen ook. Collie en Lisette zijn er even niet. Had je Collie nog willen spreken?'

'Ja, eigenlijk wel. Maar laat maar. Ik ben net terug in het atelier, en ik wou je eigenlijk alleen maar even zeggen dat ik gisteren twee cheques op de post heb gedaan. Een voor jou en een voor Collie.'

'Dank je, Rosalind.'

'Hoor eens, lieverd, ik ga zaterdag naar New York en ik…'

'Je zei dat je vrijdag zou vliegen, toen we het er laatst over hadden!' riep Yvonne, een haast onmerkbaar toontje hoger.

'Dat was ik ook van plan, ja. Maar ik moet hier nog zoveel inpakken dat ik dacht: ik ga zaterdagochtend pas. Tussen haakjes, ik stuur je een hele-boel kisten. Als ze aankomen, stapel ze dan maar op in een hoek van mijn werkkamer. Dan pak ik ze wel uit als ik terug ben.'

'Wanneer is dat?'

Rosie merkte hoe klaaglijk de stem van de jonge vrouw plotseling klonk en ze zei geruststellend: 'December. In december ben ik er weer. Dat is al gauw.'

'Beloof je het?'

'Ik beloof het.'

'Het is niet gezellig hier als je er niet bent. Ik mis je.'

'Ik weet het. Ik mis jou ook. Maar we zien elkaar nu weer gauw.' Even aarzelde Rosie, toen vroeg ze: 'Tussen haakjes, is Guy teruggekomen?'

'Ja, maar hij is er niet. Hij is uitgegaan met Collie en Lisette. En zijn vader.'

Rosie wist niet hoe ze het had en ze riep: 'Waar zijn ze dan heen?'

'Naar Kyra. Die is jarig.'

'O.' Rosie viel even stil. Toen schraapte ze haar keel en zei: 'Doe ze mijn groeten, en heel veel liefs voor jou, Yvonne. Dank je dat je alles zo goed voor me verzorgt – daar ben ik je heel dankbaar voor. Ik zou niet weten wat ik zonder jou zou moeten doen.'

''t Is niks. Ik doe het graag, Rosalind.'

Ze namen afscheid en Rosie hing op. Ze staarde in de verte. Haar gedachten waren bij Guy. Wat vreemd dat hij met de anderen meegegaan was naar Kyra. Niets voor hem. Maar hij stelde haar altijd voor verrassingen. Ze had nog nooit begrepen waarom hij dingen deed. Hij was voor haar een volslagen raadsel, altijd al geweest. Maar één ding wist ze zeker. Zijn uiterlijke beleefdheid tegenover Kyra was om zijn diepe afkeer voor haar te verbergen. Hij was jaloers, natuurlijk. Al lang geleden had zij hem betrapt op dat onzalige gevoel. Jaloers op Kyra, en op de vriendschap en de diepe genegenheid tussen zijn vader en deze Russische vrouw.

Rosie leunde achterover in haar stoel en keek naar de foto van Guy, Lisette en Collie, achter op haar bureau. Ze had hem zelf genomen, afgelopen zomer, en het was zo'n blij, ontspannen plaatje geworden dat ze het had laten vergroten en inlijsten. Maar hun zorgeloze lach verborg onrust en pijn en ellende – in ieder geval werden Guy en Collie door die gevoelens beheerst, dat wist ze maar al te goed. Lisette was, met haar vijf jaar, nog te jong om van dergelijke pijn te weten. Guy was een probleem, dat was zo duidelijk als iets. Niet alleen voor zijn vader, maar ook voor alle anderen, met name voor haarzelf en voor Collie, die hij, in al zijn onredelijkheid, verweet dat ze de oorzaak was van zijn moeilijkheden.

'Verkeerd gecast,' zei Gavin altijd. Gavin had Guy nooit zo gemogen, en hij zei altijd dat Guy in de jaren zestig in Haight-Ashbury had moeten leven. 'Die kerel is een overjarige hippie, hij past niet meer in deze tijd en hij is veel te oud voor die rol,' had hij gisteren nog geprikkeld opgemerkt. Er zat een kern van waarheid in die opmerking – en zelfs meer dan dat, eigenlijk. Maar ze kon niets doen om Guy te veranderen. Soms dacht ze wel eens dat hij bezig was met een soort zelfvernietiging.

Maar wat Gavin ook zei over Guy en de anderen, ze wáren familie, en ze voelde zich erg bij hen betrokken, maakte zich zorgen over hen. Ook over Guy, hoewel hij het eigenlijk niet verdiende.

Ze zuchtte wanhopig. Guy had totaal geen mensenkennis – anders zou hij het beter kunnen vinden met zijn vader, met Collie en met haar. Zijn onverantwoordelijk gedrag was sterker geworden naarmate hij ouder werd; ze had altijd al geweten dat hij een zwakkeling was, maar de laatste tijd dacht ze dat hij de grootste egoïst was die ze ooit had ontmoet.

Haar ogen dwaalden naar de andere foto op haar bureau. Het was dezelfde foto die bij Gavin op zijn schminktafel stond, zelfs de Tiffany-lijst was hetzelfde. Ze hadden die allebei jaren geleden met Kerstmis gekregen van Nell, die er zelf ook een had.

Ze leunde voorover en keek naar het gezicht van Nell. Wat zag ze er breekbaar uit met die fijn gebeeldhouwde trekken, dat glanzende, zilvergouden haar en die dromerige ogen, zo blauw als een zonnige zomerhemel. Maar die kleine, licht gebouwde, fragiele Nell was een sterke vrouw – de sterkste van hen allemaal, dacht Rosie vaak. Veel lef en een ijzeren wil, zo zou ze Kleine Nell tegenwoordig karakteriseren.

Naast haar, breed lachend, stond hun mooie Sunny, hun gouden meisje. Ze was net zo blond als Nell, meer goudblond misschien, en ze was groter en zwaarder gebouwd. Een Slavische schoonheid: smalle, amandelvormige ogen, uitstekende jukbeenderen, een vierkante kin. Sunny, met haar roze-en-blanke dauwfrisse huid en die unieke, amberkleurige ogen met gouden puntjes, was sterk en gezond, en bijzonder levenslustig. Ze zag eruit of ze van boerenafkomst was, en dat was ook zo: haar ouders waren uit Polen naar Amerika gekomen om daar een nieuw bestaan op te bouwen. Arme Sunny. Het bleek dat ze gemaakt was van gesponnen glas, en net zo breekbaar. Ja, arme Sunny, zeg dat wel. Hoe ze daar op die afschuwelijke plaats haar dagen moet slijten, haar geest ergens ver weg, ver van hen vandaan, ver van de werkelijkheid.

Naast Gavin stond Kevin. Een donkere, knappe man met zwarte, Ierse ogen, lachend en kwajongensachtig. Op zijn manier was hij ook voor hen verloren. Hij leefde op het scherpst van de snede, holde van de ene gevarenzone naar de andere, verstrikt in een afschuwelijke onderwereld die hem vandaag of morgen zijn leven kon kosten.

Dan was er nog Mikey, op de foto weggedrukt tussen Kevin en Sunny. Ook een slachtoffer van het tijdperk waarin ze waren opgegroeid, ook iemand die ze verloren hadden. Op deze foto leek zijn zandkleurige haar haast van goud, een stralenkrans om zijn hoofd. Ze vond altijd dat Mikey het aardigste gezicht had van allemaal, prettig om naar te kijken, vriendelijk. Hij was knap op een subtiele, rustige manier, en hij torende boven iedereen uit met zijn lengte en zijn brede schouders.

Niemand wist waar Mikey uithing. Hij was verdwenen, letterlijk van de aardbodem weggevaagd. Gavin had van alles geprobeerd, maar hij had geen enkele betrouwbare informatie kunnen krijgen over de verblijfplaats van Mikey. Net zo min als de privé-detectives, die hij had ingehuurd.

Zij en Nell en Gavin waren de enigen die het goed gedaan hadden, die de top hadden bereikt, die hun dromen verwezenlijkt hadden. Hoewel haar broer, Kevin, misschien zou tegenspreken dat zij de énigen waren die geslaagd waren in het leven. Kevin Madigan had het ook gemaakt – op zijn manier dan. Hij deed in ieder geval wat hij altijd had willen doen, en daar was hij vast heel goed in, dacht ze. Dat moest haast wel.

Rosalind pakte de foto en hield die vlak voor haar gezicht. Lang tuurde ze naar de verschillende gezichten. Ze waren ooit zo dicht bij elkaar geweest, zo aanhankelijk en zo vol liefde voor elkaar. Hun levens waren zo met elkaar verbonden.

Na een poosje liet ze haar ogen rusten op het gezicht van Gavin. Wat was dat tegenwoordig beroemd – dat benige gezicht met al die hoeken en vlakken, met die hoge, scherpe jukbeenderen en dat diepe kuiltje in de kin. Zijn diepliggende heldere grijsblauwe, haast leikleurige ogen stonden ver uit elkaar. Koele ogen, vond ze altijd. Vanonder donkere wenkbrauwen, de kleur van zijn haar, staarden die ogen met hun lange wimpers je aan. Nieuwsgierig, eerlijk en onbevreesd – de blik van een sterke persoonlijkheid. Hij had een gevoelige mond, teder bijna, en die vreemde, scheve glimlach die ze zo goed kende was nu net zo beroemd als zijn gezicht – het was min of meer zijn handelsmerk geworden.

Vrouwen over de hele wereld waren verliefd geworden op dat gezicht, misschien omdat het een poëtisch gezicht was, een gezicht dat getekend was door hartzeer en verdriet, een romantisch gezicht. En middeleeuws, misschien? Ze overwoog dat even, ze vroeg zich af of ze nu de acteur niet verwisselde met zijn laatste rol, maar ze wist dat dat niet zo was. Gavin had inderdaad het soort gezicht dat je vaak ziet op vijftiende-eeuwse schilderijen, Oude Wereld, Europees. Geen wonder, want hij was Schots van moederszijde en Italiaans van vaders kant. Zijn achternaam was oorspronkelijk Ambrosino, en zijn artiestennaam was daarvan afgeleid.

Ondanks zijn roem, zijn geld en zijn succes was Gavin Ambrose niet erg veranderd van binnen – dat wist ze. In heel veel opzichten was hij nog precies dezelfde jonge man als bij hun eerste ontmoeting in 1977. Ze was toen zeventien, net zo oud als haar vriendin Nell; Gavin was negentien, Kevin en Mikey allebei twintig en Sunny was met haar zestien jaar de jongste. Als groep waren ze voor het eerst samen geweest op een zwoele septemberavond, tijdens het feest van Sint Gennaro, de Italiaanse kermis op Mulberry Street in *Little Italy* in lower-Manhattan.

Hoe lang was dat al niet geleden, dacht ze. Veertien jaar, om precies te zijn. Zij en Nell waren nu eenendertig, Gavin drieëndertig, haar broer, Kevin, vierendertig. Wat was er in die tussentijd niet allemaal gebeurd met ieder van hen…

Rosie schrok op door een luide klop op de deur. Ze schoot rechtop, maar voordat ze een woord kon zeggen vloog de deur open en daar stond Fanny Leyland, een van haar assistentes.

'Spijt me dat ik er niet was bij die laatste scène,' riep Fanny, een beetje buiten adem, terwijl ze met veel geruis van wijde rokken naar het bureau liep. Ze was klein, tenger en zeer verzorgd; daarbij slim, intelligent, één bonk nerveuze energie en verslaafd aan werken.

Fanny zou door het vuur gaan voor Rosalind. Met een verontschuldigend lachje zei ze: 'Ik was even afgeleid door een moeilijke actrice. Je had me toch nergens voor nodig, hoop ik?' Met een bezorgd gezicht bleef ze naast het bureau staan.

'Nee, eigenlijk niet. Maar morgen wel,' antwoordde Rosie. 'We moeten afbreken hier en mijn studiemateriaal moet in kisten worden gepakt.'

'Dat kan. Val en ik zijn hier morgenvroeg, zoals je van je trouwe slaafjes gewend bent, en voor de avond is alles ingepakt.'

'Daar twijfel ik niet aan,' zei Rosie, en begon te lachen. 'Ik zal je missen, Fanny, weet je dat? Je vrolijke gezicht, je energie en je opgewektheid. Om maar te zwijgen van je handigheid. Ik ben aan je gewend geraakt en, laten we eerlijk zijn, je hebt me verschrikkelijk verwend.'

'Nee, da's niet waar. Trouwens, ik zal jou ook missen. Denk aan me, Rosalind, alsjeblieft, als je weer een film of een stuk gaat doen. Voor je het weet sta ik voor je neus, waar je ook zit. Ik ga naar het eind van de wereld, als ik weer met je zou kunnen werken!'

Rosie lachte naar het meisje. 'Natuurlijk wil ik je graag bij een volgend project hebben, Fanny. En Val ook. Ik zou het heerlijk vinden. Jullie zijn de beste assistentes die ik ooit heb gehad.'

'O ja? Dank je! Geweldig dat je dat zegt. Fantastisch! Tussen haakjes, de reden waarom ik niet eerder hier was om te zien of je iets voor me te doen had na de opnamen, was Margaret Ellsworth.' Fanny trok een gezicht en ging verder: 'Ze is vástbesloten om die jurk te houden, die jurk die ze aanhad bij de kroningsscène in Westminster Abbey. Ze zou er een móórd voor doen, echt waar!'

Rosie keek haar niet-begrijpend aan. 'Waarom wil iemand in godsnaam een middeleeuwse jurk hebben? Hij is niet eens ècht mooi – ik vond hem niet verschrikkelijk geslaagd, al heb ik hem zelf ontworpen.'

'Actrices zijn actrices, een apart soort mensen. Tenminste, de lastige actrices,' mompelde Fanny. Toen keek ze Rosie aan met een brede glimlach. 'Maar er zijn er natuurlijk heel wat die ècht bijzonder zijn, en daar zijn er gelukkig veel meer van dan van die actreutels als Maggie Ellsworth.'

'Ik ben het helemaal met je eens,' viel Rosie haar bij. 'Maar hoe dan ook, dat van die jurk moet je bespreken met Aida. Ik heb er geen enkel bezwaar tegen als zij, als producente, die jurk wil verkopen of weggeven. Ik bedoel – het is tenslotte niet mijn eigendom, en ik wil hem ook niet bewaren voor mijn eigen collectie. Waarom ga je nú niet even naar Aida? Regel het met haar en kom dan zo gauw mogelijk weer terug. Ik wil vanmiddag al beginnen met het catalogiseren van de tekeningen.'

'Goed. Ik ben zo terug. Val moest nog even naar het magazijn, maar ze is ook op weg hiernaartoe. Dus maak je niet ongerust, met z'n drieën is dat karwei zo gepiept.' Fanny draaide zich om en fladderde weg. Onbezorgd sloeg ze de deur zo hard achter zich dicht dat de lamp heen en weer begon te zwaaien.

Rosie lachte bij zichzelf en schudde haar hoofd, terwijl ze de telefoon naar zich toetrok. Fanny was toch zo'n leuke meid. Ze zou haar missen, en Val ook. Ze bladerde in haar agenda en vond het telefoonnummer van de producenten die haar benaderd hadden over die nieuwe musical. Ze keek op haar horloge.

Het was half vier in Engeland. Met het tijdverschil van vijf uur was het in New York dus half elf 's ochtends. Precies de goede tijd om te bellen.

3

Er waren bijna driehonderd mensen uitgenodigd voor het slotfeest en het leek Rosie, toen ze bij de deur stond te kijken, of die ook allemaal gekomen waren.

Al het technische personeel was er, alle acteurs natuurlijk en een paar studiobonzen. Daarnaast nogal wat aanhang, mensen die zijdelings iets met de film te maken hadden of die meegekomen waren met vrouw, man of geliefde. Die hoorden er tenslotte ook bij, met zo'n gelegenheid.

Het was een gezellig geroezemoes in de grootste studio van Shepperton, waar de Grote Hal van Middleham Castle was nagebouwd, en Rosie stortte zich in het gedrang. Ze zag dat het decor was veranderd in die paar uur na de laatste opname. De grote meubelen in middeleeuwse stijl waren weggehaald en in een hoek stond een combootje bekende deuntjes te spelen. Het cateringbedrijf had langs de wanden lange uitklaptafels opgesteld, keurig gedekt met gesteven tafellinnen en beladen met eten: gerookte en gepocheerde zalm uit Schotland, geroosterde kippen en kalkoenen, ham van het been, lamsbout, grote stukken rosbief en allerhande salades en groenten, kaasplateaus en zoetigheid van Franse taarten en chocolademousse met slagroom tot fruitsalade en Engelse custardpudding.

Twee andere tafels waren ingericht als bar en daar werd druk getapt en geschonken, terwijl er tientallen kelners en serveersters rondliepen met bladen vol glazen en hapjes.

Er kwam een kelner langs en Rosie pakte een glas champagne van zijn blad. Ze bedankte hem en ging verder, op zoek naar Aida en haar assistenten Fanny en Val.

In een oogwenk had ze de producente gevonden, die in een druk gesprek gewikkeld was met twee studiobazen. Toen Aida haar zag verontschuldigde ze zich bij de heren en kwam meteen naar haar toe.

Na de begroeting riep Rosie: 'Nou, dàt is nog eens een feest! Gefeliciteerd!'

'O, maar daar heb ìk niets aan gedaan,' weerde de producente af. 'Ik heb alleen maar het cateringbedrijf gebeld.'

Rosie grinnikte. 'Natuurlijk heb je iets gedaan. Je hebt dit allemaal bedacht en voorbereid. Doe maar niet zo bescheiden. En trouwens, wat komt er straks nog allemaal?'

Aida keek haar aan met gespeeld onbegrip. 'Wat bedoel je?'

'Verleden week, bij de lunch, zei je dat je iets speciaals zou bedenken, iets toepasselijks, waarmee we Bonfire Night zouden vieren èn het eind van de opnamen.'

'Als we nu eens een pop aankleden als Margaret Ellsworth en die verbranden?' grapte Fanny zachtjes, toen ze kwam aanlopen met Val in haar kielzog.

'Wat ben jij slecht!' zei Rosie bestraffend, maar ze verried zichzelf door de pretlichtjes in haar ogen. En tegen de producente: 'Wat heb je gedaan met die middeleeuwse jurk? Heb je 'm verkocht aan Maggie?'

Aida schudde haar hoofd. 'Nee, ik heb 'm haar gegeven. Maar al zal ik honderd worden, ik zal nooit begrijpen waarom ze dat ding nou zo nodig moet hebben.'

'Misschien om Lady Macbeth te spelen,' suggereerde Fanny. 'Dat is nou precies de rol die bij haar past.'

'Of Vampira,' deed Val er nog een schepje bovenop. Ze rolde met haar ogen en maakte klauwende gebaren, als in een slechte horrorfilm. 'Dat zou ook een mooie rol voor haar zijn.'

'Nou, jullie worden bedankt!' zei Rosie. 'Nou weet ik meteen hoe jullie over mijn kostuums denken.'

'Jouw kostuums zijn niet minder dan grandioos. De bèste,' klonk achter haar de stem van Gavin. Hij legde een hand op haar schouder en streelde vluchtig haar bovenarm. Toen zei hij met een lachje: 'Kijk eens hier – een vliegende vogel vangt altijd wat.'

'Ik wist dat je hier ergens zou rondzwerven, Rosie. Champagne slurpend en feestvierend,' zei een vrouw met een onmiskenbaar Engels accent.

Rosie draaide zich met een ruk om en daar stond ze oog in oog met Nell, die prachtig was gekapt en opgemaakt. Ze zag eruit als een plaatje in haar chique zwarte jurk met parelketting.

'Je hebt het gehaald, Nelly! Wat fantastisch!' riep Rosie opgetogen.

De twee vrouwen, die al jaren zo goed met elkaar bevriend waren, omhelsden elkaar stevig, en toen ze zich eindelijk van elkaar losmaakten zei Nell: 'Je dacht toch zeker niet dat ik me dìt feest zou laten ontgaan? 't Is net zo goed mίjn film, of niet soms?'

'Natuurlijk wel!' Aida schudde Nell de hand. 'Blij je weer te zien.'

'Dank je, Aida. Ik vind het heerlijk om weer bij jullie te zijn,' antwoordde Nell en ze keek met een warme blik naar Fanny en Val, om ook hen erbij te betrekken.

De assistenten van Rosie begroetten haar hartelijk en verdwenen toen in het feestgewoel.

Ook Aida maakte aanstalten om afscheid te nemen. 'Ik ga even controleren of alles in orde is,' legde ze uit. 'En ik moet die combo een beetje oppeppen. Die muziek lijkt nergens op. O, wat betreft die Bonfire Night, Rosie, ik hèb iets bedacht. Maar dat is een verrassing. Ik zie je straks nog wel even.' En weg was ze.

Gavin nam twee glazen witte wijn van het blad van een serveerster, gaf één glas aan Nell, en met z'n drieën liepen ze naar een hoekje van de studio, waar het een beetje rustiger was.

Rosie liep arm in arm met Nell. 'Heerlijk dat je er bent. Wanneer ben je aangekomen in Londen?'

'Net. Ik was in Parijs.'

'O, wat moest je daar?'

'Ik had een zakelijke afspraak, vanmorgen. Ik ben gisteravond met de concorde uit New York gekomen – met Johnny Fortune. Hij is bezig een tournee te organiseren in de lente. De Fransen zijn dol op hem, weet je. In ieder geval, we hadden een afspraak met de impresario die de tournee zal verzorgen, maar toen alles duidelijk was en het gesprek op z'n eind liep ben ik er tussenuit geknepen en heb het eerste het beste vliegtuig naar Londen genomen.'

'Hoe lang blijf je?' vroeg Gavin.

'Een paar dagen maar. Johnny komt donderdagochtend. Zaterdagavond heeft hij een concert in de Albert Hall, dus ik heb m'n handen vol. En ik moet tante Phyllis ook nog opzoeken. Daarna ga ik terug naar New York, dat zal denk ik maandag of dinsdag worden.'

'Hè, gelukkig,' mompelde Rosie. 'Het zou een teleurstelling zijn als je er niet was, net als ik in New York ben. We zien elkaar de laatste tijd toch al veel te weinig, en ik heb me erop verheugd een paar dagen met jou te kunnen doorbrengen.'

'Ik weet het. Ik ook, mijn lieve Rosie. Oh, voordat ik het vergeet – hier is de sleutel van mijn flat.' Nell zocht in haar handtas, vond de sleutel en gaf die aan Rosie. 'Je kent de regels van het huis – maak het je makkelijk en steek vooral geen vinger uit. Laat alles maar over aan Maria. Die zal uitstekend voor je zorgen.'

'Dank je, Nell,' zei Rosie, en ze stopte de sleutel in haar portemonnaie.

Samen begonnen ze plannen te maken voor de dagen in New York en Gavin trok zich terug. Hij wilde hen de ruimte geven om even met z'n tweeën alleen te zijn.

Hij leunde tegen de muur en nam een slok wijn, in de hoop dat hij daar een beetje van op zou knappen. Gavin had zijn steunkraag liever niet om willen doen naar het feest, anders zou hij geen das kunnen dragen. Maar op het laatste moment had hij hem toch omgedaan, omdat zijn nek nog behoorlijk pijn deed. Hij ging graag een beetje formeel gekleed naar dit soort gelegenheden, maar vanwege dat leren gevaarte had hij maar iets makkelijks aangetrokken. Een marineblauw zijden hemd, open aan de hals, een grijze broek en een marineblauw kasjmier jasje. Nu was hij blij met deze makkelijke kleding. Hij voelde zich in ieder geval niet zo opgeprikt, ondanks zijn steunkraag.

Terwijl hij stond te genieten van zijn wijn keek hij naar Rosalind Madigan, zijn beste vriendin en enige vertrouwelinge.

Vanmiddag was het hem opgevallen hoe bleek en oververmoeid ze eruit zag, een van de redenen waarom hij zo tekeer was gegaan over de nieuwe projecten die ze wilde aannemen, nu *Kingmaker* was afgelopen. Maar nu stond ze daar, boven verwachting, weer stralend en fris, ze had zelfs een soort gloed om zich heen. De donkere kringen onder haar ogen waren verdwenen en ze had blosjes op haar wangen. Hij was blij dat ze er plotseling zoveel beter uitzag, maar hij wist bijna direct hoe dat kwam.

Ze was natuurlijk naar de make-upafdeling gegaan – dáárom had ze nu zo'n aantrekkelijke perzikhuid. Katie Grange, het hoofd van de make-upafdeling van de film, had een speciaal talent om doodvermoeide acteurs toch een gezond en jong uiterlijk te geven. Ongetwijfeld had Katie heel vakkundig staan goochelen met kosmetica, daarmee alle tekenen uitwissend van oververmoeidheid, lange werkdagen en voortdurende zorgen, die Rosies gezicht zo grauw hadden gemaakt de laatste tijd.

En ze was ook langs de kapper gegaan, dacht hij bij zichzelf, toen hij Rosie nog wat beter bekeek. Ze had een prachtige kop roodbruin haar, dat in dikke, glanzende golven tot op haar schouders viel. Hij kon zien dat het door de meesterhand van Gil Watts was gekamd en in vorm gebracht.

Wat deed het ertoe, Rosie had gebruik gemaakt van de vakmensen die hier rondliepen, en hij was alleen maar blij dat het haar zo goed had gedaan. Ze had er in maanden niet zo stralend uitgezien, al moest hij toegeven dat hij het wollen pakje dat ze droeg nou niet bepaald mooi vond, hoofdzakelijk vanwege de kleur. Een donkergrijs mantelpak, al was het nog zo schitterend gesneden, was veel te doods voor haar. Maar dat kwam wel meer voor, de laatste tijd. Rosie had het zo druk met het ontwerpen van kleding voor anderen dat ze er nauwelijks op lette wat ze zelf aan had. Hij hield het meest van de heldere kleuren die ze droeg toen ze nog jong waren – paars, geel, blauw en bijna elke tint groen, die zo goed paste bij haar grote, expressieve groene ogen.

Gavin kon nog net een zucht binnenhouden toen hij dacht aan de problemen van Rosie, de last die ze de laatste jaren op haar schouders genomen had. Te veel voor één mens. Hoe vaak had hij het haar al niet gezegd.

Maar ze wilde niet naar hem luisteren. En het bondige antwoord dat ze dan meestal gaf, was altijd het einde van dat onderwerp van gesprek.

Ver weg, verstopt in een duister hoekje van zijn hersenen, knaagde de gedachte dat hij de last van haar schouders moest nemen, dat hij haar móest helpen, uit liefde en vriendschap. Maar daar wilde ze niets van weten; ze weigerde zijn hulp en zijn geld. Dat had hij genoeg, na zijn succes van de laatste jaren, en wat was het nut van rijk zijn, als je je geld niet kon gebruiken om iemand waar je veel om geeft het leven een stukje makkelijker te maken? Hij wou dat Rosie er iets van zou willen aannemen, het zou haar op zoveel verschillende manieren helpen.

Omdat ze dat hardnekkig weigerde voelde hij zich behoorlijk gefrustreerd, en diep in zijn hart knaagde de woede over dat irritante stelletje mensen dat ze haar familie noemde. Hufters en nietsnutten, allemaal, dacht hij, en even brak de woede door naar de oppervlakte.

Rosie was te goed voor ze, dat stond als een paal boven water.

Rosalind Madigan was de fijnste, de fatsoenlijkste vrouw die hij kende, die hij ooit gekend had. Ze had niet één druppel kwaad bloed in haar lijf, ze was vriendelijk, meelevend en vrijgevig op het gevaarlijke af. Ze had nog nooit iets onaardigs over iemand gezegd en ze probeerde altijd iedereen te helpen die minder geluk had dan zijzelf.

Dat is dan ook precies het probleem, bedacht Gavin zich opeens. Ze is veel te goed – daar gaat ze aan onderdoor. Maar als tiener was ze al zo geweest. Ze zag meestal alleen het goede in mensen, verwachtte ook niets anders dan goeds. Hij was bang dat ze nooit zou veranderen. De vlekken van een luipaard veranderen toch ook niet, nietwaar?

Gavin had Rosie altijd het 'Typisch Amerikaanse Meisje' gevonden. Een langstelige Amerikaanse roos. Een schoonheid, dat was ze. En ze was dynamisch, vriendelijk, open, eerlijk, intelligent en enthousiast. Daar hield hij het meest van – van die twee laatste eigenschappen. Omdat ze zo'n scherp verstand had kon hij met haar over van alles praten, en ze begreep altijd wat hij zeggen wilde, waar hij op aanstuurde. En daar kwam dan haar enthousiasme nog eens bovenop. Ze had altijd overal belangstelling voor, ze had voor alles en iedereen de tijd. Ook al was ze in vele opzichten een vrouw van de wereld, al had ze veel meegemaakt en was ze zeer bereisd, toch was ze niet blasé of cynisch. Hij vond dat een enorme prestatie voor iemand die werkte in hun wereld – de gladde, betoverende, oppervlakkige, jaloerse, rivaliserende, wrede wereld van de showbusiness.

Gavin werd er zich plotseling van bewust dat hij wel erg lang naar Rosie stond te staren, en hij verlegde zijn blik naar Nell Jeffrey.

Rosie was niet groot, zo'n een meter vijfenzestig, maar ze leek zoveel groter en zwaarder gebouwd als ze naast Nell stond, die zo klein en frêle was. Een porseleinen poppetje, dacht Gavin, met dat bleke Engelse kleurtje en dat zilvergouden haar. Maar hij was zich ervan bewust dat onder dat breekbare omhulsel een grote kracht schuilde. Ze was een van de slimste mensen die hij ooit had ontmoet. En haar ongewone vasthoudendheid grensde vaak aan stijfkoppigheid.

Ja, een dame om rekening mee te houden, onze Kleine Nell, dacht hij, terwijl hij over de rand van zijn glas met een bedachtzame blik naar haar stond te kijken.

In de veertien jaar dat hij haar nu kende – hij had haar ontmoet vlak nadat ze uit Londen naar New York gekomen was – had Nell een bijzondere carrière opgebouwd voor zichzelf. Ze was nu één van de succesvolste en machtigste publicisten in Amerika. Behalve dat ze agente was van Johnny Fortune, *de* crooner van de jaren negentig, behartigde ze ook alle zaken voor Rosie en voor hemzelf en al zijn films. Daarnaast verzorgde zij de public relations voor een grote Hollywood-studio, een aantal megasterren uit de filmwereld, scriptschrijvers, regisseurs, producenten en een handjevol goedverkopende auteurs.

Ze had voor verschillende vooraanstaande New Yorkse public-relationsbedrijven gewerkt en daar had ze het vak geleerd – en goed ook! Op haar zevenentwintigste was ze haar eigen bedrijf begonnen. Dat was, in de vier jaar van zijn bestaan, tot grote bloei gekomen, en nu had ze een uitgebreide staf medewerkers en kantoren in New York, Los Angeles en Londen.

Maar al was ze nog zo succesvol in zaken, haar persoonlijke leven was net zo onbevredigend en zo weinig inspirerend als dat van Rosie. Wat zou het fijn zijn, dacht Gavin, als zij eens een goeie kerel vond waar ze een leuk leven mee zou kunnen hebben.

Gavin nam een grote teug uit zijn glas, oprecht verbaasd over zichzelf. Hoe kon nou net híj zoiets denken?

Het was Mikey, die Nell in de weg stond, wist Gavin. Hij was er allang van overtuigd dat ze er nooit echt overheen gekomen was. Nell had vroeger, toen ze jong waren, een verhouding gehad met Mikey, en toen hij twee jaar geleden plotseling verdwenen was had zij die kant van zichzelf eenvoudigweg op slot gedaan.

Rosie was een heel ander geval.

Op een bepaalde manier had ze het in haar persoonlijke leven veel moeilijker dan Nell of hijzelf. Maar daar wilde ze geen seconde over nadenken.

Rosie was van nature al een bijzonder gecompliceerde vrouw, maar ze had zich ook nog een hoop problemen op de hals gehaald die allemaal voortkwamen uit het soort leven waarvoor ze gekozen had. Ze ontkende dat categorisch; ze lachte zelfs om het idee dat ze een gecompliceerd karakter zou hebben, maar Gavin wist wel beter.

'Je bent in een weemoedige bui, vriend,' onderbrak Nell zijn gedachten. 'Natuurlijk is het altijd een beetje verdrietig als de opnamen van een film voorbij zijn. Maar de omstandigheden in aanmerking genomen zou je eigenlijk opgelucht moeten zijn. Ik bedoel – als uitvoerend producent zou je toch moeten denken: godzijdank, dat zit erop, nu kunnen er tenminste niet nog meer rampen gebeuren. Of niet?' Vragend trok zij haar blonde wenkbrauwen op.

Gavin knikte. 'Ik bèn opgelucht, Nell, geloof me. En ik ben niet weemoedig, althans niet over de film. Om je de waarheid te zeggen, ik stond aan jullie tweeën te denken. Dat jullie eens een man zouden moeten vinden. Wat rust in je leven brengen en…'

'Alsjeblieft zeg, hou op!' viel Nell hem in de rede. Ze keek hem wantrouwend aan. 'Ik ben volkomen gelukkig met mijn leven zoals het is, als je dat maar weet.'

'En ik ook, Gavin,' voegde Rosie eraan toe. 'Dus maak het ons niet moeilijk.'

'Goed, goed,' krabbelde hij terug. 'Ik wilde alleen maar grote broer spelen. Geen enkele reden om je op te winden of je aangevallen te voelen.'

'We weten dat je het beste met ons voorhebt,' grinnikte Nell. 'We zijn tenslotte jouw favorieten. Maar we kunnen heel goed voor onszelf zorgen, hoor. We zijn nu volwassen mensen. Vooruit, laten we nog een glaasje pakken en ons in het feestgewoel storten.' En, met een theatraal gebaar zei ze: 'Wie weet wie we daar in die kolkende menigte nog kunnen versieren, nietwaar?'

Hij lachte en Rosie lachte met hem mee.

Gavin zei: 'We moeten inderdaad even rondlopen, even meefeesten. De hele ploeg heeft zo z'n best gedaan – ik wil even met alle mensen praten, even met ze proosten. Ik wil iedereen persoonlijk bedanken.'

De verrassing die Aida voor Bonfire Night in petto had was een groot vuurwerk.

Het begon om negen uur, toen het koude buffet was weggeruimd. Iedereen was naar buiten gekomen en er werd geklapt en geroepen. De ah's en oh's waren niet van de lucht, bij al dat pyrotechnisch geweld tegen de nachtelijke hemel. Vuurraderen, cascades, watervallen, raketten, sterrenwolken, regenbogen en sneeuwvlokken wisselden elkaar af in eindeloze kleurvariaties en in het donker ontstonden verfijnde, ingewikkelde lichtfiguren, die de daken van de studio's in gloed zetten. Het was adembenemend, een betoverend sprookje van kleur en licht dat bijna een half uur duurde.

Maar het spectaculairste deel was toch de finale toen tegen een enorme stellage, met vuurwerk geschreven, de naam van de film oplichtte. En na de titel *Kingmaker* verschenen de woorden *Dank Je Gavin*.

Toen de nieuwe uitbarsting van geklap en hoera-geroep wat wegebde, begon een heldere bariton te zingen: 'Lang zal hij leven, lang zal hij leven,' en iedereen zong enthousiast mee.

Terwijl ze luidkeels stond mee te zingen realiseerde Rosie zich dat ze het meenden, uit de grond van hun hart, net als zijzelf.

'Denk je ook niet dat er iets mis is met het huwelijk van Gavin?' vroeg Nell, terwijl ze Rosie doordringend aankeek.

Rosie was zo verrast door die vraag dat ze haar theekopje bijna liet vallen. Sprakeloos keek ze haar vriendin aan. Toen ze haar stem weer had teruggevonden zei ze: 'Waarom zeg je dat?'

Nu was het Nell die even geen antwoord had en ze leunde achterover op de bank. Er trok een nadenkende uitdrukking over haar gezicht.

Rosie bleef haar strak aankijken, wachtend op antwoord.

Het was laat, al na enen 's nachts, en de twee vrouwen zaten uit te rusten in Rosies suite in het Athenaeum Hotel op Piccadilly. Zij, Gavin en bijna alle andere Amerikaanse medewerkers aan de film woonden daar al maanden, en ook Nell had er vanmorgen haar intrek genomen, zoals altijd wanneer zij in Londen was.

Ze waren van het feest in de Shepperton Studio's naar Piccadilly gereden in de limousine van Gavin, die nog even was meegegaan naar de suite van Rosie voor een afzakkertje. Maar hij was al meer dan een uur geleden weggegaan, omdat hij dood en doodop was. Hij zag er ook uitgeput uit, zijn gezicht werd plotseling rood en opgeblazen en het was duidelijk dat hij last had van zijn steunkraag. 'Het wordt tijd dat ik dat ding afdoe en naar bed ga met een pijnstiller,' had hij gemompeld bij het weggaan.

Rosie en Nell waren nog even blijven zitten om de laatste nieuwtjes uit te wisselen; een paar minuten geleden had Rosie een pot thee gezet in het kleine keukentje naast de zitkamer.

Nu zat ze daar met haar beide handen om haar kopje geklemd, haar ogen nog steeds gericht op Nells gezicht. 'Waarom denk je zoiets, Nell? Over Gavins huwelijk?' vroeg ze nog eens, en herhaalde: 'Waaròm?'

Nell keek haar recht in de ogen en zei langzaam, met lage stem: 'Louise was er niet voor het slotfeest. Dat is nog nooit gebeurd. Ik bedoel, ze is áltijd op een slotfeest, of dat nou in New York, Los Angeles of op locatie is.'

'Maar ze moest terug naar Californië,' antwoordde Rosie. 'Om alles in orde te maken voor Kerstmis.'

'Kerstmis! 't Is nog maar net begin november. Maak het nou.'

'Of voor Thanksgiving Day, ik weet het niet meer. In ieder geval, ze is hier vaak genoeg geweest, pendelend tussen Londen en Los Angeles. Dus niks aan de hand, zou ik zeggen. Daarbij, ze heeft haar eigen werk.'

'Wèrk! Wat voor werk? In liefdadigheidscomités zitten, is dat soms wat je bedoelt?'

De minachting die in Nells stem doorklonk ontging Rosie niet en ze keek haar vriendin oplettend aan. 'Kan het zijn dat ik daar een scherp toontje hoor?' vroeg ze.

'Dat kan heel goed zijn, ja. Ik hou niet van Louise Ambrose, nooit gedaan ook vanaf de eerste keer dat ik haar zag, toen ze om Gavin heen hing. Ik weet niet wat hij in haar zag, of wat hij nu in haar ziet. En ze is iemand die er niet beter op wordt met de jaren. Ze is eigenlijk alleen maar erger geworden. In mijn ogen is het een volslagen belachelijke vrouw, en ik zal hun verhouding nooit begrijpen. Nooit. In ieder geval – Gavin had met jóu moeten trouwen.'

'Ach, schei uit, Nelly, begin dáár nou niet over op dit uur. Je weet heel goed dat we nog kinderen waren, toen Gavin en ik iets hadden, waarom moet je dan nu…'

'Hij houdt nog steeds van je.'

Rosie keek haar fel aan en sputterde: 'Wat een ònzin! Hij houdt niet méér van mij dan ik van hem.'

'Wedden?'

'Nee.'

'Bang de waarheid te horen, mijn Rosie?'

'Helemaal niet. Maar je hebt het mis, Nelly, volslágen mis. Ik heb de laatste maanden vierentwintig uur per dag met Gavin gewerkt, denk je dan dat ik het niet zou weten als hij verliefd op me was? In ieder geval, toen in New York, toen waren we nog zo jong, zo onvolwassen. We dweepten met elkaar, dat is een beter woord om te omschrijven wat we in die jaren voor elkaar voelden.'

'Je hebt het tegen Kleine Nell, mijn Engelensmoeltje – was dat niet zijn koosnaampje? Zo noemde hij je toch altijd, of niet? Maar, als ik even mag uitspreken, je zit tegenover míj, en míj kan je niets wijsmaken. Je híeld van hem, Rosie Madigan, je hebt me dat indertijd vaak genoeg gezegd, voor het geval je dat vergeten mocht zijn. En ik weet nog heel goed dat je zó van hem ondersteboven was dat je al het andere uit het oog verloor. En Gavin had precies dezelfde gevoelens voor jou. Hij híeld van je. En hij houdt nog steeds van je.'

'Doe niet zo belachelijk. Dat zou ik toch wéten.'

'Nee, dat weet je niet. Je hebt het veel te druk met al die verdomde nietsnutten.'

'Alsjeblieft, Nell, vanavond even niet. Ik ben moe,' zei Rosie met iets smekends in haar stem.

'Ik ook. Maar om even naar het uitgangspunt terug te gaan, ik denk écht dat Gavin ongelukkig is met Louise.'

'En ik ben er zeker van dat dat niet zo is. Ik ben tijdens deze opnamen veel met hem samen geweest, meer dan jij, Nell. Hij adoreert Louise en zijn houding tegenover haar is niet veranderd. Hij is net zo tegen haar als hij altijd is geweest.'

'En wat zegt me dat? Hij is een acteur.'

Rosie fronste haar wenkbrauwen, maar ze gaf geen antwoord. Na een ogenblik zei ze met krachtige stem: 'Je hebt me nog steeds geen geldige reden gegeven waarom je plotseling denkt dat er moeilijkheden zijn in zijn huwelijk.' Even was het stil. 'Weet je soms iets dat ik niet weet?' vroeg ze.

'Niets, nee. Laten we erover ophouden. Goed?' Het kwam veel te snel. Nell haalde haar schouders op en ze keek Rosie aan met een vage, haast spijtige glimlach.

Er viel een stilte.

Tenslotte zei Nell: 'Ach, ik heb alleen maar zo'n gevoel, Rosie. Zoals ik je net al zei, het kwam me een beetje vreemd voor dat Louise vanavond niet op het feest was. Je weet net zo goed als ik hoe ze er altijd een punt van maakte om erbij te zijn.' Nell schudde haar hoofd. 'Ongelooflijk, zoals ze zich altijd gedroeg! Ze viel me vanavond zo ontzettend op omdat ze afwézig was. Het is ook heel ongewoon, dacht ik, dat ze hem niet van-af de zijlijn stond toe te juichen, of liever vanuit het midden. Je kent haar ego, ze moet altijd in de schijnwerpers staan. Wat ik probeer te zeggen is: je zou toch denken dat ze hem privé en *en plein publique* klopjes op zijn schouder zou willen geven nu hij dit tot een goed einde heeft gebracht. Ga zelf maar na. *Kingmaker* is toch een enorme prestatie.'

Rosie knikte, ze zag de waarheid er wel van in. Langzaam zei ze: 'Maar dat is nog steeds geen reden genoeg om te denken dat ze problemen heb-ben. Of wel?'

Nell zuchtte kort en schudde haar hoofd. 'Misschien niet. En ik zei daar-net: laten we erover ophouden, Rosie. Misschien verbeeld ik het me al-leen maar.' Ze stond op en zei abrupt: 'Ik zal je niet langer ophouden.'

'Ik moet er inderdaad vroeg uit, morgen,' mompelde Rosie. Ze zette haar kopje op tafel en stond ook op.

Samen liepen ze door de kamer; Rosie deed de deur open en draaide zich om naar Nell. 'Er zijn geen problemen in Gavins huwelijk, eerlijk niet. *Anders zou ik het weten.*'

Nietwaar, dacht Nell. Jij ziet door de bomen het bos niet meer. En hij zal jóu nooit vertellen wat hij voelt. Hij zou niet kunnen.

Ze kwam dicht bij Rosie staan en kuste haar op haar wang. 'Welterusten. Ik zie je morgen. Ik ga naar Shepperton om met de fotograaf de scènefo-to's van de afgelopen week uit te zoeken. Ik denk dat ik daar de hele dag ben, want ik moet ook nog op de publiciteitsafdeling van de produktie praten over een paar tijdschriftartikelen over *Kingmaker*.'

'Laten we dan lunchen in het restaurant van de studio.'

'Uitstekend idee, Rosie. Tot dan.'

'Slaap lekker, Nell.'

Rosie deed de deur dicht en liep langzaam naar de slaapkamer, terwijl ze dacht aan de woorden van Nell. Ze kon er niet over uit.

4

Het was een stralende dag.

De lucht was helder, wolkenloos en strakblauw, en hoewel de zon geen warmte gaf op die koude zaterdagochtend in november, hing ze toch als een gouden bol boven Park Avenue, en dat droeg onmetelijk veel bij aan de sprankeling en spirit van die morgen.

Rosie liep snel, blij dat ze weer even terug was in New York. Ze werd bestormd door herinneringen, blijde herinneringen vooral, en zo verdwenen de alledaagse problemen, althans voor het moment. Ze voelde tenminste de druk niet meer zo erg – het gewicht dat de laatste tijd op haar schouders rustte was wonderlijkerwijs verdwenen op het moment dat ze voet op Amerikaanse bodem zette. Ze was vastbesloten om te genieten van die paar weken hier; niets mocht het plezier van haar bezoek aan haar geboortestad, voor het eerst in twee jaar, bederven.

Drie uur daarvoor was ze vanuit Londen aangekomen met de Concorde, na een verbijsterend korte vlucht over de Atlantische Oceaan, die precies drie uur en veertig minuten geduurd had. Die reis met het supersonische vliegtuig was een cadeautje van Gavin; hij had het haar letterlijk opgedrongen. Zoals gewoonlijk wilde ze niets van hem aannemen, maar nu was ze toch blij dat ze voor zijn aandrang gezwicht was. 'De Concorde is geen luxe, maar een noodzaak als je werkt in dit vak met die vaak krappe tijdschema's,' had hij gezegd, en dat was ze nu maar al te zeer met hem eens.

Het vliegtuig was om half tien geland, ze had als eerste haar bagage gevonden en was snel door de douane gekomen. Om half twaalf zat ze al hoog en breed in de flat van Nell op Park Avenue, vlakbij 80th Street, uitgepakt, verfrist en opgemaakt. Maria, de huishoudster van Nell, had thee gezet en ze moest en zou een kopje drinken voor ze de straat op ging met die kou.

Omdat het zo'n ijzig weer was had Rosie haar zwarte mantelpak en bijpassende jas geruild voor een groene loden pantalon en een bijpassende wijnkleurige sweater met een rolkraag, haar lekkerste Lucchese cowboylaarzen van Cordovan-leer in een verrukkelijke donker-roodbruine kleur en een lange Oostenrijkse koetsiersjas van loden stof. Die had ze een paar jaar geleden in München gekocht en ze had er voor de warmte een wijnkleurige kasjmier voering in laten zetten. Maar ze hield het meest van die cape om het dramatisch effect, het gaf haar zo'n werelds gevoel als ze hem droeg.

Voorbereid op de kou was ze naar beneden gegaan om daar een taxi aan te houden, maar de knisperende lucht voelde zo prettig aan na al die uren in het vliegtuig dat ze besloot maar te gaan lopen.

Ze was even blijven staan om over Park Avenue te kijken.

Het was zo helder dat ze het Pan Am-gebouw kon zien, waar de straat afboog naar Grand Central. Ondanks het feit dat ze in Parijs woonde en dol was op de charmante en elegante lichtstad voelde ze zich toch het meest thuis in New York. Het wàs ook een unieke stad, die zich met niets ter wereld liet vergelijken.

Toen ze van het vliegveld kwam was de taxichauffeur naar Manhattan gereden via de Queensboro Bridge en de 59th Street. Ze had uit het raampje gekeken toen ze kwamen aanrijden over de dubbeldeks brug vanuit Long Island City en ze had de adem ingehouden.

Recht voor haar, aan de overkant van de East River, rezen de torenhoge flatgebouwen van de East Side op als reusachtige klippen, glanzend in het lage zonlicht. En daarachter dreven de gigantische kantoorgebouwen in het centrum van Manhattan, met als blikvangers het Empire State Building en het Chrysler-gebouw. Dit laatste vond ze het mooist vanwege de vlekkeloze Art Deco en de slanke toren. Die immense wolkenkrabbers hoog tegen een azuurblauwe hemel vormden canyons van staal, glas en beton en voor Rosie hadden ze nog nooit zo imposant en ontzagwekkend geleken als op dat ogenblik. In het stralende licht van de vroege ochtendzon leek de horizon van Manhattan als uit kristal geslepen door een enorme goddelijke hand. Het was adembenemend en bijna onwerelds.

Ze vond deze stad niet alleen mooi, maar ook elektrificerend, uitdagend. De meest opwindende stad om in te wonen en te werken – als je talent en geluk had, als je ambitieus was en gedreven. Haar broer daarentegen vond het een Sodom en Gomorra, want Kevin had al vroeg de donkere, decadente kant leren kennen, de smerige ingewanden, de zelfkant. Hij was zich bewust van de corruptie, de wreedheid, de genadeloze armoede en de onrechtvaardigheid die in New York heersten, naast opwinding, glamour, succes, grote rijkdom en macht.

Er schoot een golf van bezorgdheid door haar heen toen ze aan haar broer dacht, en ze kneep haar lippen op elkaar. Haar vreugde om weer in New York te zijn werd alleen overschaduwd door het feit dat Kevin niet op haar telefoontjes had gereageerd. Ze had hem de afgelopen week iedere dag gebeld, eerst had ze gezegd waar ze te bereiken was in Londen en gisteren, toen ze wist hoe laat ze zou vertrekken, had ze nog eens het nummer van Nells flat ingesproken op zijn antwoordapparaat.

Tot nu toe had hij haar niet teruggebeld en ze werd hoe langer hoe ongeruster. Dat had ze ook gezegd toen ze hem die morgen vanuit Nells flat nog eens gebeld had, en ze had eraan toegevoegd: 'Alsjeblieft, Kevin, bel me om te zeggen dat alles goed met je is. Ik begin me ernstig zorgen te maken.' Toen had ze het telefoonnummer van Nell nog eens opgegeven, hoewel ze wist dat hij dat uit zijn hoofd kende.

Vandaag belt hij, zei ze tegen zichzelf, en daar geloofde ze heilig in toen ze over Park Avenue liep, haar pas versnellend en haar cape wapperend achter zich, als een trotse banier. Ze was een opvallende verschijning in haar dramatische kleding. Haar koperkleurige haar, dat oplichtend de zonnestralen vasthield, stond als een heldere, hoogglanzende helm boven haar hartvormige gezicht.

Heel wat mannen wierpen een verstolen blik op haar en ook vrouwen keken haar soms bewonderend aan als ze voorbijzeilde, strak voor zich uitkijkend, recht op haar doel af. Rosie was zich niet bewust van de indruk die ze maakte, noch van haar bijzondere schoonheid. IJdelheid was haar vreemd, en deze dagen werd ze zo in beslag genomen door haar werk en haar zorgen en verantwoordelijkheden, dat ze geen tijd had om rustig voor de spiegel te gaan zitten.

Zelfs toen ze zich had laten 'opkammen en afpoederen' – zoals Fanny het noemde – voor het eindfeest was dat op aanraden van Fanny geweest en haar beide assistenten hadden haar haast naar de schmink- en kapkamer van Shepperton moeten slépen. Ze had eindelijk toegegeven toen Fanny en Val in koor riepen hoe uitgeput ze eruitzag. Dat zou natuurlijk ook Gavin opvallen, en het laatste waar ze op zat te wachten was wel dat hij haar de les zou lezen en een paar stekelige opmerkingen zou maken aan het adres van Collie en Guy, die hij beschouwde als de voornaamste oorzaak van haar zorgen, zo niet van alle ellende die haar ooit was overkomen.

Bij de 65th Street sloeg ze rechtsaf, richting Madison Avenue, een blok verder. Ze liep langs het Mayfair Regent Hotel, waar ze altijd zo graag 's middags heen ging voor de thee, en langs Le Cirque, één van haar geliefde restaurants in het centrum.

Zoals ze hield van de Faubourg St. Honoré in Parijs, Bond Street in Londen en Rodeo Drive in Beverly Hills, zo hield ze ook van Madison. Al die elegante winkels en boutiques met haut-couture kleding en modieuze accessoires spraken haar als kostuumontwerpster natuurlijk bijzonder aan. Rosie wilde die ochtend op Madison eigenlijk alleen maar etalages kijken – haar kerstinkopen zou ze gaan doen bij Bergdorf Goodman.

Het was die dag de negende november en Thanksgiving was pas over meer dan twee weken, maar Kerstmis hing al in de lucht. Dat was duidelijk te zien aan de etalages en aan de straten van Manhattan die versierd waren met slingers en lampjes.

Fifth Avenue was schitterend versierd, zag ze, toen ze de hoek omsloeg. Inwendig moest ze lachen toen ze zich over de Fifth haastte naar het wa-

renhuis; ze herinnerde zich hoe haar moeder haar als kind meenam, helemaal uit Queens, om de kerstversiering te zien.

Het waren vooral de etalages die haar altijd hadden gefascineerd, vooral
die van Lord & Taylor. Die waren zo fantasievol, zo inventief, zo sprook-
jesachtig... Iedere etalage stelde een scène voor uit een bepaald verhaal,
een bijbelvertelling of een sprookje, zo uitgewerkt dat kinderen er in verrukking naar stonden te kijken, net als iedereen die jong van hart was. Ze
kon zich nog heel goed voor de geest halen hoe ze gebiologeerd met haar
neus tegen het glas gedrukt stond en hoe ze alles, ieder detail, indronk.

Ieder jaar was er wel weer wat anders dat haar aandacht trok. Er was ook
zoveel te zien en te bewonderen: de kerststal met Jozef en Maria en het
Kindeke Jezus... de Kerstman die met stapels cadeautjes over de daken
vloog in een slee die getrokken werd door rendieren, die ook echt rèn-
den... het Zwanenmeer met ronddraaiende ballerina's die echt bewogen,
een wonder van technisch vernuft. En de scènes uit haar geliefde sprook-
jes waren al net zo mooi en fascinerend: Assepoester in de glazen koets,
Sneeuwwitje in haar glazen kist, die wordt wakker gekust door haar prins,
en Hans en Grietje in het pannekoekenhuisje.

Wat had ze daarvan genoten, van die betoverende etalages. Ze had geen
enkele moeite om die kerstfeesten van vroeger weer terug te roepen in
haar herinnering. Haar moeder vond het al net zo mooi als zijzelf, en als
ze iedere etalage hadden bestudeerd, als ze hun ogen hadden uitgekeken
tot ze niet meer konden, had haar moeder haar mee naar binnen genomen,
de winkel in, voor de lunch. Het Birdcage Restaurant was het leukste, en
daar mocht ze dan uitzoeken wat ze wilde, dat was een deel van de trakta-
tie. Altijd nam ze na de lunch een bananasplit als dessert, dat kon niet
missen. En al zei haar moeder uitentreuren dat ze op haar figuur moest
letten, ze deed altijd mee.

Haar moeder was gestorven toen Rosie veertien was en de dag na de be-
grafenis – het was een zaterdag, dat herinnerde ze zich nog heel goed –
was ze naar de Birdcage gegaan om daar alleen te lunchen. Door het verleden te herhalen had ze geprobeerd om haar moeder weer tot leven te
wekken; ze wist nu dat dàt de reden was waarom ze die tocht naar Manhattan had gemaakt. Maar ze was zo verdrietig dat ze geen hap door haar
keel kon krijgen. Zelfs de bananasplit bleef onaangeroerd en ze zat ernaar
te staren terwijl de tranen over haar wangen liepen. Ze voelde weer die
pijn van binnen, dat schrijnende verdriet.

Ze dacht dikwijls aan haar moeder – bijna iedere dag, eigenlijk – al was ze nu alweer zeventien jaar dood. Haar moeder had een heel speciaal plekje in haar hart, en zolang ze leefde zou ook haar moeder leven, want zoiets als dood kwam niet in haar woordenboek voor. Ze droeg de herinneringen aan een meer dan gelukkige jeugd altijd bij zich, en die herinneringen gaven haar troost en kracht als ze zich alleen en verdrietig voelde. Wat een geluk dat zij en Kevin zoveel liefde hadden gekregen als kinderen.

Kevin. Ze vroeg zich af wat ze hem moest geven voor Kerstmis. En dan moest ze ook iets kopen voor Gavin, en voor Guy en Henri en Kyra, en voor haar liefste vriendin, Nell. Hun namen dansten rond in Rosies hoofd terwijl ze Fifth Avenue overstak bij de 59th Street, door het kleine parkje voor het Plaza Hotel liep en zo het beroemde warenhuis binnenstapte.

In het vliegtuig had ze een paar aantekeningen gemaakt en hoog op haar prioriteitenlijstje stonden speciale cadeaus voor Lisette, Collie en Yvonne, die in de provincie zaten en nooit de kans kregen om eens een opwindende winkel binnen te stappen. Nadat ze een uur had rondgekeken op de verschillende afdelingen kocht ze voor Collie een prachtige crèmekleurige zijden sjaal, afgezet met gouden franje en met een pauw erop geborduurd, de enorme kleurige staart uitgespreid als een waaier van lichtgevende groene, blauwe en gouden kleuren. Op een andere afdeling vond ze voor Yvonne een paar bijzondere oorbellen van pastelkleurig bergkristal in de vorm van een bloem.

Na deze aankopen verliet ze Bergdorf en liep terug naar Fifth Avenue, op weg naar Saks. Ze keek vluchtig in de etalages maar ze hield er, zoals gewoonlijk, flink de pas in. Bij Saks liep ze regelrecht naar de kinderafdeling en binnen een kwartier had ze een feestjurk uitgezocht voor Lisette. Een prachtig sparregroen fluwelen jurkje met een ecru kanten kraag en manchetten, dat iets Victoriaans had. Ze wist dat de vijfjarige Lisette er snoezig uit zou zien als ze dit aanhad. Duur was het wel, maar Rosie kon het eenvoudig niet laten hangen.

Het lijkt of het kouder geworden is in die tijd, dacht Rosie toen ze weer buiten kwam en terugliep naar de Fifth. Er woei een ijskoude wind en ze trok haar cape dichter om zich heen, blij dat ze hem had aangetrokken. Toen ze langs Saint Patrick's kwam kreeg ze plotseling de aanvechting naar binnen te gaan in die prachtige oude kathedraal. Even bleef ze staan kijken naar die gotische façade, maar ze liep toch door – ze wilde haar boodschappen doen en dan gauw naar huis om te zien of Kevin gebeld had.

De laatste twee winkels op haar lijst waren de Gap en Banana Republic, vlak bij elkaar op Lexington. Dat waren de beste winkels voor T-shirts en spijkerbroeken. Collie en Yvonne hielden van die typisch Amerikaanse kleding. Als Rosie er zo bijliep in het weekeind voelde ze altijd hun bewonderende blikken. Voor haar was het eigenlijk een soort uniform geworden, compleet met de onvermijdelijke witte sokjes en de glimmend gepoetste bruine instappers met een koperen cent op de wreef, en Collie en Yvonne imiteerden haar gretig. Omdat ze geen tijd zou hebben om boodschappen te doen als ze eenmaal weer terug was in Parijs had ze besloten om maar een goede voorraad mee naar Europa te nemen. Dan kon ze de spijkerbroeken en T-shirts in kerstpapier onder de grote boom leggen die ze in de hal van Montfleurie zou neerzetten.

5

Er was niet veel veranderd in de flat sinds ze er twee jaar geleden voor het laatst was geweest, bedacht Rosie toen ze later op de dag doelloos rondliep, wachtend op het telefoontje van Kevin.

Rosie had het appartement voor het eerst gezien in 1977. In de lente van dat jaar had ze Nell ontmoet en ze waren meteen op elkaar gesteld geraakt, misschien omdat ze beiden voelden dat ze met een sterke, onafhankelijke geest te maken hadden. Niet lang na die eerste ontmoeting was ze door haar nieuwe vriendin uitgenodigd voor een zondagse lunch.

Op het moment dat ze binnenkwam in dat grote, een beetje grillige appartement op Park Avenue voelde ze zich er thuis. Met haar kennersblik constateerde ze meteen dat degene die deze woning had ingericht een binnenhuisarchitect van formaat moest zijn met een buitengewone smaak en behoorlijk veel verstand van antiek.

Die expert bleek Nells tante Phyllis te zijn, de zuster van haar vader. Nell was tien toen tante Phyllis bij hen kwam inwonen nadat haar moeder, Helen Treadles Jeffrey, aan een hersentumor gestorven was. In augustus 1976, toen Adam Jeffrey, de vader van Nell, door zijn krant, de *London Morning News*, in Amerika was gestationeerd als correspondent, was zijn zuster hem vooruitgesneld naar New York. Relatief snel had ze de flat gevonden en zonder een minuut te verliezen was ze meteen met de inrichting begonnen. Toen Nell tegen Kerstmis aankwam – ze had toen haar Engelse kostschool voorgoed verlaten – was het appartement al veranderd in een replica van de elegante flat die ze in Londen hadden achtergelaten. Bij dat eerste bezoek had Rosie bewonderend al dat prachtige Engelse en Franse antiek bekeken, en Nell had verteld dat het meeste uit hun vroegere huis in Chelsea kwam. Haar tante Phyllis was naar de beste woninginrichters in New York gegaan, waar ze het verrukkelijkste behang, de fijnste Franse zijde en Engelse chintz en brokaat had uitgezocht om de sfeer te scheppen waarmee ze haar bekendheid had gekregen in Londen, waar ze veel succes had als binnenhuisarchitecte.

Plotseling, in 1979, was Adam Jeffrey op zijn tweeënvijftigste gestorven aan een hartaanval. Nell en haar tante waren in New York gebleven, waar Phyllis al een reputatie had opgebouwd als vooraanstaand adviseur voor woninginrichting, met een formidabele lijst van rijke klanten. Pas toen Nell drieëntwintig was besloot tante Phyllis eindelijk om voorgoed naar Londen terug te gaan, en zo bleef haar nichtje alleen achter in New York.

Nell had in die tijd al een goede baan, ze had haar vrienden in de stad en ze was, begrijpelijkerwijs, niet van plan om Manhattan op te geven, waar ze zes jaar heel gelukkig en tevreden gewoond had. Haar vader had haar bij testament de flat op Park Avenue nagelaten en daar was ze blijven wonen. Ze had in al die jaren bijna niets veranderd aan het oorspronkelijke ontwerp – ze vond het mooi zoals het was.

Een van de aardigste en gezelligste kamers vond Rosie de kleine bibliotheek, charmant aangekleed door tante Phyllis. Wanden met abrikooskleurig streepjesbehang, op de vloer een citroengeel-met-zwart geborduurd kleed, kleurige chintz gordijnen met bloemmotieven voor de ramen, met bijpassende bekleding van de bank, en een collectie warme, antieke Engelse meubelen. Witte boekenplanken langs de lange wand, waarin boeken met daartussen Engelse dierfiguurtjes uit Staffordshire. Op verschillende kleine tafeltjes lagen stapels tijdschriften en de kranten van de laatste dagen.

Deze kamer had Rosie dan ook uitgekozen. Rond vijf uur ging ze daar op de bank zitten met een kopje thee, om even bij te komen. Ze had de radio aangezet en de *New York Times* gepakt. Toen ze de krant uit had leunde ze achterover, sloot haar ogen en liet zich wegdrijven op haar gedachten, terwijl ze hoopte dat Kevin eindelijk zou bellen. Toen ze na het winkelen terug was gekomen had ze meteen het antwoordapparaat van Nell afgeluisterd. Tot haar teleurstelling stond er geen enkele boodschap op.

Bij de zachte muziek van de radio was Rosie even weggedommeld. Maar na een minuut of twintig schrok ze plotseling wakker. Ze voelde zich totaal gedesoriënteerd en ze ging met een ruk rechtop zitten, zonder zich te realiseren waar ze was. Het duurde seconden voor ze wist dat ze in New York zat, in de flat van Nell.

Rosie schudde zichzelf wakker en ze stond op om haar kopje naar de keuken te brengen, het af te wassen en weer terug te zetten in de kast.

Midden in de blauw-met-witte keuken bleef ze even aarzelend staan. Toen deed ze de koelkast open, nieuwsgierig naar wat Maria voor haar had achtergelaten. Ze vond een ovenschotel met groenten en vlees. Dat zag er verrukkelijk uit in die glazen schaal. Verder was er nog een gebraden kip en een paar koude schotels, verschillende salades, een cake en op de het rek daarboven een grote sortering kaas. Het was duidelijk dat Maria, die het weekeinde vrij had, haar niet van honger wilde laten omkomen. Rosie bedacht dat ze hier helemaal niet zo gek zat als ze niets hoorde van haar broer; ze kon in ieder geval tv kijken en een lichte avondmaaltijd klaarmaken voor zichzelf.

Tegen half zeven begon Rosie zich toch ernstig zorgen te maken toen ze maar niets van Kevin hoorde en net toen ze op het punt stond hem nog maar eens een keer op te bellen, begon de telefoon te rinkelen. Ze nam de hoorn op in de hoop dat het zijn stem zou zijn, en tot haar opluchting was dat ook zo.

'Het spijt me, Rosie, maar ik heb nu pas je boodschappen gekregen,' legde hij uit nadat hij haar warm en hartelijk had begroet. 'Ik ben de hele week niet thuis geweest. Záken, liever.'

'Ik begrijp het, Kevin,' zei ze vlug. Ze was zo blij om eindelijk zijn stem te horen dat ze alle zorgen en frustratie al totaal vergeten was. 'Ik hoop dat we elkaar gauw kunnen ontmoeten. Ben je klaar met je… záken?'

Hij aarzelde, maar niet meer dan een fractie van een seconde, voordat hij zei: 'Zo'n beetje… Ja, eigenlijk wel, denk ik. En ik verheug me erop je te zien. Liefst zo gauw mogelijk.'

'Wanneer kan je, Kev?'

'Vanavond? Heb je vrij?'

'Natuurlijk heb ik vrij! Waar zullen we afspreken? Of wil je hiernaartoe komen?'

'Nee, laten we even de stad ingaan. Wat denk je van Jimmy's? Goed idee?'

'Net als vroeger!' riep ze lachend.

Hij grinnikte even aan het andere eind van de lijn. 'Is half acht te vroeg voor je, lieverd?'

46

'Nee, helemaal niet. Tot over een uur bij Neary's.' Ze hing op en holde naar de slaapkamer om haar make-up bij te werken en haar haar te kammen. Haar broer zou, net als Gavin, beginnen te zeuren als ze er moe of afgetrokken uitzag, en dat wilde ze vermijden.

6

Kevin Madigan stond in Jimmy Neary's Ierse kroeg in de 57th Street East met zijn rug tegen de bar geleund, zijn ogen gericht op de deur.

Meteen toen ze binnenkwam zag Rosie hem staan. Er trok een brede glimlach over zijn knappe Ierse gezicht en hij zwaaide naar haar, bij wijze van groet.

Ze vloog in zijn armen en hij hield haar even stevig tegen zich aangedrukt. Ze waren vanaf hun jeugd onafscheidelijk geweest – Kevin als haar eeuwige beschermer en zij als zijn ernstige raadgeefster. Zelfs als klein meisje vertelde ze hem al wat hij moest doen en moest laten, en waarom. Ze waren nog dichter naar elkaar toegegroeid na de vroegtijdige dood van hun moeder, troost zoekend in elkaars nabijheid. Ze voelden zich zekerder, veiliger, als ze bij elkaar in de buurt waren.

Kevin was – op uitnodiging van Gavin – naar Londen gekomen voor de eerste fotosessie van *Kingmaker* en ze waren veel met elkaar opgetrokken, de week dat hij daar was. Maar dat was nu zes maanden geleden en ze realiseerden zich beiden hoe erg ze elkaar gemist hadden.

Eindelijk liet Kevin haar los en hij keek haar onderzoekend aan. 'Blij je te zien, kleine meid.'

'Anders ik wel.'

'Wat wil je drinken?'

'Een wodka met tonic graag,' antwoordde ze. Ze legde haar hand op zijn arm en keek liefdevol naar zijn lachende gezicht. Haar opluchting dat hij daar veilig en wel naast haar stond kende geen grenzen. Ze zat voortdurend over haar broer in; dat zou wel nooit overgaan, dacht ze, wat er ook zou gebeuren. Hij was tenslotte haar eigen vlees en bloed.

Ze stonden met hun drankjes aan de bar bij te praten en ze waren zo blij om weer bij elkaar te zijn dat de tijd omvloog. Jimmy Neary kwam zelf even langs om Rosie te begroeten. Hij had haar in jaren niet gezien. Ze praatten even over van alles en nog wat, en toen leidde hij hen naar Kevins lievelingsplaats, een tafeltje achterin het restaurant.

Toen ze eenmaal zaten en besteld hadden keek Rosie haar broer strak aan en mompelde: 'Ik wou dat je er een punt achter zette.'

'Een punt waarachter?' vroeg hij, terwijl hij een broodje doormidden brak en er boter op smeerde.

'Achter je politiewerk.'

Kevin staarde haar met grote ogen aan, verrast, ongelovig. 'Ik had nooit gedacht dat jíj zoiets zou zeggen, Rosie Mary Francis Madigan. Alle Madigans in de mannelijke lijn zijn bij de Newyorkse politie geweest.'

'En een paar hebben dat niet overleefd,' herinnerde ze hem kalmpjes. 'Met inbegrip van onze vader.'

'Ik weet het, ik weet het, maar ik ben de vierde generatie Iers-Amerikaans, de vierde generatie bij de politie, en dat kan ik niet zomaar opgeven, Rosie. Ik zou niet weten wat ik anders moest doen. Het zit gewoon in mijn bloed, denk ik wel eens.'

'Oh, Kevin, ik geloof dat ik mezelf niet goed heb uitgedrukt! Ik bedoel niet dat je weg moet bij de polítie – ik zou alleen zo graag willen dat je dat infiltratie-werk opgeeft. Het is zo gevaarlijk.'

'Het léven is gevaarlijk, op heel veel verschillende manieren, lieverd. Ik kan een ongeluk krijgen als ik de straat oversteek, als ik in een vliegtuig stap, als ik in een auto de weg opga. Ik kan stikken in mijn eten, ik kan een afschuwelijke ziekte krijgen of ik kan doodvallen door een hartaanval...' Hij ging maar niet verder. Hij keek haar aan met een harde blik in zijn ogen en haalde toen onverschillig zijn schouders op. 'Iedere dag gaan er mensen dood die niet als infiltrant werken. En zeker vandaag de dag, nu kinderen met revolvers lopen te zwaaien en je ieder moment door een toevallige kogel getroffen kunt worden. Ik weet dat je van deze stad houdt, net als ik – op míjn manier dan. Maar deze stad gaat ten onder aan crack en smack en willekeurig geweld, om maar eens een paar van de kwalen te noemen. Maar dat is een ander verhaal, denk ik.'

'Ik wil niet dat jíj omkomt, net als vader,' hield ze aan.

'Dat begrijp ik... Over vader gesproken – gek eigenlijk, hij was een gewone huis-, tuin- en keukenpolitieman die een baantje had in het Zeventiende. Hij deed geen vlieg kwaad, zo te zeggen, en juist híj wordt doodgeschoten, en nog per ongeluk ook...'

'Door de mafia, zal je bedoelen,' viel ze hem scherp in de rede.

'Ssst, niet zo hard,' zei Kevin vlug, terwijl hij om zich heen keek, al wist hij dat daar geen enkele reden voor was. Tenslotte was dit een te goeder naam en faam bekendstaand etablissement in een rustige buurt, net om de hoek van First Avenue en op een steenworp afstand van het chique Sutton Place. Maar hij kon er niets aan doen. Voorzichtigheid was een tweede natuur geworden in die dertien jaar bij de politie. Een kunst die hij in hoge mate had geperfectioneerd. Dat was ook de reden waarom hij altijd met zijn rug tegen de muur zat met zijn gezicht naar de deur, als hij in een openbare gelegenheid was. Hij moest er, met zijn werk, altijd en eeuwig op bedacht zijn dat hij onverwacht van achteren kon worden aangevallen.

Kevin leunde naar voren, boog over de kaars in de rode glazen bol en kwam met zijn hoofd vlak bij haar gezicht. 'Waarschíjnlijk is vader door de mafia uitgeschakeld, maar daar is nooit enig bewijs van geleverd, en ik ben daar zelf ook helemaal niet zeker van. Niemand weet het, zelfs zijn partner, Jerry Shaw, niet. En laten we wel zijn, de mafia maakt er geen gewoonte van agenten neer te schieten. Alsjeblieft, zeg, dat is slecht voor de zaken, als je begrijpt wat ik bedoel. Ze hebben er veel meer belang bij om de politie op hun hand te krijgen, weet je, door ze op de loonlijst te zetten. Wijze mannen voelen zich lekkerder in het bankwezen dan in het begrafeniswezen.'

'Je zal wel gelijk hebben,' zei ze met tegenzin. 'Een politieman die een oogje dichtdoet heeft voor hen meer waarde dan een dode politieman… Daar komt alleen maar ellende van.'

'Reken maar!'

'En toch, Kevin, zou ik willen dat je niet meer de straat opgaat. Kan je geen werk krijgen op het bureau?'

Haar broer gooide zijn hoofd achterover en brulde van het lachen, kennelijk geamuseerd door de absurditeit van haar suggestie.

'Oh, Rosie, Rosie,' hijgde hij eindelijk, toen hij een beetje tot bedaren kwam. 'Dat zou best kunnen, maar ik zou het niet willen. Eerlijk niet. Mijn hele leven draait om wat ik op dit moment dóe. En het is tenslotte mijn leven, nietwaar?'

'Jij neemt iedere godgeslagen dag van de week je leven in eigen handen, Kevin, door op moordenaars, dieven, misdadigers en drugshandelaren te jagen. Die laatsten zijn de ergsten, lijkt me. Ze zijn in ieder geval het gevaarlijkst – wreed, gewelddadig.'

Kevin zei niets.

Ze drong aan: 'Ja toch? Of niet soms?'

'Om de donder wel, en je weet heel goed hoe ik over die verdomde rotzakken denk!' zei hij verbeten, terwijl hij met moeite zijn stem beheerste om geen aandacht te trekken. Daar had hij allerminst behoefte aan.

Na een korte stilte zei hij: 'Rosie, bijna alle misdaad heeft tegenwoordig te maken met drugs. En ik haat en verafschuw drugshandelaars, net als alle politiemensen. Ze zijn het schuim der aarde, ze zaaien vierentwintig uur per dag dood en verderf. Ze jagen kleine kinderen de dood in, alleen om het gewin. Ze verkopen crack en coke op het schoolplein en zo raken zeven- of achtjarigen verslaafd aan drugs. *Kinderen van zeven*, Rosie, vind je dat niet ten hemel schreiend? En het is mijn taak om ze uit te roeien, die smeerlappen, die... die beesten! Het is mijn opdracht die klootzakken aan het kruis te nagelen, ze achter tralies te krijgen, ze voor het gerecht te slepen, als het even kan voor de federale rechter. Dan krijgen ze op z'n mínst vijf jaar en meestal veel, veel langer, afhankelijk van wat ze allemaal op hun kerfstok hebben. En vergeet niet dat vervroegde invrijheidstelling er niet bij is in het federale systeem. Godzijdank niet. Als het aan mij lag zou ik ze opsluiten en de sleutels weggooien. Voor àltijd.'

Zijn mond was nu een grimmige, rechte streep en zijn ogen stonden hard. Plotseling leek hij veel ouder dan zijn vierendertig jaar. 'Mijn werk is heel belangrijk voor me, Rosie. Ik denk, ik hóóp, dat ik deze wereld een heel klein beetje beter kan maken, door op mijn manier de misdaad te bestrijden. In ieder geval is het de enige manier die ik ken om er niet aan onderdoor te gaan,' besloot hij. Hij reikte over tafel en drukte haar lange, slanke hand die op het rode tafelkleed rustte.

Rosie boog haar hoofd. Ze wist precies wat hij bedoelde. Eigenlijk was ze gek om te denken dat hij ooit zijn werk op zou geven. Wat dat betreft leek hij precies op zijn vader. Zijn hele leven draaide om de Newyorkse politie. In ieder geval was Kevin de laatste zeven jaar bezig met een kruistocht – vanwege Sunny.

Hun mooie Gouden Meisje was een slachtoffer. Haar hersenen waren verwoest door slecht versneden drugs. Daarom sleet ze nu haar dagen in een gesticht, volslagen schizofreen, een verloren ziel. Verloren voor zichzelf. Verloren voor hen. Verloren voor Kevin, die zoveel van haar had gehouden.

Sunny zou nooit meer beter worden, zou nooit meer zichzelf kunnen zijn. Ze leefde als een plant, wegrottend daar in New Haven, waar haar broer en haar twee zusjes haar tot hun wanhoop naartoe hadden moeten brengen. Het kostte hen een fortuin om haar in die privé-inrichting te laten verplegen, maar ze hadden tegen Rosie gezegd dat ze de gedachte niet konden verdragen dat ze zou worden opgesloten in een gekkengesticht. Rosie zelf ook niet, trouwens.

Ze had altijd gedacht dat Kevin en Sunny zouden trouwen, en dat zou ook gebeurd zijn als de drugs geen zombie van haar hadden gemaakt. Niemand wist hoe ze eigenlijk verslaafd was geraakt, van wie ze het spul kreeg, en hoe het mogelijk was dat ze zich zo te buiten was gegaan. Op een of andere manier was het gewoon gebeurd. De jaren zeventig en tachtig waren toch de jaren van de psychedelische middelen? Pot en hasj, pillen en poppers, uppers en downers, coke en skag of bruin, zoals Kevin heroïne noemde. Sommige verslaafden waren gek genoeg om hun drugs te mengen met alcohol en dan maakte vroeg of laat de dood onvermijdelijk een einde aan hun toch al geruïneerde leven.

Misschien zou Sunny Polanski maar beter dood kunnen zijn dan op deze manier te moeten vegeteren, dacht Rosie, en er liep een koude rilling over haar rug.

Rosie had nooit getaald naar drugs. Ze had jaren geleden op een feest wel eens een trekje genomen van een joint, maar ze had zich direct ziek en misselijk gevoeld. Gavin, die ook op dat feest was, had woedend gereageerd toen hij merkte dat ze gerookt had en dagenlang had hij haar voortdurend onderhouden over de gevaren van drugsgebruik. Ze had zijn welgemeende waarschuwingen niet nodig, ze wist hoe gevaarlijk drugs waren. Arme Sunny had het niet geweten, dat was het tragische.

'Je denkt aan Sunny,' zei Kevin zachtjes om de stilte te verbreken. Hij wist precies wat in haar omging, alsof hij haar gedachten kon lezen.

'Ja, inderdaad,' gaf Rosie toe. Ze aarzelde even en vroeg toen: 'Heb je haar nog gezien de laatste tijd, Kev?'

'Drie maanden geleden.'

'Hoe was het met haar?'

'Hetzelfde. Er is niets veranderd.'

'Ik denk dat ik even langs New Haven ga voordat ik weer terug moet naar Europa, dan kan ik haar…'

'Niet doen!' zei hij scherp. Hij schudde zijn hoofd – het verdriet was van zijn gezicht af te lezen. 'Het spijt me, ik wil je niet afsnauwen, maar je moet niet naar Sunny toegaan. Ze weet niet eens dat je er bent, Rosie, en het maakt jou alleen maar van streek. Het is gewoon de moeite niet waard.'

Ze knikte alleen maar, zonder iets te zeggen. Rosie wist dat ze hem beter niet kon tegenspreken. Hij had trouwens gelijk, het wàs misschien maar beter Sunny niet op te zoeken, zoals ze zich had voorgenomen. Wat zou zíj eraan hebben, het arme schaap? Sunny zou niet eens weten wie ze was, en wat had het voor zin, wat zou ze kunnen dóen voor haar vriendin om haar leven makkelijker te maken? Om eerlijk te zijn, ze zou alleen zichzelf maar belasten als ze Sunny daar zo zou zien in die afschuwelijke omstandigheden. Dan zou ze er weer een probleem bij hebben dat ze niet kon oplossen, en daar had ze er al genoeg van.

Rosie nam een slokje water, ging rechtop zitten en lachte vaagjes naar Kevin.

Hij glimlachte terug. Maar het was een droevige glimlach, en je zag de pijn in zijn blik. Rosie kende die blik, zij wist dat het een uitdrukking was van een immens verdriet, dat zijn hele leven beheerste. Een haast ondraaglijk verdriet. Ze onderdrukte een zucht. Ze leed met haar broer mee.

Ze wist ook dat Kevin dapper was, dat hij tegen een stootje kon en dat hij zou doorgaan, wat er ook zou gebeuren. Terwijl ze naar hem keek realiseerde ze zich dat zijn uiterlijk niet te lijden had gehad van zijn hartzeer vanwege Sunny, en zelfs zijn harde bestaan als politieman was hem niet aan te zien. Haar broer was een bijzonder knappe man, met een soort uitstraling die je eerder zou verwachten van een filmster, en hij was stevig gebouwd, sterk en zeer mannelijk.

Het viel haar die avond op hoeveel hij eigenlijk op zijn moeder leek. Moira Madigan, die als jong meisje uit Dublin naar New York gekomen was, heette van zichzelf Costello. 'Ik ben een donkere Ierse,' had zij altijd verteld toen ze nog klein waren – ze was heel trots op haar afkomst. Volgens moeder waren de Costello's afstammelingen van één van de Spaanse zeelieden die schipbreuk hadden geleden op de Ierse kust ten tijde van Elizabeth I, de koningin uit het Huis Tudor, toen koning Philips van Spanje een armada van schepen gestuurd had om Engeland binnen te vallen. Een aantal Spaanse galjoenen was tijdens een hevige storm aan de grond gelopen op de rotsige kusten van het Smaragden Eiland, en de schipbreukelingen waren gered door Ierse vissers. Veel van de overlevenden hadden zich in Ierland gevestigd, onder wie de Spaanse zeeman José Costello, die de stamvader was geworden van de Costello-clan. Tenminste, dat was het verhaal dat hun moeder altijd vertelde, en in de loop der tijden was het voor hen de absolute waarheid geworden.

Niemand zou kunnen ontkennen dat Kevin Madigan een donkere Ier was, want hij had het ravenzwarte haar en de koolzwarte ogen van Moira geërfd.

'Wat ben je stil, Rosie. Waar denk je aan?'

'Ik zit te denken hoe je op moeder lijkt vanavond, Kevin. Meer niet.'

'Wat zou moeder trots op je geweest zijn, trots op je geweldige succes als kostuumontwerpster. Vader ook, trouwens. Ik weet nog goed hoe moeder je altijd stimuleerde als je modetekeningen maakte of toen je als kind iets in elkaar naaide.'

'Ja, daar denk ik ook nog vaak aan. Ze zouden trots geweest zijn op ons allebéi. Ik denk dat we het helemaal niet zo slecht gedaan hebben – we zijn gezond van lichaam en geest, we hebben plezier in ons werk en we hebben iets bereikt in ons vak. Dat wilden ze altijd voor ons. Vader zou heel trots geweest zijn op jóu. Jij zet de Madigan-traditie voort als politie-man van de vierde generatie. Ik denk wel eens: zou er ooit nog een Madigan van de vijfde generatie komen, die in de voetsporen van jou en van vader zal treden?'

'Hoe bedoel je?'

Rosie keek hem even aandachtig aan en zei toen: 'Wordt het niet eens tijd dat je aan trouwen gaat denken, aan kinderen?'

'Wie wil mij nou hebben?' kaatste hij terug met een lach in zijn stem. 'Wat heb ik een vrouw nou te bieden, met het werk dat ik doe en het leven dat ik leid.'

'Heb je dan geen ènkel vriendinnetje, Kevin?'

'Nee, eigenlijk niet.'

'Ik wou dat het anders was.'

'Moet je horen wie dat zegt. En jij dan? Kijk eens naar jezelf, in die bela-chelijke situatie die nu al jaren duurt. Gavin heeft gelijk, het wordt tijd dat je eens orde op zaken stelt daar in Frankrijk.'

'Heeft Gavin dat echt gezegd?' vroeg Rosie, terwijl ze hem scherp aan-keek.

Hij knikte. 'Jazeker. Gavin denkt dat jij bezig bent je leven te vergooien, en ik ben het volledig met hem eens. Het wordt hoog tijd dat je dat alle-maal achter je laat, dat je weer in Amerika komt wonen. Hier ben je thuis en hier vind je misschien een aardige vent die…'

'Over Frankrijk gesproken,' onderbrak ze hem gebiedend, 'kom je naar ons toe met Kerstmis? Dat had je beloofd.'

'Dat weet ik, ja, maar ik weet niet zeker of het mogelijk is…' Zijn stem klonk onzeker, maar net op het goede moment verscheen de serveerster aan hun tafel, zodat hij gelukkig niet allerlei smoezen hoefde te verzin-nen. Ze bracht een blad vol schalen met Ierse *stew* die ze besteld hadden. Kevin begroette haar met zijn warmste glimlach. 'Daar is mijn heerlijke Ierse schat met het eten,' zei hij. Hij pakte haar in met zijn bijzondere Ierse charme, een charme die de meeste vrouwen onweerstaanbaar vonden. Rosie zat ernaar te kijken en dacht: zonde van zo'n geweldige man.

7

Ouzo-Ouzo heette de bar op de Bowery, niet ver van Houston Street.

Het was niet bepaald een opwekkende buurt, maar Kevin Madigan was in die vier jaar als 'stille' agent wel gewend geraakt aan sjofele gelegenheden. Hij bracht zijn tijd grotendeels door in duistere kroegen zoals deze, waar hij onderwereldfiguren, boeven van allerlei pluimage, ontmoette die hem voorzagen van datgene waarop hij zat te wachten – namelijk de een of andere informatie.

In dat kleine Griekse huiskamer-kroegje op de uiterste grens tussen Soho en Greenwich Village zat hij in een donkere hoek na te denken over zijn positie, nippend aan zijn bier. Hij had schoon genoeg van plaatsen als deze, dat kon hij niet ontkennen. Aan de andere kant, dit soort plaatsen waren voor hem van essentieel belang. Waar kon hij anders die verlopen, afgebrande types ontmoeten waar hij zaken mee deed?

Het was die avond precies een week geleden dat Rosie hem gevraagd had eens naar iets anders uit te kijken, te zien of hij geen bureaubaantje kon krijgen bij de Newyorkse politie. Hij had daar toen hartelijk om gelachen, maar hij vroeg zich af of ze eigenlijk niet gelijk had. Die gedachte was nog niet in hem opgekomen of hij verwierp hem alweer. Hij zou zich te pletter vervelen in een kantoorbaan. Erger nog, het zou hem kapot maken van binnen.

Als hij buiten op straat werkte sloeg de adrenaline als een gek door zijn bloed. Dan was hij vol levenskracht, hij voelde zich overal tegen opgewassen, hij beheerste de situatie, hij kon alles en iedereen aan. Hij wist dat iedere andere baan dan die hij had, hem onherstelbare schade zou toebrengen, en zelfs zijn zuster kon hem niet van het tegendeel overtuigen.

Maar misschien zou een verandering helemaal niet zo gek zijn. Dat was een van de redenen waarom hij hier op een zaterdagavond om zeven uur, al te laat voor de afspraak met zijn vriendin in het centrum, zat te wachten op Neil O'Connor.

Neil was een heel aparte kerel, een oude gabber, een vroegere collega-detective. Hij was nog steeds bij de New Yorkse politie, maar hij werkte nu bij de CID, de Criminele Inlichtingen Dienst, die zich toelegde op de bestrijding van de georganiseerde misdaad.

Een paar dagen eerder had Neil hem onverwacht gebeld om te vragen of hij belangstelling had voor een nieuwe baan.

Tot zijn eigen verbazing hoorde hij zichzelf zeggen dat daar best over te praten viel, en ze hadden een afspraak gemaakt. De afgelopen jaren had hij bij zijn jacht op Colombiaanse en Aziatische drugshandelaren nauw samengewerkt met de FBI en de DEA, de federale drugsbestrijding, en hij had een paar van de beruchtste dealers voor jaren achter de tralies weten te krijgen. Die zouden al behoorlijk oud zijn als ze weer op vrije voeten kwamen.

Kevin keek op zijn horloge. Uit zijn ooghoek zag hij Neil binnenkomen en hij stak zijn hand op ter begroeting. Neil knikte en liep op hem toe.

Zijn oude vriend was groot, goed gebouwd, met zandkleurig haar en stralend heldere, blauwe ogen in een sproetig Iers gezicht.

Kevin stond op toen Neil bij zijn tafeltje was gekomen.

Ze schudden elkaar de hand en sloegen elkaar op de schouders met de aanhankelijkheid en genegenheid van oude kameraden die samen heel wat beleefd hadden.

Toen ze eenmaal zaten keek Neil naar het halfvolle glas van zijn vriend. 'Wil je er nog een, Kevin, of ben je toe aan iets sterkers?'

'Nee, een biertje is prima,' antwoordde Kevin.

Neil ging naar de bar en kwam even later terug met in iedere hand een glas. Nadat hij het bier op tafel had gezet deed hij zijn jas uit, gooide die over een stoel en ging naast Kevin zitten. Hij stak een sigaret op en inhaleerde diep. Toen viel hij met de deur in huis. 'Ik zou je graag bij mijn ploeg willen hebben, Kevin. Beter nog: ik zit om je te springen. Nu. En als je zegt dat je mee wilt doen zal ik ervoor zorgen dat je praktisch van vandaag op morgen wordt overgeplaatst.'

Neil leunde voorover en keek Kevin recht in de ogen. Met onderdrukte heftigheid ging hij verder: 'De mafia uitroeien, dat is ons doel. Een uitdaging die je zal aanspreken. En over actie zal je niet te klagen hebben, dat kan ik je wel zeggen. Nou, wat denk je ervan?'

Kevin gaf niet direct antwoord.

Hij keek naar Neil en dacht zorgvuldig na over wat hij gezegd had. Hij boog zich voorover naar zijn vriend en zei op gedempte toon: 'Je hebt me laatst door de telefoon niet veel gezegd, Neil.'

'Wat valt er te zeggen?' Neil keek hem bevreemd aan, trok zijn wenkbrauwen op en voegde er kort aan toe: 'De naam van onze afdeling zegt alles, jongen.' Hij zuchtte en mompelde: 'We zitten achter de mafia aan en we willen ze het vuur zo na aan de schenen leggen als we kunnen.'

'Dat begrijp ik. Wat ik bedoel is: wat zal mijn taak zijn? Moet ik infiltreren? En op wíe precies hebben jullie het begrepen? Of op niemand in het bijzonder? De mafia in het algemeen?'

'Om je eerste vraag te beantwoorden: je hoeft niet te infiltreren, als je niet wilt, maar ik zou het toejuichen als je het wèl deed. Jij bent de beste van de beste. En wat je tweede vraag betreft: we zitten achter alle misdaadfamilies in New York aan, maar op dit moment proberen we met name de Rudolfos te pakken.'

Kevin floot lang en laag bij het horen van die naam. In New York was de georganiseerde misdaad in handen van zes families: Gambino, Colombo, Genovese, Lucchese, Bonanno en Rudolfo. Deze laatste naam stond voor de gevaarlijkste en de machtigste organisatie in de Amerikaanse mafia. De Don, Salvatore Rudolfo, werd door zowel de misdadigers als door de politie beschouwd als de grootste Don uit de geschiedenis van de georganiseerde misdaad. Hij was de *capo di tutti capi*, de baas van alle bazen, de meest gerespecteerde en gevreesde; duidelijk de Don waarvoor iedere andere Don op het noordelijk halfrond voor door het stof ging.

Kevin riep: 'Jezus, Neil, dat is nogal wat! De Rudolfo-familie, daar heeft nog nooit iemand een vinger achter kunnen krijgen. Het zal je niet makkelijk vallen om met harde bewijzen tegen hen te komen, om ze echt ergens op te betrappen. Daarom staan ze zo verdomd sterk. Het zal een harde dobber worden om…'

'Misschien niet zo hard als je denkt!' viel Neil hem scherp in de rede. 'We hebben een doorbraak geforceerd. Er is iemand geïnfiltreerd in de Rudolfo-familie. We hebben daar iemand van ons weten binnen te loodsen. En nu hebben we jou nodig, Kevin. Jij moet met ze in de drugshandel. Onze man zal je daar introduceren, hij zal voor je instaan, hij zal je begeleiden – àls je tenminste als infiltrant wilt werken.'

'De Rudolfos hebben altijd ontkend dat ze in drugs handelen, en ze ontkennen het nog steeds.'

'Allemaal flauwekul, Kevin. Alle mafiosi handelen in drugs, hoe ze ook mogen heten, en dat weet jij net zo goed als ik. De Rudolfo's zijn geen haar beter dan al die andere… die andere… broeders in het kwaad!' riep Neil heftig. Plotseling was zijn stem koud en bijtend.

Hij keek Kevin met harde ogen aan. 'Jij bent expert op het gebied van drugs en je weet alles van de drugshandel. Jij hebt er heel wat voor schut laten gaan. Ik heb jouw vakkennis nodig, je contacten, jouw talent om je te bewegen in die smerige wereld, vol zelfvertouwen met dat tuig om te gaan. Dus hoe denk je erover, jochie?'

Kevin gaf geen antwoord.

'Ik dacht dat jij jezelf tot taak gesteld had om al die vuile bastaards in die verdomde drugswereld te grijpen,' drong Neil aan. 'Dan heb je hier de kans om een grote vis te vangen, vriend. Iemand die dood en verderf zaait. De mafia doet overal in, van crack tot smack – je kunt het zo gek niet bedenken of ze hebben het, en ze verkópen het. Voor miljoenen dollars aan rotzooi verspreiden ze in de straten van deze stad. Miljarden dollars, liever gezegd, als je alles bij elkaar optelt wat al die families per jaar omzetten.'

'Ik doe het, Neil.' Kevin had plotseling een besluit genomen.

Even bleef het stil. Kevin bracht zijn glas naar zijn mond en nam een slok van zijn bier. Toen zei hij, alsof hij daar nu pas aan dacht: 'En ik zal als infiltrant werken, omdat jij dat wilt.'

'Ik wist dat ik op je kon rekenen,' knikte Neil opgelucht. Hij ging door: 'Ik zal maandag met Eddy LaSalle praten, dan kan hij meteen de papieren in orde maken. Ik heb je van de week door de telefoon al gezegd dat Eddy me het groene licht gegeven heeft, hij heeft gezegd dat ik je kon benaderen, dus hij zal niet gek staan te kijken dat je op mijn voorstel bent ingegaan.'

'Dat zal hij zeker niet, want ik heb hem zelf gezegd dat ik vanavond een afspraak met je had.'

Neil sloeg zijn bier achterover en schoof zijn stoel terug. 'Wat zullen we drinken op onze samenwerking? Een stevige borrel?' Hij stond op om naar de bar te gaan.

'Nou, goed – ééntje dan. En dan moet ik er snel vandoor. Ik ben al te laat voor mijn afspraak. En eh – ik haal het wel even.'

'Geen sprake van!' Neil schudde zijn hoofd. 'Dit is een rondje van mij, jochie.' Er verscheen een brede grijns op zijn gezicht. 'Zo, dus jij hebt een afspraak. Ongetwijfeld met dat chique vriendinnetje van je. En jij wilt zeker een *single malt* met ijs.'

'Twee keer raak.'

Een ogenblik later dronken ze elkaar toe en ze wensten elkaar geluk bij de komende slag.

Even zwegen ze.

Neil stak een sigaret op, nam een lange trek en blies langzaam de rook uit, met een nadenkende blik in zijn ogen.

Kevin nam een slok van zijn whisky en keek oplettend naar zijn collega-detective. Hij vroeg zich af wat de ander dacht, wat er nu nog zou komen. Neil zat altijd vol verrassingen. Hij hoopte dat dit écht het laatste glas zou zijn. Hij zat op hete kolen. Het liefst was hij weggehold uit die goedkope kroeg, om in een taxi te springen en de stad in te rijden om daar uit de huid van de politieman te kruipen, om zich een weekeinde te ontspannen, om eens voor een keertje te vrijen als een normaal menselijk wezen. Het leven was hard en zijn baan was veeleisend – meer dan veeleisend, je werd gebroken. Zíj was het enige straaltje zonlicht, de enige vreugde en blijheid die hij had. Hij vond het vreselijk haar te laten wachten, om zo laat te komen als nu. Hij probeerde altijd op tijd te zijn. Ze maakte zich zorgen als hij er niet was op de afgesproken tijd. Dan dacht ze op z'n minst dat hij in handen was gevallen van de boeven waar hij achteraan zat.

Een paar weken geleden had ze nog gezegd dat ze het uit wilde maken, voornamelijk omdat ze het zo vreselijk vond te moeten leven met die voortdurende angst. Hij had daar niet veel tegenin kunnen brengen, maar tot zijn eigen verbazing was er een gevoel van paniek bij hem opgekomen, een reactie die hem anders vreemd was. Hij zou niet weten wat hij moest beginnen als ze hem zou verlaten, wat hij moest beginnen zonder haar…

Neil verbrak de stilte. Hij zei: 'Misschien kan je het gerucht rondstrooien dat je een poosje weggaat, dat je op reis moet, de stad uit. Zo kan je er op een nette manier tussenuit knijpen. Ik denk dat het heel verstandig is om het zo te doen, Kev.'

'Je hebt gelijk. Ik ben met niets speciaals bezig op dit moment. Ik heb net een flinke klapper gemaakt, samen met Joe Harvey. Ik denk dat ik Eddie vraag of ik een week vrij kan krijgen, voordat ik bij jouw afdeling ga werken. Om je de waarheid te zeggen, Neil, een kleine adempauze, daar ben ik wèl aan toe.'

'Die kan je dan maar beter nu nemen, want bij mij krijg je daar de kans niet meer voor. Ik zei je al: we staan onder grote druk en we hebben je hard nodig. Je zult maximaal worden ingezet, desnoods vierentwintig uur per dag, als dat nodig is.'

Kevin knikte begrijpend. 'Laten we hopen dat we de Rudolfo's een paar gevoelige slagen kunnen toebrengen, dat we hun macht voor eens en voor altijd kunnen breken. De mafia is nog nooit zo kwetsbaar geweest als nu. De familie Colombo ligt op z'n reet, daar is praktisch niets meer van over. De Gambino's zitten in de grootste problemen. Het ziet ernaar uit dat de nummer twee van onze Dartele Don aardig uit de school gaat klappen bij het proces tegen Gotti, die beschuldigd wordt van moord en afpersing.'

Neil begon te grinniken. 'Jij vat 'm, jochie. John Gotti met z'n keurige kostuums van tweeduizend dollar, zit op dit moment peentjes te zweten. Sammy 'de Stier' Gravano is de kroongetuige van het Openbaar Ministerie, en zo een hebben we er nog nooit gehad. Stel je voor, Kevin, iemand die zijn eed aan de heilige broederschap met bloed bezegeld en met wijn besprenkeld heeft, wordt gebroken door een klein stukje geluidsband – een opname die we gemaakt hebben van een hoogst belastend gesprek tussen gangsters.' Hij grijnsde breed. 'Gotti gaat er voo. jaren achter, en dan bedoel ik ook járen. En jaren en jaren.'

'De onderwereld staat te duizelen van zoveel afvalligheid en ontrouw – het O.M. trouwens ook.'

'Dat hoef je míj niet te vertellen! Mijn afdeling heeft daaraan meegewerkt, en niet zo'n klein beetje ook. Gravano is tot nu toe de zwaarste overloper die we ooit gehad hebben, gezien zijn positie als rechterhand van Gotti, de leider van een van de grootste mafia-families. Dat zal voor de Gambino's nog wel eens een staartje kunnen krijgen.' Neil schudde ongelovig zijn hoofd. 'Het heeft me echt verbaasd dat hij zijn eed gebroken heeft. De *omertà*, de zwijgplicht, wordt door alle mafiosi heel ernstig genomen. Maar Gravano is overstag gegaan, verdomd als het niet waar is. Hij heeft zijn *goombah*, zijn beste gabber, verraden. Hoe bestaat het, hè?'

Neil ging door, nog voordat Kevin antwoord kon geven. 'Ze zijn tenslotte samen begonnen, Gravano en Gotti, als straatvechters die dwarsliggers tot andere gedachten moesten brengen. En nou zijn ze capo's. Ongelóóflijk!' Neil haalde zijn schouders op. 'Gravano wilde zijn huid redden en dus dacht hij: laat ze de pest maar krijgen met hun heilige broederschap en hun *omertà*, en mijn goeie ouwe *goombah* Johnny erbij. Hij heeft er alles uitgekotst, alles en iedereen versmiegeld.'

Kevin knikte. 'Dat proces in Brooklyn tegen Gotti dat wordt nog wat, dadelijk. Let op mijn woorden.' Hij keek op zijn horloge. 'Kijk nou es! Neil, het is al veel later dan ik dacht. Ik moet er nu echt vandoor.'

'Ik ook. Mijn vrouw wacht op me. De eerste zaterdag in maanden dat we eens een keertje uit zouden gaan – en nu kom ik weer te laat. Ze vermoordt me.'

Ze grepen hun jassen en liepen naar buiten.

8

Buiten bleven de beide detectives nog even staan praten, tot Neil Kevin bij zijn arm greep. 'Kom, jochie, ik loop een eindje met je op naar Houston. Daar kan je een taxi pakken. Je vriendin zal toch niet kwaad op je zijn, of wel?'

Kevin schudde zijn hoofd, terwijl hij met Neil meeliep. 'Nee, hoor. Ze is er wel aan gewend dat ik uren en uren te laat kom. Ze vindt het niet leuk, maar ze valt me er nooit op aan. In ieder geval zal ze blij zijn – nee, òpgelucht – als ik haar vertel dat ik met het straatwerk ophou. Dat ik op jouw afdeling ga werken.'

Neil keek hem van opzij even aan. 'Maar het blijft gevaarlijk werk.'

'Dat weet *jij*, Neil, en *ik* weet dat. Maar zij weet het niet. En mijn zuster Rosie ook niet. Ze dringen er allebei voortdurend op aan dat ik van baan verander, dus ik weet zeker dat ze het prachtig zullen vinden dat het nu eindelijk gebeurt. Criminele Inlichtingen Dienst – dat klìnkt toch als een kantoorbaantje, of niet soms?'

'Ja, je kunt het uitleggen zoals je wilt.'

Rillend zette Kevin de kraag van zijn jas op en stopte zijn handen diep in zijn zakken. 'Tjesses, het vriest zowat. En er is nooit een taxi in de buurt als je er een nodig hebt.'

'Dat zeggen de mensen ook van de politie: er is nooit een agent in de buurt als je er een nodig hebt,' merkte Neil op en hij lachte hartelijk.

'Waarom heb je zo'n rotkroeg uitgezocht, zowat in Soho. Op de *Bowery* nog wel!'

'Omdat ik zo ver mogelijk weg wilde zitten van Klein Colombia, zonder naar New Jersey te rijden,' legde Neil uit. Hij doelde daarmee op de wijk Elmhurst in Queens, waar Kevin meestal opereerde.

'Ik kan niet zeggen dat ik met verdriet afscheid neem van die buurt,' vertrouwde Kevin zijn vriend toe terwijl ze verder liepen. 'En godzijdank kan ik dan de deur van Meson Asturias voorgoed achter me dichttrekken. Ik heb een pesthekel gekregen aan die kroeg. Te bedenken dat die kleine *cantina* dertig jaar geleden nog een typisch Iers buurtkroegje was, met vrolijke Micks achter hun whisky en bier, vol verhalen over de *auld sod*. Maar die Ieren zijn al jaren verdwenen, die zijn allemaal verhuisd naar Woodside, net als wij een paar jaar voordat moeder stierf. Roosevelt Avenue ìs nu een Klein Colombia geworden, en wat voor één! Een uitgaansbuurt waar een honderd-dollarbiljet zo ongeveer het minste is waar je mee betaalt. Het sterft er van de salsa-clubs, vol mensen in verkeerde pakken.'

'En schieten is daar net zo gewoon als in Cali, Medellín en Bogotá,' merkte Neil op. 'Maar dat hoef ik jóu niet te vertellen.' Hij zuchtte zachtjes. 'Het is onbegrijpelijk, Kev, New York is krankzinnig geworden. De stad gaat ten onder aan wapens en drugs.'

'Jij en ik, Neil – wij leven in de ingewanden van het beest. We krijgen het allemaal voor onze neus, iedere dag van de week… de daklozen, de hongerlijders, de desperado's, naast de gedementeerden, de junkies, de gekken en de misdadigers. Wíj weten wat er omgaat. De meeste mensen zien het niet eens, of willen het niet zien, of draaien hun hoofd de andere kant op als ze ermee geconfronteerd worden. Het is tragisch, maar zo is het nu eenmaal.'

Neil hield stil, draaide zich om en greep Kevin bij de arm. Het licht van de lantaarns wierp harde schaduwen op het gezicht van de oudere politieman. 'Een kwartier rijden van Manhattan, over de Queensboro Bridge, en je zit in Zuid-Amerika, met alle plaatselijke zeden en gebruiken. Daar geldt de wet van de jungle. En jij zet je leven op het spel door om te gaan met drugsbaronnen, handelaars, verslaafden en alles wat daar aan gekken en verknipten omheen hangt. Je zal blij zijn als je eenmaal bij onze afdeling zit, dat geef ik je op een briefje. Héél blij.'

'Nou, en of! Laten we eerlijk zijn: misschien heb ik daarnet een paar jaar aan mijn leven toegevoegd.'

Neil knikte en ging verder: 'Om nog maar te zwijgen van Bushwick, een hel vol verdoemden. Erger kan het niet – een sloppenwijk vol slikkers en snuivers en heroïneverslaafden die hun lijf volspuiten met rotzooi. Onmenselijk uitvaagsel, dat je aanrandt, berooft of vermoordt om maar aan een shot te komen. Je wordt er kotsmisselijk van.'

'Dat is maar al te waar, *compadre*, dat is maar al te waar,' zei Kevin zachtjes. Hij nam Neil bij de elleboog om hem mee te trekken in de richting van Houston Street.

'En dat is dan Amerika,' zei Neil met schorre stem. 'Het rijkste en machtigste land ter wereld. Je wordt er niet alleen ziek van, het is diep- en dieptreurig. Dúivels. Wat is er met ons prachtige Amerika gebeurd? En met de Amerikaanse droom?'

Kevin gaf geen antwoord. Hij had er niets aan toe te voegen. Neil had het allemaal al gezegd.

Kevin had zijn eigen sleutel om binnen te komen.

Hij stond in de hal te wachten tot ze tevoorschijn zou komen, zoals ze gewoonlijk deed als ze de sleutel in het slot hoorde. Maar ze kwam niet.

Hij hing zijn jas in de garderobekast en deed zijn schouderholster af. Die hing hij zorgvuldig op een hangertje. Het was al erg genoeg dat ze wist dat hij leefde in een wereld van geweld, ook zonder dat ze met de duidelijke bewijzen daarvan geconfronteerd werd. In ieder geval probeerde hij altijd zijn beide werelden gescheiden te houden. Hij begreep niet waar ze bleef en hij stond even te luisteren, terwijl hij zich afvroeg of er iets mis zou zijn. Het was doodstil in de flat. Er bewoog niets. Maar toen hij het gangetje doorliep naar de zitkamer hoorde hij vanuit de keuken het vage geluid van de radio. Toen wist hij dat ze thuis was.

Hij draaide zich op zijn hielen om en liep naar de slaapkamer. De deur stond op een kier. Hij duwde hem open en ging naar binnen. De lampjes naast het bed verspreidden een zacht, gedempt licht en hij zag haar liggen, in elkaar gerold, weggedommeld. Of misschien wel vast in slaap.

Hij liep naar het bed en hij zag de mappen van manillakarton die verspreid lagen op de donzen deken, een paar met de papieren er half uit. Het was duidelijk dat ze had zitten werken terwijl ze op hem wachtte, en dat ze in slaap gevallen was.

Hij boog zich naar haar over en fluisterde haar naam. Hij wilde haar niet aan het schrikken maken en zachtjes streelde hij haar gezicht.

Op hetzelfde moment deed ze haar ogen open. Blijdschap trok over haar gezicht toen ze hem zag. 'Kevin,' zei ze zachtjes. 'O god, het spijt me. Ik was even helemaal van de wereld, geloof ik.'

'Dat geeft toch niet, schat,' zei hij, en hij knielde naast het bed om zijn gezicht dicht bij het hare te brengen. 'Ik moet me verontschuldigen dat ik zo laat ben. Die bespreking met Neil O'Connor heeft langer geduurd dan ik gedacht had. Weet je nog wel: Neil? Je hebt hem verleden jaar ontmoet. In ieder geval, hij wilde me spreken, en vanavond was het enige moment dat we allebei vrij waren. Het was belangrijk.'

'Ik begrijp het, Kevin. Heus.'

Hij keek haar recht in de ogen en vertelde: 'Neil heeft me gevraagd of ik op zijn afdeling wil komen werken. Ik heb 'ja' gezegd.'

Ze knipperde een paar keer met haar ogen en fronste haar wenkbrauwen, overrompeld door die mededeling. 'Wat is dat voor afdeling?'

'De Criminele Inlichtingen Dienst.'

'Is dat een bureaubaan?'

'Deels,' loog hij in de hoop dat ze zich wat minder zorgen zou maken over zijn veiligheid.

'En het andere deel?' Ze liet zich niet afschepen en ze keek hem scherp aan met haar levendige, intelligente ogen.

'Ik móet er wel eens op uit, natuurlijk, Maar deze baan is veel minder gevaarlijk dan wat ik nu doe. Eerlijk waar.' Kevin zweeg even en hij keek haar aan met zijn charmantste lach. Snel bedacht hij wat hij nog verder kon zeggen. 'En, weet je – ik zal veel meer vrije tijd hebben. Veel meer.'

'Ik ben blij dat je minder gevaarlijk werk gaat doen,' zei ze. Lachend streek ze hem over zijn kin.

Hij hield van haar lach. Het was een heerlijke, onschuldige lach, zoals de lach van een klein kind. Haar hele gezicht lichtte op, begon te stralen. Hij pakte haar bij de schouders, trok haar zachtjes naar zich toe en kuste haar innig.

Onmiddellijk sloeg ze haar armen om zijn hals en beantwoordde zijn kus zo vurig, dat direct de vlam oversloeg. Hij omarmde haar, drukte haar stevig tegen zich aan en zijn tong zocht de hare. Lang kusten zij elkaar zo, genietend van elkaars warme mond, tot ze buiten adem waren.

Kevin trok zich het eerste terug. Hij maakte het strikje van haar perzikkleurige satijnen nachtjapon los en liet zijn hoofd tussen haar borsten rusten. Ze droeg een bijpassend satijnen hemdje met dunne schouderbandjes en hij kon met zijn hand makkelijk onder het met kant afgezette lijfje komen. Toen haar borst tevoorschijn sprong begon hij de kleine, bruinroze tepel te liefkozen en te kussen tot ze zachtjes begon te kreunen.

Kevin hield even op om de nachtjapon verder los te maken en hij gleed liefdevol met zijn handen over haar lichaam. Toen boog hij zich weer over haar heen om opnieuw haar borsten te kussen en te strelen. Eindelijk hief hij zijn hoofd op en keek op haar neer. Haar ogen waren gesloten, de mond half open en ze ademde snel. Hij zag hoe ze naar hem verlangde.

Die uitdrukking op haar gezicht, die overgave gemengd met extase, wond hem op, net als het gevoel van dat satijnen hemdje onder zijn vingers. Hij zocht de onderste zoom en schoof zijn hand langs de binnenkant van haar dij tot hij de zijden krulletjes tussen haar benen voelde. Even liet hij zijn hand rusten en toen hij haar verborgen zachtheid aanraakte deed zij haar benen iets uit elkaar. Hij voelde plotseling de vochtige warmte van haar lichaam.

Ze deed haar ogen open. 'Oh, Kevin,' mompelde ze.

Hij trok zijn wenkbrauwen op. 'Wat is er?'

'Niet ophouden.'

'Wat dacht je,' lachte hij. Hij boog zijn hoofd en zijn mond vond het plekje dat zo gevoelig was voor de aanraking van zijn tong. Hij begon haar te kussen, terwijl één van zijn vingers naar binnen gleed. Ze sliepen nu een jaar samen en hij kende de reacties van haar lichaam maar al te goed. Hij wist dat ze bijna haar hoogtepunt had bereikt, dat ze dadelijk zou komen, en dat wilde hij ook graag. Maar op het moment dat hij dacht: nu is het zover, toen hij verwachtte dat er een golf van verrukking door haar heen zou trekken, ging ze plotseling met een ruk rechtop zitten.

Ze greep hem bij zijn schouders en fluisterde schor: 'Alsjeblieft, Kevin, kleed je uit en kom bij me liggen. Ik wil je in me voelen.'

'Maar ik wil het eerst fijn voor je maken.'

'Dat weet ik, en ik vind het heerlijk en ik wil hetzelfde voor jou doen, maar alsjeblieft, kom bij me. Alsjeblieft.'

Hij stond op, gooide zijn jasje over een stoel, schopte zijn schoenen uit, deed zijn rits open en rukte de kleren van zijn lijf.

In de tussentijd griste zij de mappen bij elkaar, gooide ze op de grond en trok haar nachtjapon uit. Kevin was alweer bij haar.

Hij kwam naast haar liggen en nam haar in zijn armen. Hij mompelde haar naam en beet haar zachtjes in haar hals. Maar even later rolde hij op zijn zij en zocht in de la van het nachtkastje naar een condoom. Verdomde rotdingen. Hij haatte ze. Maar aan de andere kant – hij was zich maar al te zeer bewust van de gevaren die er tegenwoordig dreigen. Hij wist alles over aids. Nadat Sunny uit zijn leven verdwenen was had hij zo nu en dan wel eens een andere vrouw gehad, zonder dat het ooit een serieuze verhouding was geworden. Hij was er absoluut zeker van dat hij niets mankeerde, maar je kon maar beter het zekere voor het onzekere nemen en hij zou niet willen dat hij haar in gevaar zou brengen. Kevin kon nog net een zucht onderdrukken. Wat leefden ze toch in een gevaarlijke tijd. Seks en dood gingen hand in hand, tegenwoordig.

Ze streelde zijn rug terwijl hij rommelde met de blisterverpakking, ze kuste hem tussen zijn schouderbladen, mompelde voortdurend zijn naam en vertelde hem hoe opgewonden ze was, hoe ze naar hem verlangde. Hij kreeg een stevige erectie van haar erotische, prikkelende taal en toen zat het beschermende rubber er ook direct omheen.

Hij draaide zich naar haar toe en kuste haar op de mond. Even later gleed zijn hoofd weer naar beneden, naar haar blote borsten. Haar tepels stonden rechtop, en toen ze harder werden onder zijn lippen sloeg er een golf van genot door hem heen. Zijn handen speelden over haar slanke, in satijn gehulde lichaam. Een sensueel gevoel, die stof, net zo sensueel als zijzelf, met haar warmte die hij voelde branden toen hij door het dunne, gladde materiaal heen haar buik en dijen kuste.

Ongeduldig schoof hij haar hemdje weg en ze ging rechtop zitten om het uit te trekken. Haar ogen, die in de zijne haakten, stonden vol liefde, haar gezicht was een en al verlangen. Ze ging weer liggen en hij verslond haar met zijn blik, hij bewonderde haar strakke, ivoorkleurige huid, zacht en glanzend als het satijnen hemdje dat ze net had uitgedaan.

Hij wist dat ze het heerlijk vond om zijn handen te voelen en dus liet hij zijn vingers tussen haar benen glijden en masseerde haar, eerst zachtjes, nauwelijks voelbaar, dan steeds steviger en heftiger, tot ze lag te trillen onder zijn aanraking. Kevin gleed langzaam naar beneden, tot zijn mond bij haar dijen was, en toen kuste hij zich langzaam een weg naar boven, terwijl hij een vinger in haar liet glijden. Even later verstrakte haar lichaam; er trok een kramp door haar heen en ze bereikte een fantastisch hoogtepunt. Ze kreunde zachtjes terwijl het intense gevoel schokkend door haar lichaam trok.

'Kevin,' zei ze eindelijk, met een stem zo laag dat hij haar nauwelijks kon horen. 'Oh, Kevin, lieveling.'

Kevin schoof omhoog en legde zijn hoofd naast het hare op het kussen. Hij mompelde: 'Vond je het fijn?'

'Ik vind het altijd fijn met jou, vanaf de allereerste keer. Ik heb het nog nooit zo fijn gevonden als met jou.' Ze trok zich op, knielde naast hem en keek hem recht in zijn donkere ogen. Met één vinger streek ze langs zijn wenkbrauwen en daarna langs zijn lippen. Toen boog ze zich met een glimlach van voldoening langzaam naar hem over en gaf hem een lange, tedere kus op zijn mond.

Kevin kon zich bijna niet meer inhouden, zo graag wilde hij bij haar komen. Hij trok haar bijna ruw over zich heen terwijl hun monden op elkaar bleven. Zijn handen speelden met haar borsten. Meestal beantwoordde ze zijn kussen met vuur, maar nu maakte ze zich los, boog zich voorover en begon zijn borst en zijn buik te zoenen. Ze wervelde met het puntje van haar tong over zijn lichaam tot hij bijna ontplofte.

Vlug keerde hij haar om en ging bovenop haar liggen. Met zijn armen aan weerszijden naast haar stootte hij met kracht naar binnen, soepel bewegend, om het zo heerlijk mogelijk te maken voor haar. Ze sloeg haar benen om hem heen, klampte zich aan hem vast, bewoog mee op zijn ritme, maar hij voelde dat ze zich inhield.

'Kom maar, kom maar,' hijgde hij tegen haar gezicht.

'Nee,' fluisterde ze terug. 'Samen. Ik wacht op jou.' Maar terwijl ze het zei trok er een diepe rilling door haar lichaam en de hitte sloeg van haar af. Haar nagels priemden in zijn rug en ze riep: 'Kevin!'

Haar reactie wond hem altijd verschrikkelijk op en terwijl ze tegen hem aan bleef bewegen kon hij zich niet langer inhouden. 'O, god, Nell, ik kom,' hijgde hij. 'Oh, Nell! Oh, Nell!'

Ze lag losjes in zijn armen, haar blonde haar tegen zijn borst, haar ogen gesloten, haar ademhaling licht en regelmatig.

Kevin bekeek haar glimlachend. Met haar was het naspel haast net zo heerlijk als de liefdesdaad zelf. Hij was net zo ontspannen als zij, hij voelde zich tevreden, met haar en met zichzelf – zoals altijd als ze samen waren. Misschien was dat wel omdat hij haar al vanaf haar zeventiende kende. Net als zijn zuster Rosie, haar beste vriendin, was ze nu tweeëndertig, maar op dat moment leek ze veel jonger, als een vrouw van voor in de twintig, met dat meisjesachtige figuur, die jonge huid en dat gezicht zonder een enkele rimpel.

Nell Jeffrey was hem heel dierbaar geworden, en altijd als hij bij haar was voelde hij zich als herboren. Iedere dag eiste de stad zijn tol, maar als hij bij Nell was lukte het hem om zichzelf stukje bij beetje terug te winnen zonder dat ze er iets voor deed – zo leek het hem althans. Ze gaf hem aan zichzelf terug, als het ware.

Tot op zekere hoogte was Kevin in staat zich volledig in Nell te verliezen en als hij dat deed werd er iets van de pijn weggenomen, zijn verdriet om Sunny werd minder. Hoe dan ook, Sunny was eigenlijk dood, als je haar toestand in aanmerking nam, en het leven is voor de levenden, nietwaar? Hij had dat het afgelopen jaar maar al te goed begrepen, zeker vanaf het ogenblik dat Nell zo'n belangrijke rol was gaan spelen in zijn leven.

Hij betrapte zichzelf erop dat hij steeds minder aan Sunny dacht; zes jaar was ook wel erg lang. En negen maanden geleden was hij haar ook wat minder gaan opzoeken, hoewel dat een idee was van haar zuster Elena, niet van hem. 'Het zou makkelijker zijn voor Sunny als je niet zo vaak meer kwam,' had Elena hem op een zondagmiddag in de kliniek gezegd. 'Ze lijkt onrustiger dan anders, als jij er bent.' Misschien dat er in haar gedementeerde, beschadigde hersenen vaag het besef leefde dat ze vroeger iets gehad hadden met elkaar en dat ze daardoor opgewonden raakte. Dat had Elena die middag tenminste gesuggereerd.

Tot hij drie maanden geleden besloten had om helemaal niet meer naar New Haven te gaan. Haar familie scheen opgelucht met die beslissing en hijzelf ook, moest hij eerlijk toegeven.

Maar soms vroeg hij zich af of hij geen morele lafaard was die zijn plicht verzaakte. Toen hij er met Nell over sprak wees ze dat idee met klem van de hand. Ze wist hem ervan te overtuigen dat hij niet alleen het goede deed, maar dat het ook het énige goede was wat hij kón doen.

'Je kunt haar niet meer helpen,' had Nell gezegd. 'Het enige wat je doet is zout in je eigen wonden wrijven. En dat niet alleen, ze is een molensteen om je nek, die je mee de diepte in trekt. Je zult je moeten losmaken van Sunny – voor je eigen bestwil. Jij moet eens een keertje je eigen leven gaan leven, in 's hemelsnaam.' Haar krachtige woorden hadden hem geholpen en de laatste tijd realiseerde hij zich wat een last er van zijn schouders gevallen was. Nell had gelijk, Sunny was een deel van zijn verleden, en hij moest bepaalde delen van zijn verleden loslaten om verder te kunnen komen.

Nu dacht hij alleen nog maar aan Sunny toen ze jong was. Het was makkelijker om zich haar voor de geest te halen als een levendig, jong meisje, dan als een verslaafde die alles deed om aan verdovende middelen te komen, wier hele leven draaide om drugs. Hij bekende zichzelf dat hij zich beter voelde dan hij zich in jaren gevoeld had, zover was hij al. Alweer dankzij zijn vriendin Nell, die daar in niet geringe mate toe had bijgedragen.

Kevin verborg zijn gezicht in haar haar. Dat was zacht en zijdeachtig, geurend naar citroenmelisse, zoals alles aan haar heerlijk en fris rook. Diep snoof hij haar parfum op; dat verdrong tenminste een beetje de stank van de stad, die hij iedere dag in zijn neus kreeg.

Nell was zo'n deel van zijn leven geworden dat hij zich niet kon voorstellen wat hij zonder haar zou moeten doen. Gek hoe ze zo plotseling minnaars geworden waren, een jaar geleden, veertien jaar nadat ze elkaar hadden leren kennen.

Gavin was verleden jaar oktober naar New York gekomen voor een zakelijke bespreking met Nell. Hij was op weg naar Londen om de basis te leggen voor *Kingmaker*, waar hij net het geld voor bij elkaar had gekregen. Kevin werd gebeld door zijn oude vriend, die hem vroeg of hij zin had mee te gaan eten, samen met Nell. Hij had net een paar snipperdagen genomen dus hij kon de uitnodiging aannemen. Hij had hen allebei meer dan een jaar niet gezien en het was een heerlijke avond geweest, vol

warmte en plezier. Ze hadden veel gelachen en herinneringen opgehaald.
Ze hadden gegeten in Gavins suite in het Carlyle Hotel en toen Nell ver
na middernacht naar huis wilde, had hij erop gestaan haar weg te brengen.
Het was een koude nacht, maar toch waren ze gaan lopen, en toen ze op
Park Avenue kwamen waar zij woonde, had ze hem uitgenodigd om nog
even een afzakkertje te nemen.

Terwijl zij twee cognacglazen vulde met oude Rémy Martin had hij de
open haard aangestoken en toen waren ze samen op de bank gaan zitten,
nippend van de belegen cognac en pratend over vroeger en nu.

Hij zou beslist niet meer weten hoe het precies gebeurd was, al werd hij
honderd. Plotseling lag ze in zijn armen en hij kuste haar, en zij beantwoordde zijn kus vurig. Het eindigde ermee dat ze hartstochtelijk lagen te
vrijen op het tapijt voor het knapperende haardvuur.

Dat was op een vrijdagnacht, en omdat hij geen dienst had was hij het hele weekeinde bij haar gebleven. Opgenomen in de warmte en het comfort
van haar prachtige appartement en totaal verslingerd aan elkaar hadden ze
achtenveertig uur lang de wereld om zich heen vergeten, niet meer gedacht aan hun zorgen, hun pijn.

Op een gegeven moment hadden ze in dat weekeinde gepraat over Mikey,
die het jaar daarvoor plotseling spoorloos verdwenen was. Iedereen zat
ermee in, met die mysterieuze verdwijning, vooral Nell. Ze was vroeger
een beetje verliefd gweest op Mikey, en toen dat over was waren ze gewoon goede vrienden gebleven en ze waren in de loop van de tijd zelfs
naar elkaar toegegroeid. Ze gingen op heel vertrouwelijke voet met elkaar
om, als oude makkers.

Die nacht, toen Nell en Kevin voor het eerst met elkaar naar bed waren
geweest, had Nell hem toevertrouwd dat ze dáárom zo ongerust was over
Mikey. Het was gewoon ondenkbaar dat hij besloten had uit New York
weg te gaan zonder het haar te vertellen. Zonder haar te zeggen waar hij
heen ging.

Misschien heeft hij helemaal de kans niet gekregen om iemand te waarschuwen, dacht Kevin, maar dat hield hij wijselijk voor zich. Niemand
wist wat er met Mikey gebeurd was, zelfs zijn huisgenoot niet. Hij was
eenvoudigweg verdwenen.

Kevin had dikwijls gedacht dat Mikey makkelijk het slachtoffer kon zijn
van een misdrijf. Hij kende, als politieman, de angstaanjagende statistie-
ken uit zijn hoofd – ieder jaar verdwenen er duizenden en duizenden
Amerikanen zonder een spoor achter te laten. En heel weinig daarvan

werden teruggevonden of kwamen uit zichzelf terug om hun leven weer op te pakken. Alleen al in zijn eigen district was het dossier 'Vermiste Personen' decimeters dik. Een ontmoedigende gedachte.

Nell draaide zich om in zijn armen. Ze opende haar ogen en keek hem aan. 'Wat kijk je ernstig, mijn lieve Kevin. Is er iets wat je dwars zit?'

Ze hielden nooit iets voor elkaar verborgen, ze waren altijd open en eerlijk tegen elkaar, maar deze keer dacht hij dat het beter was niet over Mikey te beginnen. Daar was het 't moment niet voor. Dus zei hij: 'Ik dacht aan ons, Nell, dat we nu al een jaar met elkaar omgaan. En niemand weet het.'

'Neil O'Conner zal het toch zeker wel weten?' lachte ze.

'Ik had het over onze vrienden en kennissen.'

'Wil je zeggen dat je het niet aan Gavin verteld hebt?'

'Ik heb hem al een jaar niet gezien, behalve dan die paar dagen in Londen. Maar toen had hij wel wat anders aan z'n hoofd. Trouwens, je denkt toch niet dat ik iemand ben die overal gaat rondbazuinen met wie hij slaapt? Jij hebt het ook niet aan Rosie verteld, anders zou ze het me gezegd hebben.'

'Ik weet niet waarom ik het haar nooit verteld heb, Kev, of waarom we het geheim gehouden hebben – want zo is het eigenlijk.' Nell kroop dichter tegen hem aan, sloeg haar armen om hem heen en hield hem stevig vast. Na een poosje zei ze: 'Ik denk dat ik het haar moet zeggen. Ze is mijn beste vriendin.'

'Ze zal het leuk vinden... dat we met elkaar omgaan, bedoel ik.'

'O ja, ze zal het er zeker mee eens zijn!' riep Nell. Ze gooide haar hoofd achterover en keek hem aan met een flirterige blik. 'Dat geef ik je op een briefje, mijn schat. O ja, háár zegen hebben we, geloof dat maar.'

'Wanneer komt ze terug uit Los Angeles?'

'Alsjeblieft, Kevin, ze is net gisteren vertrokken. Ik denk dat ze samen met mij terugkomt.'

'Hoe bedoel je?'

'Ik moet zelf naar de westkust en...'

'Wannéér?' vroeg hij, onaangenaam verrast.

'Dinsdag of woensdag.'

'En ik wou net een week vrijnemen, voordat ik begin bij de Afdeling Misdaadonderzoek. Ik had gehoopt dat we een paar dagen samen konden zijn, lieverd.'

Nell beet op haar lip. Een beetje verdrietig zei ze: 'Had ik dat maar geweten, Kevin, dat zou heerlijk geweest zijn. Maar ik heb nu alles al geregeld, ik kan mijn plannen nu niet meer omgooien. Ik heb een bespreking met Gavin, die maandag vanuit Londen naar L.A. komt. En ik heb ook afspraken met een aantal andere klanten.'

'Ik begrijp het.'

'Het spijt me. Het spijt me verschrikkelijk. Maar wacht eens, ik heb een idee! Waarom kom je niet mee? Dat zou geweldig zijn – zoals vroeger: jij en ik en Rosie en Gavin.' Haar gezicht klaarde op en ze riep opgewonden: 'Kom, vooruit, Kev, zeg ja! Zeg alsjeblieft ja!'

Hij aarzelde. 'Ik weet het niet, maar…' Hij maakte zijn zin niet af. Hij wist niet goed wat hij moest doen. Het leek plotseling zo definitief.

Nell ging rechtop zitten, kuste hem speels op zijn neus, wipte uit bed en ging richting badkamer. Bij de deur zei ze: 'Denk er in ieder geval over.'

'Ik heb net nagedacht. Het is misschien beter als ik niet meega.'

'Waaròm niet?'

'Ik loop daar toch maar te niksen als jij de hele dag bezig bent. En ik heb hier genoeg te doen, Nelly. Persoonlijke dingetjes waar ik anders niet aan toekom vanwege mijn werk.'

Ze knikte en verdween in de badkamer.

Toen ze even later terugkwam had ze een grote badhanddoek omgeknoopt en ze had er ook een bij zich voor Kevin. 'Hier, sla om, en laten we wat gaan eten. Het diner staat klaar in de keuken.'

'Ik had je graag mee uit willen nemen, dame.'

'Mag ik misschien even mijn huisvrouwelijkheid op je botvieren?' grinnikte ze. Ik heb een kipschotel gemaakt. Ik weet niet of hij nog lekker is, natuurlijk, want hij staat al uren in de oven. Anders mag je me meenemen naar de dichtstbijzijnde hamburgertent, dan eten we daar een omelet.'

Hij volgde haar door de gang terwijl hij zijn handdoek vastmaakte en lachte: Zó'n honger heb ik nou ook weer niet, Nelly. Maar een glaasje wijn zou er best ingaan.'

De stoofschotel was verrukkelijk. Ze aten in de keuken en Kevin had een heerlijke fles Beaujolais Village opengetrokken.

Hij dronk haar toe met zijn glas fonkelende rode wijn. 'Wie had ooit gedacht dat onze Kleine Nell zo'n fantastische carrière zou maken als internationaal georiënteerde zakenvrouw, die de hele wereld afreist. Met eigen kantoren in verschillende landen.'

'Ik,' antwoordde ze, en met pretlichtjes in haar ogen hief ze het glas.

Hij keek haar bewonderend aan. 'Ik ben trots op je, weet je dat? En op Rosie ook.'

'Je móet wel trots zijn op je zuster,' mompelde Nell. Ze klonk opeens ernstig. 'Haar kostuums voor *Kingmaker* waren onwaarschijnlijk mooi. Je weet niet wat je ziet – wacht maar tot de film in roulatie gaat. Het zal niet lang duren voordat ze haar tweede Oscar krijgt.'

'Je meent het! Dat zou geweldig zijn. Ze had het erover dat Gavin weer een film ging maken. Doet ze weer mee?'

'Ik weet het niet.' Met een kort gebaar haalde Nell haar schouders op en schudde haar hoofd. 'Hij heeft haar nog helemaal niet gezegd wat het wordt, en mij ook niet. Maar ja, alles wat hij aanpakt verandert in goud.'

'Dan heb ik het zeker verkeerd begrepen. Ik dacht dat ze naar Los Angeles zou gaan om met hem te praten.'

'Nee, niet direct. Ze heeft een afspraak met Garry Marshall over zijn nieuwe film. Een romantische komedie, die in deze tijd speelt. Hij is een groot bewonderaar van haar.'

'Dat kan ik me voorstellen,' zei Kevin. 'En laten we wel wezen – is het geen eer om te kunnen werken met iemand die films op zijn naam heeft staan als *Beaches* en *Pretty Woman*? Ik hoop dat ze zijn aanbod aanneemt. Ze zou wel gek zijn om het níet aan te nemen, zou ik zeggen.' Hij nam een slok wijn en vroeg: 'Hoe lang denken jullie daar te blijven?'

'Een paar dagen, hooguit een week. Dat hangt een beetje van Johnny Fortune af.'

'O?' Kevin keek haar vragend aan.

'Ik heb een bespreking met hem over zijn concert in New York, volgend voorjaar. Dan staat hij weer in Madison Square Garden. Er moet nog heel wat geregeld worden.'

'Jij hebt een grote ster van hem gemaakt, Nelly.'

Ze schudde haar hoofd. 'Dat is niet waar, Kev. Dat heeft hij zelf gedaan. Met zijn stem. En met zijn uiterlijk en met zijn charme en de manier waarop hij vrouwen doet zwijmelen.'

Kevin keek haar geamuseerd aan. 'Jij en Rosie lijken zo op elkaar. Jullie willen geen van beiden ooit een compliment aannemen, als je iets geweldigs gedaan hebt. Jij hebt hem gehólpen een ster te worden, neem dat nou maar van mij aan!'

'Je bent bevooroordeeld, lieverd.'

'Hij is een beetje mysterieuze kerel, hè?'

'Wie? Johnny? Helemaal niet.' Ze fronste haar wenkbrauwen. 'Hoe kom je daar nu bij?'

'Hij komt zomaar uit het niets, maakt een paar platen, de dames vallen bij bosjes flauw en hups, daar gaat-ie. Dan kom jij om zijn public relations te doen en van de ene dag op de andere heeft meneer de super-ster-status bereikt. Wat zeg ik? Mega-ster.'

'Ging het maar zo makkelijk. Het zit allemaal wel wat ingewikkelder in elkaar. Johnny heeft jaren gewerkt in kleine zaaltjes in Vegas en Atlantic City, om nog maar te zwijgen van het nachtclub-circuit. Hij heeft gewerkt tot hij erbij neerviel. Hij heeft in Los Angeles gestaan, in Chicago, in Boston, in New Jersey, in Philadelphia, in New York, en dat jaar in jaar uit. Je kunt rustig zeggen dat er geen nachtclub is tussen de oost- en de westkust, of Johnny heeft er gezongen.'

'Hoe dan ook, jíj hebt uiteindelijk een ster van hem gemaakt. Door jóuw toedoen is hij nu het Amerikaanse antwoord op Julio.'

Nell barstte in lachen uit en schudde haar hoofd. 'Absoluut niet. Er is maar één Julio Iglesias. Dat is de èchte mega-ster. Daarbij is het de aardigste kerel die ik ooit heb ontmoet. Wat Johnny Fortune betreft – ik denk dat hij van iedereen iets heeft, van Perry Como, van Vic Damone, van Little Old Blue Eyes himself èn van Julio. Daarom houdt iedereen van Johnny – hij is alle geliefde crooners in één.'

Kevin grinnikte. 'Gelukkig ben jij uniek, Nell. Jij noemt de dingen bij hun naam, precies zoals ze zijn, maar ik betwijfel of Johnny graag zou horen wat je daar zegt – het klinkt of hij een soort surrogaat is.'

'Tja, dat ìs hij ook. Maar dat neemt niet weg dat hij op dit moment dé zanger van de jaren negentig is.'

'Een prachtige kreet.'

'Die ìk heb verzonnen!' kaatste ze terug. Ze boog zich voorover en kuste hem op zijn wang. 'Daar wil ik dan nog wel een compliment voor aannemen, Kev.'

9

Het huis stond op een hoge, dichtbegroeide heuvel in Benedict Canyon, met het uitzicht over Bel Air.

Het was een oud buiten uit de jaren dertig, de gouden jaren van Hollywood, gebouwd in Spaans-koloniale stijl. Van binnen was het in de jaren vijftig grondig gerenoveerd door een legendarische producent, die getrouwd was met een filmster. Ze hadden de comfortabele woning smaakvol ingericht, met lambrizeringen uit kostbare houtsoorten, rijk versierde open haarden en wijde ramen van vloer tot plafond, waardoor de heerlijke omgeving bij het interieur betrokken werd.

Schaduwrijke terrassen, tuinen vol bloemen, fonteinen en sculpturen en een bijzonder bijgebouw naast het zwembad waren de andere sfeerbepalende elementen in deze pastorale schoonheid.

Voor Johnny Fortune was het Huis op de Heuvel, zoals hij het altijd noemde, een magische plek en hij hield ervan zoals hij nog nooit van iets materieels gehouden had, behalve dan misschien van de gitaar die hij als jongen van zijn oom gekregen had. Het was een elegant en stijlvol onderkomen, zonder enige pretentie. De ruime kamers waren goed van verhouding, licht en luchtig, en overal waren er open haarden, tot in het huis bij het zwembad toe.

Eén van de belangrijke dingen van het huis was dat er sinds de verbouwing in de jaren vijftig niets meer aan veranderd was. Daardoor was de sfeer, die de producent en zijn vrouw toen hadden gecreëerd, prachtig bewaard gebleven. Alles wat ze gedaan hadden getuigde van smaak en gevoel voor stijl, en alle volgende bewoners waren zo wijs geweest de fraaie interieurs en exteriors in hun waarde te laten.

Altijd als hij in het Huis op de Heuvel was kwam er een diep gevoel van welbehagen over Johnny; dan voelde hij zich bijna gelukkig. Er was veel dat bijdroeg aan die emotie – de esthetische schoonheid, de ingebouwde luxe en het comfort, het grootse verleden, de roem en de vooraanstaande positie van de vroegere eigenaars, onder wie Greta Garbo. En niet in de laatste plaats het prestige dat uitging van het bezit van een dergelijk huis.

Johnny had nooit gedacht dat hij nog eens in een huis als dit zou wonen, niet in zijn stoutste dromen, en het had er in het begin ook helemaal niet naar uitgezien, verre van dat.

Johnny Fortune, die in 1953 geboren was als Gianni Fortunato, was opgegroeid in de overbevolkte buurten in het zuiden van Manhattan, waar hij bij zijn oom en tante, Vito en Angelina Carmello, woonde in een kleine, verwaarloosde flat op Mulberry Street.

Zijn vader, Roberto Fortunato, had hij nooit gekend; zijn moeder, Gina, kon hij zich nauwelijks herinneren. Vanaf zijn vijfde had zijn oom Vito, de broer van zijn moeder, alleen voor hem gezorgd – na de dood van zijn vrouw was hij vader en moeder tegelijk voor de jongen. Toen hij oud genoeg was had hij meteen de schooldeur achter zich dichtgetrokken, de universiteit zou hij toch nooit halen.

Dus werden de straten van New York zijn leerschool, net zoals ze vroeger zijn speeltuin waren geweest. Hij had al jong geleerd om voor zichzelf op te komen; hij was door de wol geverfd, slim, gewiekst, altijd op z'n hoede. Alles wat er om hem heen gebeurde hield hij in de gaten.

Maar Johnny was nooit een echte straatjongen geweest, brutaal, uitdagend en snel van de tongriem gesneden; ook was hij nooit een ruwe, gevaarlijke jonge punk geworden die altijd moeilijkheden zoekt en overhoop ligt met het gezag. Daar had oom Vito wel voor gezorgd.

Johnny had tot zijn geluk iets heel bijzonders, iets waardoor hij anders was dan andere kinderen, dat hem uittilde boven de middelmaat en dat hem in zekere zin ook beschermde. Dat bijzondere was zijn stem. Het was een zachte, melodieuze stem waardoor de adem in je keel bleef steken, en de collega's en vrienden van zijn oom luisterden graag als hij zong. Dan applaudisseerden zij luid en ze gooiden dollarbiljetten naar hem toe.

Iedereen, zonder uitzondering, vond dat hij zong als een engel. Oom Vito zei dat zijn stem een geschenk van God was, dat hij er met respect mee om moest gaan en dat hij voor eeuwig dankbaar moest zijn voor zo'n gezegende gave. En dat was hij ook.

Een poosje had de jonge Johnny zelfs gespeeld met de gedachte zichzelf Johnny Angel te noemen, net als het bekende liedje. Maar tenslotte koos hij toch voor Johnny Fortune, de Engelse vertaling van zijn eigen naam, in de hoop dat het fortuin hem dan ook zou gaan toelachen. En dat deed het tenslotte, hoewel het Johnny heel wat jaren had gekost om dat punt te bereiken.

Nu, op die koele novemberavond, was zijn verleden wel het laatste waaraan hij dacht. Zijn gedachten waren bij de toekomst – volgend jaar, om precies te zijn. Het leek wel of 1992 al voorbij was nog voordat het goed en wel was begonnen, met al die buitenlandse tournees die gepland stonden en die eindeloze studio-opnamen voor zijn nieuwe plaat. Zijn manager had de studio in New York al besproken. Na Kerstmis zou hij niet langer zelf over zijn tijd kunnen beschikken, voor de komende twaalf maanden was alles al geregeld en van tevoren vastgelegd.

Hoe beroemder hij werd, des te minder tijd had hij voor zichzelf, bedacht Johnny zich. Maar hij was liever overwerkt, oververmoeid en overspannen, zonder enig sociaal of persoonlijk leven, èn rijk en beroemd, dan omgekeerd. Hij had bereikt wat hij wilde bereiken, hij had alles wat hij zich ooit gewenst had.

Johnny onderdrukte een zucht en er kwam een wrang lachje om zijn mond. Hij liet zijn slanke, gemanicuurde vingers over de toetsen van de kleine Steinway-vleugel glijden en hij begon zijn lievelingsliedje te spelen, de song die hij lang geleden tot de zijne had gemaakt en wat zijn openingsnummer geworden was: 'You and Me – We Wanted It All', met tekst en muziek van Carole Bayer Sager en Peter Allen.

Plotseling hield hij op met spelen, draaide zich om op zijn pianokruk en keek de kamer in. Zijn ogen dwaalden rond. Zoals gewoonlijk was hij vol bewondering, zelfs nu hij al vier jaar in het Huis op de Heuvel woonde.

Hij keek nog steeds met stil ontzag naar zijn bezittingen, niet in de laatste plaats naar zijn schilderijenverzameling die hij had aangelegd nadat hij in 1987 in het huis getrokken was.

De kamer waarin Johnny rondkeek wàs ook schitterend, prachtig van opzet en doordacht tot in de kleinste details. Crème en donkergetint hout vormden de achtergrond voor de levendige kleuren van de schilderijen, de boeken en de uitbundige, verse bloemboeketten in de kristallen vazen.

Een licht crème vloerkeed op dof glanzend parket markeerde de zithoek voor de open haard, met twee crèmekleurige banken, diep en luxueus, aan weerszijden van een antieke Chinese koffietafel van mahoniehout, versierd met ingenieus snijwerk. Franse Lodewijk xv-bergères, bekleed met gestreepte crèmekleurige zijde, stonden naast de haard, hier en daar een antiek wijntafeltje en achter iedere bank een smalle aflegtafel met kleine beeldjes van Brancusi en een zwarte urn vol takken en bloemen. Het geheel werd verlicht door het zachte licht van een aantal lampen met zijden kappen op porseleinen voet.

Maar het waren de schilderijen die in het oog sprongen en om aandacht vroegen – het landschap van Sisley boven de haard, de Rouault en de Cézanne aan de achterwand en de twee vroege Van Goghs aan de muur achter de vleugel.

De inrichting van de kamer was buitengewoon smaakvol. Hij had er zelf niets aan gedaan, net zomin als aan de rest van het huis. Het was allemaal het werk van Nell, samen met een binnenhuisarchitect. Nell had het huis gevonden, zij had de architect uitgezocht, zij had de inrichting en de sfeer bepaald, zij had de onweerstaanbare ambiance geschapen waarmee de kamers doordrenkt waren.

Alles waar Johnny naar keek droeg het stempel van Nell, want zij was het die hem had helpen kiezen. Het hele huis getuigde van Nells smaak, maar het kon hem niet schelen, hij hield van haar smaak. In feite had hij er zich mee geïdentificeerd.

Het deed Johnny plezier dat hij nu in ieder geval het onderscheid kon zien tussen kunst en kitsch. Hij was op kwaliteit en stijl gaan letten, niet alleen bij kunst en meubilair, maar bij alles, en hij ging prat op zijn nieuw verworven kennis.

Zelfs zijn manier van kleden was veranderd sinds hij met Nell in zee was gegaan. Hij was trots op zijn uiterlijk – hij ging beter, conservatiever gekleed dan ooit. Nell had een persoonlijkheid van hem gemaakt.

Johnny stond op, liep door de kamer en ging met zijn rug naar de haard staan. Hij moest zichzelf bekennen dat de enige goede smaak die hij had voordat hij Nell ontmoette, zijn muzikale smaak was. Op dat gebied hoefde niemand hem iets te vertellen. Daar was hij nooit de fout mee ingegaan.

Het was niet verwonderlijk dat hij niet veel had geweten van kunst en antiek. Hij was er nauwelijks mee in aanraking gekomen. Zijn tante Angelina had de kleine flat in Mulberry Street volgehangen met kitscherige plaatjes van Jezus en de heiligen, kruisen en gipsen beelden van religieuze figuren in monsterlijke kleuren, en na haar dood had oom Vito alles precies zo gelaten, misschien uit liefde of respect voor zijn overleden vrouw.

Toen Johnny eenmaal weg was uit die sombere straat waar hij met de oude man gewoond had, trok hij jarenlang langs goedkope motels en aftandse hotelletjes in Hollywood, Vegas, Chicago, Atlantic City en Manhattan, en daar kreeg je nauwelijks de gelegenheid iets op te steken over kunst of dure dingen.

Johnny grinnikte in zichzelf toen hij door de ruime ontvangsthal naar de eetkamer liep. Hij dacht aan oom Vito, die ongetwijfeld rechtsomkeert zou maken als hij ooit dit elegante huis zou zien, om uit pure verlegenheid naar het eerste het beste motel te gaan.

Vier jaar geleden had hij Vito uitgenodigd, toen hij hier net was komen wonen. Maar de oude man was er niet op ingegaan. En Johnny had niet aangedrongen, hij had zijn invitatie ook nooit herhaald. Zijn oom zou hier niet passen, gewoon omdat hij zich niet op zijn gemak zou voelen in zo'n huis, en het laatste wat Johnny wilde was het zijn oom moeilijk maken. Oom Vito was dan misschien niet zo'n geweldige vader geweest, maar hij had alles gedaan wat in zijn vermogen lag. En Johnny was er zich van bewust dat de oude man altijd van hem had gehouden alsof hij zijn eigen kind was, de zoon die hij zelf nooit had gehad.

Johnny bleef staan in de deuropening van de eetkamer, die in crème en abrikoos was gehouden, met hier en daar een accent van helder framboos. Wat hij zag had de charme van de eenvoud: in het midden een antieke tafel van taxushout uit het zuiden van Frankrijk, met daaromheen stoelen van kersehout met hoge, met snijwerk versierde rugleuningen. Links tegen de wand een elegante kast, rechts een buffet, ook van kersehout, met daarboven werken van de Engelse aquarellist Russel Flint.

Die avond was de warme houten tafel gedekt met antiek Engels zilver en het fijnste porselein en kristal. Tussen de vier zilveren kandelaars met crèmekleurige kaarsen stond een zilveren rozenvaas met bleke, champagnekleurige rozen in volle bloei, die een zoete, zware geur verspreidden. Links en rechts daarvan zilveren fruitschalen.

De tafel was gedekt voor drie, en toen hij zo stond te kijken betrapte Johnny zichzelf erop dat hij geïrriteerd was. Hij had het veel leuker gevonden als Nell die avond alleen zou komen, zoals ze oorspronkelijk hadden afgesproken. Maar nu bracht ze een vriendin mee. Er was nog zoveel waarover hij met haar had willen praten, nog afgezien van de komende tournees, maar met een vreemde erbij zou hij zich in moeten houden – tot op bepaalde hoogte.

Zijn uitstekende humeur sloeg plotseling om bij de gedachte dat hij kennis moest maken met Nells vriendin. Maar gisteren, bij de lunch, had hij ja gezegd toen ze hem vroeg of ze iemand mee kon brengen, dus het was zijn eigen schuld. Er zat niets anders op dan zich groot te houden.

Hij draaide zich om, liep door de hal en sprong met twee treden tegelijk de trap op naar zijn slaapkamer. Net als de kamers beneden was ook zijn slaapkamer groot en helder. Ook hier maakten de beboste heuvels deel uit van het interieur, door de grote ramen van de vloer tot het plafond.

De kamer was gemeubileerd met antieke meubels uit de Franse provincie in allerlei houtsoorten. De kleurstelling was gelijk aan die van de ruimten beneden. Allerlei tinten crème, koffie en botergeel, naast grijsgroen en roze, die terugkwamen in het indrukwekkende Aubusson tapijt op de vloer, dat de inspiratiebron was geweest voor het kleurenschema van de slaapkamer.

Johnny schopte zijn suède loafers uit, trok zijn spijkerbroek en zijn T-shirt uit en ging naar de badkamer om te douchen. Een paar minuten later stapte hij uit de dampende douchecabine, greep een badhanddoek, sloeg die om zich heen en zocht een kleinere handdoek om zijn haar te drogen.

Johnny Fortune was achtendertig jaar oud. Hij had een slank, gespierd lijf dat in perfecte conditie was. Hij zwom veel, als hij maar even tijd had ging hij naar de sportschool en hij keek uit met eten en drinken. Hij had een goed gevormd, gevoelig gezicht waarop je altijd snel de vermoeidheid kon aflezen. Als hij moe was leek hij jaren ouder. Hij bekeek zichzelf eens goed in de spiegel en vond dat hij er beroerd uitzag, al was hij dan lekker bruin verbrand.

Hij kamde zijn bruine haar met de blonde strepen achterover, nadat hij het zorgvuldig had gedroogd met een föhn. Hij boog zich naar de spiegel en trok een paar gezichten. Het was hem echt aan te zien dat het de nacht daarvoor behoorlijk uit de hand gelopen was. Hij had vage, blauwe kringen onder zijn ogen – het leek wel of hij gevochten had. Het leek er in ieder geval op of hij slaap te kort gekomen was. En dat was ook zo. Voor het eerst in jaren was hij eens lekker doorgezakt en hij had al veel te veel rode wijn gedronken bij het eten in La Dolce Vita in Little Santa Monica met zijn vriend Harry Paloma.

Wat nog stommer was, hij had een van de groupies die altijd om hem heen hingen in het plaatselijke hotel waar hij regelmatig logeerde, mee naar zijn kamer genomen en met haar geslapen. Hij nam nooit meisjes mee naar huis. Het Huis op de Heuvel was heilig. Daarom had hij permanent een suite gehuurd in dat hotel, ideaal voor seksuele ontmoetingen. Maar erg frequent waren die de laatste tijd niet geweest, om niet te zeggen zeldzaam. Maar hij had tenminste íets intelligents gedaan; hij had er op het laatste moment aan gedacht om veilig te vrijen. Zijn arrangeur, Gordy Lanahan, was pas gestorven aan aids, en die dodelijke ziekte was een schrikbeeld dat hem achtervolgde.

Johnny liet de handdoek vallen en liep via de slaapkamer naar de kleedkamer ernaast, die minstens net zo groot was. Tegen de wanden kleedrekken met dure, schitterend gesneden kleding van de beste kleermakers in Londen, Parijs en Rome; ladenkasten met doorzichtige laden vol overhemden plus wollen en kasjmier truien en pullovers voor alle gelegenheden. Op rekken onder de kostuums en sportjasjes stonden glimmend gepoetste schoenen van het soepelste leer naast suède instappers, op andere rekken aan de wand hingen weer trossen zijden dassen.

Johnny zocht even tussen al die kledingstukken en koos toen een donkergrijze broek met een zwart kasjmier jasje, een bleekblauw overhemd van Zwitserse voile en een blauwe zijden das. Hij kleedde zich snel aan, stapte in een paar zwarte loafers en liep terug naar de kast om een bijpassende zijden zakdoek te zoeken voor in zijn borstzakje.

Een paar seconden later holde Johnny Fortune de trap weer af – Nell Jeffrey kon nu ieder moment voor zijn neus staan.

10

Johnny Fortune vond de vriendin van Nell niet aardig.

Hij probeerde zijn antipathie niet te laten blijken, maar dat viel hem zwaar. Ze had iets wat hem van slag bracht, waardoor hij geïrriteerd werd, en hij had steeds de behoefte om haar tegen te spreken bij alles wat ze zei. En dat niet alleen, hij had er buitengewoon veel moeite mee om beleefd tegen haar te blijven.

Kortom, Rosalind Madigan bracht het slechtste in Johnny boven. Dat was hoofdzakelijk omdat hij zo'n onzeker mens was, al begreep hij totaal niet dat dit de eigenlijke oorzaak van zijn aversie was. Hij was niet iemand die gewoon was zijn reacties te analyseren. Daarbij had hij het veel te druk met lelijke dingen over Rosie te denken – hoe gewoontjes ze was, hoe uit de hoogte, hoe snobbish.

Dat was Rosie natuurlijk helemaal niet. Maar op het moment dat hij haar voor het eerst zag had hij instinctief aangevoeld dat ze anders was dan de meisjes die gewoonlijk zijn pad kruisten en hij wist eenvoudig niet hoe hij om moest gaan met een vrouw van klasse. En dus maakte hij haar in gedachten met de grond gelijk, zag hij in ieder van haar deugden een ondeugd, zag hij haar zoals hij haar wilde zien en niet zoals ze werkelijk was. Rosie was niet gewoontjes, alleen maar heel bescheiden in de manier waarop ze zich kleedde; ze was niet uit de hoogte, maar heel welgemanierd; en ze was zeker niet snobbish, eerder verlegen in zijn bijzijn.

Johnny zat haar van opzij aan te kijken en hij vond dat ze er saai uitzag. Hij kon kleurloze vrouwen niet uitstaan, daar knapte hij totaal op af. Voor hem moesten het opvallende types zijn met alles erop en eraan, vol glans en glitter, stralend en uitbundig, daar viel hij op. Hij had een zwak voor glamour, en dat was in feite een van de redenen waarom Nell Jeffrey hem zo aansprak. Ook al was hun verhouding strikt zakelijk, hij keek met groot genoegen naar haar onmiskenbare blonde schoonheid. In zijn ogen was Nell één en al glamour en hij vond haar een schitterend voorbeeld voor iedere jonge vrouw. Hij was er trots op dat ze bij zijn entourage hoorde.

Hij nipte aan zijn wijn en luisterde naar het gesprek tussen de beide vrouwen, die het over een gemeenschappelijke vriend hadden, Gavin Ambrose, de mega-filmster. Plotseling kreeg hij een zeldzame vlaag van zelfinzicht. Hij realiseerde zich opeens wat hem stoorde aan dat mens Madigan. Het was haar intelligentie.

Johnny was bang voor vrouwen met hersenen, dan voelde hij zich stom, minderwaardig, omdat hij zijn school niet had afgemaakt.

Nell was ook wel intelligent, maar die had zoveel vrouwelijks, zoveel uitstraling, dat hij pas aan haar slimheid dacht als ze allang weer uit het gezicht verdwenen was. Dan kwam hij altijd tot de ontdekking hoe doordacht ze de dingen voor hem had geregeld. Nell Jeffrey was veel meer dan zijn pr-manager; ze was zijn zakelijk adviseur en hij wist haar, in zijn ogen niet onaanzienlijke, talent op waarde te schatten. Sinds de dag dat ze voor hem ging werken had ze zijn leven fundamenteel veranderd.

Johnny voelde zich veel beter nu hij begreep wat de oorzaak was van zijn afkeer van Rosie, een gevoel dat hem had overvallen op het moment dat ze binnenkwam. Hij pakte zijn vork en rolde er een hap spaghetti omheen.

Nell, Rosie en Johnny zaten aan de eettafel en voor hen stond de eerste gang van het diner, dat Johnny's kok, Giovanni, had klaargemaakt. Sophia, de vrouw van Giovanni, had net de *pasta primavera* opgediend en Arthur, de Amerikaanse butler met een Engelse opleiding, had de gekoelde witte wijn in de geslepen kristallen glazen geschonken.

Ze aten van de smaakvolle pasta en even was het stil in de kamer, tot Nell uitriep: 'Dit is verrukkelijk, Johnny. De heerlijkste pasta die ik in eeuwen gegeten heb. Vind je niet, Rosie?'

'Kostelijk,' viel Rosie haar bij, en ze keek naar Johnny. 'Beter dan ik ooit heb gehad bij Alfredo's – Alfredo's in Rome.'

'Giovanni is een genie in de keuken,' zei Johnny en het klonk haast als een snauw. Toen wendde hij zich tot Nell en sloot Rosie verder buiten. Zijn stem was zachter toen hij vroeg: 'En – hoe doen we dat, al die concerten volgend jaar? Na die tournee kunnen ze me op een brancard afvoeren.'

Nell keek hem recht in de ogen en ze besloot hem te zeggen wat vanaf gisteren op het puntje van haar tong had gelegen, toen ze uitgebreid gepraat hadden over zijn wereldtournee.

'Ik denk dat je niet het hele programma moet afwerken, Johnny,' begon ze voorzichtig. 'Het is gewoon te veel. Dat zou geen mens volhouden. Te veel verschillende steden in te veel verschillende landen. Dat is moord, en als je het mij vraagt moet je je beperken tot Los Angeles, New York,

Londen, Parijs en Madrid – de optredens die al min of meer vastliggen. Laat de rest vallen.'

Daar had Johnny even niet van terug en de verbazing was op zijn gezicht te lezen. Hij staarde haar aan. 'Verdorie, schat, dat lijkt me een fantastisch idee, maar ik denk dat mijn agent het niet met me eens zal zijn. Hij heeft de kar al in beweging gezet.'

'Maar nog lang niet alle boekingen liggen vast, hij moet nog met allerlei theaters en concertzalen in het buitenland onderhandelen. Dat weet ik zeker omdat…'

'Hoe weet je dat?' viel Johnny haar in de rede.

'Dat heb ik hem gevraagd, gisteren, vlak voordat we weggingen. Jij was aan de telefoon in het andere kantoor. Kijk, toen we zo zaten te brainstormen dacht ik steeds: die tournee is veel te inspannend, misschien zelfs een beetje ondoordacht. Je zou krankzinnige afstanden moeten afleggen, van het ene werelddeel naar het andere. Je bent zo ongeveer een jaar onderweg en dan wóón je zo'n beetje in het vliegtuig. Enfin, dat hoef ik jou niet te vertellen. In ieder geval, Johnny, met een dergelijke tournee verwatert een artiest. Ik ben er vast van overtuigd dat je het komende jaar alleen Amerika en Europa moet doen. Dan komen Japan, het Verre Oosten en Australië het jaar daarop – in 1993.'

'Dat klinkt me niet gek in de oren.' Johnny keek bedenkelijk. 'Ik hoop alleen dat we Jeff zover kunnen krijgen.'

'Ik ben er haast zeker van dat hij het zal begrijpen, als je het op de juiste manier brengt. Of beter nog – laat míj het woord maar doen bij de bespreking, morgenmiddag. Ik kan het dan uitleggen, precies zoals ik het nu aan jou uitleg. En laten we niet vergeten dat er ook nog een plaat op stapel staat. De opnamen zullen maanden in beslag nemen en dat zal veel van je vergen. Ik weet hoe perfectionistisch je bent. Dat kan ik ook aanvoeren, denk je niet?'

Bewonderend keek Johnny haar aan. Hij knikte. 'Jij bent de slimste, de handigste, Nell. Ik vind het heerlijk als jij het denkwerk voor me doet. Oké, ik ben het met je eens. Jij neemt Jeff onder vuur. Ik hou me gedekt. Jij vangt de klappen op. En als het stof een beetje is opgetrokken neem ik jullie allebei mee uit eten.' Johnny grinnikte. 'Een prachtig idee, een prachtig idee. En Jeff bewondert je, schat. Jij kunt hem overtuigen met je argumenten. Van jou zal hij het aannemen.'

'Dank je voor het vertrouwen dat je in me hebt, Johnny, en voor je lieve woorden, maar…' Ze bleef midden in haar zin steken.

'Maar wat?' Hij boog zich naar haar over.

'O, niets, eigenlijk,' zei ze met een schouderophaal. Ze wilde hem niet laten weten dat zijn agent, Jeff Snailes, haar de laatste tijd onder druk leek te zetten. In plaats daarvan zei ze: 'Ik wilde alleen maar zeggen dat het mijns inziens belangrijk is dat je in dit stadium van je carrière niet teveel van jezelf laat zien.'

'Maar mijn concerten jagen de verkoop van mijn platen op!'

'Dat weet ik wel. Maar ik denk dat je een beetje terughoudend moet zijn, dat je het publiek niet teveel moet verwennen. Dat zal je populariteit niet aantasten, geloof me. Op de lange termijn is dat een veel betere strategie.'

'Mmmmmm.' Daar had Johnny geen weerwoord op. Bedachtzaam draaide hij de wijn rond in zijn glas. Even later keek hij op en zei: 'Julio heeft net een wereldtournee achter de rug. En hij heeft er de laatste jaren meer gemaakt. Dat heeft hem geen schade gedaan. Absoluut niet.'

'Dat is waar, daar heb je volkomen gelijk in. Aan de andere kant: Streisand heeft de afgelopen zes jaar geen concert meer gegeven, en ze verkoopt meer platen dan ooit.'

'Maar Barbra maakt films,' zei Johnny snel.

'Daar zìngt ze toch nauwelijks in,' wierp Nell tegen, en ze lachte. 'We zullen het er morgen verder over hebben. We kunnen zelfs een nieuwe bespreking inlassen op zaterdag, als dat nodig is, want ik vertrek niet uit L.A. voor zondag.'

'Prima!'

Nell wilde van onderwerp veranderen, Johnny wat afleiden van zijn eeuwige zorgen over zijn carrière, en ze begon: 'De kostuums die Rosie ontworpen heeft voor de nieuwe film van Gavin, *Kingmaker*, zijn onwaarschijnlijk mooi, Johnny. Niet van deze wereld. Ik wou dat je ze kon zien. Maar ja, je krijgt ze natuurlijk te zien. Je komt volgend jaar natuurlijk naar de gala-première – dat hoop ik tenminste. En ik garandeer je dat Rosie bij de Oscaruitreiking in de prijzen zal vallen!'

Rosie bloosde tot in haar hals en ze riep: 'Toe nou, Nell, nu ga je echt te ver. Ik weet zeker dat ik geen Oscar zal krijgen voor…' Haar stem liet het afweten, zo voelde ze zich in verlegenheid gebracht.

Voor één keer keek Johnny rechtstreeks naar Rosie en hij zei op koele toon: 'De voorspellingen van Nell komen meestal uit, neem dat maar van mij aan. Waarom spreek je haar tegen?'

Rosie ging niet op die opmerking in. Ze pakte haar waterglas en nam een slok. Ze vroeg zich af wat die man toch tegen haar hàd. Vanaf het moment dat ze over zijn drempel was gestapt, had hij een hekel aan haar, dat was maar al te duidelijk. Hij was koel en kortaf tegen haar geweest, op het onbeschofte af. Ze wou dat Nell haar niet had overgehaald om mee te gaan; ze was veel beter af geweest met een hapje van de roomservice voor de televisie in hun suite in het hotel.

Ook Nell zei niets. Die koele toon van Johnny was haar natuurlijk niet ontgaan en net zomin als Rosie snapte ze er iets van. Hij gedroeg zich vreemd tegenover haar vriendin, en zijn duidelijke antipathie was irreëel.

Nell wilde alle rimpels gladstrijken en de doodse stilte in de kamer verbreken. Ze haalde diep adem en net toen ze wilde beginnen over de nieuwe CD van Johnny, die net uitgekomen was en nu al in de top-tien stond, ging de deur open. Sophia kwam binnen en begon de borden weg te nemen, op de voet gevolgd door Arthur, die schone voor hen neerzette. Even later serveerden zij de zeebaars, in kruiden gebakken en een garnituur van gestoomde verse groenten.

Johnny nam een slok van zijn wijn en zei tegen Nell: 'En wat doe je om deze tijd volgende week donderdag? Voor Thanksgiving, bedoel ik.'

'Dan kook ik voor Kevin,' flapte Nell eruit, tot haar eigen verbazing. Ze voegde er snel aan toe: 'En voor Rosie, natuurlijk. 'Kevin? Wie is Kevin?' vroeg Johnny met opgetrokken wenkbrauwen.

'Mijn vriend,' zei Nell, die dacht dat ze maar het beste de waarheid kon vertellen. 'En de broer van Rosie.' Ze zag Rosies vragende blik en ze keek haar waarschuwend aan, haar ogen iets dichtgeknepen. 'Dan zijn we weer terug aan de oostkust,' ging ze verder, 'en ik was van plan dan voor mijn allerbeste vrienden te koken, een goede, ouderwetse Thanksgivingmaaltijd voor ze te maken. Kalkoen, vossebessensaus, zoete aardappelen met spekjes, maïsbrood, noem maar op. Ik ben heel goed in Thanksgiving, al kom ik dan uit Engeland.'

'Jij bent tegenwoordig Amerikaanser dan worteltjestaart,' lachte Johnny. En dan, met iets van spijt in zijn stem: 'Klinkt goed.'

'Waarom kom je ook niet?' vroeg Nell. 'Je bent toch in New York. Dan kook ik ook voor jou.'

'Ik kan niet. Ik heb mijn oom beloofd dat ik die avond bij hem en zijn – eh… en zijn vrienden zou komen. Maar dank voor de uitnodiging.' Johnny prikte met een vork in zijn vis en mompelde: 'Een vriend, hè? Tja, wie had dat gedacht. Dat heb je maar mooi verborgen gehouden voor me.'

En voor míj, dacht Rosie, en haar ogen telegrafeerden die boodschap naar Nell, die tegenover haar aan tafel zat.

Nell beet op haar lip. Ze vermeed Rosies blik omdat ze maar al te goed begreep hoe verwonderd en verward haar vriendin zich voelde. Haar enige antwoord op de opmerking van Johnny was een luchtig lachje. Toen concentreerde ze zich op het eten.

Even later begon Johnny tegen Nell weer over zijn carrière te praten, over zijn zorgen en over de toezeggingen die hij voor het komende jaar gedaan had. Ze wist dat het hem niet losliet, dat hij zou blijven piekeren totdat alles tot in de kleinste details geregeld was. Daarom ging ze er maar op in en ze deed haar best om hem zo goed mogelijk te adviseren.

Wat Rosie betreft, die was verdiept in haar eigen gedachten, die draaiden rond Nell en Kevin. Natuurlijk barstte ze van nieuwsgierigheid, maar ze wist dat ze Nell niets kon vragen over die nieuwe ontwikkeling in hun levens, voordat ze terug waren in het hotel. Maar wàs het wel nieuw? Misschien hadden die twee al heel lang iets met elkaar, en als dat zo was, waarom hadden ze haar dan geen van tweeën iets gezegd? Ze begreep er niets van, maar haar onbegrip werd overschaduwd door een gevoel van grote tevredenheid. Wat geweldig dat die twee samen waren – ze was er zeker van dat ze elkaar heel gelukkig zouden maken. Ze was vooral blij voor Kevin. Het leven van haar broer was zo vol gevaar, dat hij de steun van een goede relatie nodig had.

Rosie zweefde weg met haar gedachten. Ze maakte plannen voor Kerstmis op Montfleurie, ze dacht aan de kerstversiering en aan de diners, en in gedachten telde ze af voor wie ze al een cadeau had gekocht en voor wie ze nog iets moest bedenken.

Daarna kwam ze weer terug naar het heden, naar de dagen die ze nog had in Los Angeles en, het belangrijkste, naar haar bespreking met Gavin, morgen. Ze zouden bij hem thuis lunchen en dan praten over zijn volgende film. Hij had haar nog niet verteld wat het ging worden, maar wat het ook was, ze wist dat zij de kleding zou ontwerpen.

Eerder die week had ze een goed gesprek gehad met Garry Marshall, die haar gevraagd had voor zijn eigen project. Als Gavin er niet geweest was had ze zijn aanbod zeker aangenomen, en graag ook. Maar ze had zich nog niet vastgelegd, ze had Garry eerlijk verteld dat ze Gavin haar medewerking min of meer had toegezegd en dat hij nog van haar zou horen.

Rosie wist dat Gavin voor haar altijd op de eerste plaats kwam. Niet alleen vanwege zijn buitengewone talent als acteur of vanwege de interessante onderwerpen die hij altijd koos, maar omdat hij zoveel voor haar betekende.

Nell zei iets en Rosie werd weer tot de werkelijkheid teruggeroepen. Ze duwde haar gedachten aan Gavin weg en keek rond.

'Als jullie me willen excuseren – ik moet even bellen, dan is dat in ieder geval gebeurd,' mompelde Nell en ze stond op.

'Ga je gang,' zei Johnny. 'Gebruik de telefoon op mijn kamer maar, boven.'

'Dank je,' zei Nell, en ze verdween.

Johnny leunde achterover, pakte ostentatief zijn wijnglas en begon eraan te nippen. Hij deed of Rosie niet bestond.

Rosie liet even haar blik op hem rusten en keek toen weg. Ze wist niet wat ze tegen hem moest zeggen. Hij straalde zoveel weerzin uit dat ze dichtklapte. Ze kon geen enkel onderwerp van gesprek bedenken, niets wat hen nader tot elkaar zou kunnen brengen.

Er hing een doodse stilte in de kamer.

II

Rosie voelde zich vernederd.

Ze zat doodstil voor zich uit te staren. Ze knipperde zelfs niet met haar ogen en je kon nauwelijks zien dat ze ademhaalde. Ze vroeg zich af wat ze moest doen.

Nadat Nell was weggegaan om te telefoneren was de stilte in de eetkamer oorverdovend geworden – zeer tot wanhoop van Rosie. Hoe ze het ook wendde of keerde, Johnny gedroeg zich buitengewoon vreemd, en daar kon ze geen verklaring voor vinden, al probeerde ze dat nog zo hard.

Ze kon maar één ding doen, bedacht ze: ze moest zich excuseren, opstaan van tafel, Nell zoeken en haar zeggen dat ze terugging naar het Regent Beverly Wilshire. Nell zou het wel begrijpen. Ze hadden elkaar die avond al een paar keer aangekeken en uit Nells fronsen bleek dat ook zij niets begreep van het ongewone en wonderlijke gedrag van Johnny.

Rosie verlegde haar blik en even keek ze weer naar de fruitschalen die aan weerszijden van de kandelaars stonden. Daar had ze die avond al meer naar zitten kijken. Zoiets moois had ze nog maar zelden gezien. Het waren identieke stukken: op een hoge voet stonden, aan weerszijden van een luipaard, twee putti met hun mollige jonge armpjes omhoog, ter ondersteuning van een zilveren schaal met een kristallen binnenwerk. Het zilver had een schitterend patina en de details waren uitgewerkt met een ongelooflijke finesse. Ze wist dat ze gemaakt waren door een meester-zilversmid, dat ze bij elkaar hoorden en dat ze uiterst kostbaar waren.

Rosie maakte haar blik los van die antieke zilveren stukken en ze richtte zich tot Johnny, met de bedoeling afscheid van hem te nemen en te vertrekken. Maar in plaats daarvan zei ze: 'Die fruitschalen zijn uniek. Engelse Regency-stijl, nietwaar? En als ik me niet vergis komen ze uit het atelier van Paul Storr.'

Johnny wist niet wat hij hoorde en hij zat haar gewoon aan te gapen. Eindelijk knikte hij. 'Ik heb ze net gekocht in Londen.' Hij was volkomen verrast dat ze de naam van de zilversmid wist die de fruitschalen gemaakt had, en het deed hem genoegen dat ze ze bewonderde. Ze betekenden veel voor hem. Ze waren zijn trots en zijn vreugde. Het Engelse zilver was zo'n beetje het enige in zijn huis dat hij zelf uitgezocht had. Nell was er niet eens bij geweest toen hij eerder die maand naar zijn lievelingswinkel in Bond Street gegaan was om deze schatten te bekijken. Francis en Toni Raeymaekers, de eigenaars, hadden de schalen voor hem bewaard omdat ze er zeker van waren dat hij ze zou nemen.

'Hoe wist je dat ze van Paul Storr zijn?' vroeg Johnny, en hij draaide een beetje op zijn stoel zodat hij haar nu recht aankeek.

'Ik heb een vriendin die een expert is in zilver,' antwoordde Rosie. 'Ze weet ontzettend veel, vooral over de Engelse Georgian- en Regency-perioden. Ze handelde in zilver, vroeger.'

'Nu niet meer?'

'Nee, nu niet meer.'

'Wat jammer. Ik ben voortdurend op zoek naar interessante stukken, en het is altijd goed om een paar betrouwbare en goed ingevoerde handelaars te kennen.' Johnny schraapte zijn keel. 'Ik weet dat handelaars, die niet meer in de markt zijn, vaak nog rondneuzen. Dus als jouw vriendin ooit een bijzonder stuk tegenkomt, dan...'

'Vergeet het maar,' viel Rosie hem in de rede. 'Ze doet er echt niets meer aan.'

'Met pensioen, of zo?'

'Of zo, ja...' Rosie zweeg en keek weg. Ze dacht aan haar lieve Collie en ze wou dat ze kòn werken. Het zou een grote steun voor haar zijn als ze weer zou beginnen, daar was Rosie van overtuigd. Er kwam een plotseling verdriet in haar op, dat ze weer even snel wegduwde. Ze keek weer naar Johnny en ze hoorde zichzelf zeggen: 'Collie, een heel dierbare vriendin van mij, heeft het de laatste jaren heel moeilijk gehad. Haar man is omgekomen bij een afschuwelijk auto-ongeluk, en daarna is ze ziek geworden. Een hele tijd heeft ze niet kunnen werken. Toen ze eindelijk de zaken weer oppakte ontdekte ze dat ze het niet meer aankon. Het was haar te veel, en toen heeft ze het opgegeven. Voorlopig althans.' Rosie forceerde een glimlach. 'Wie weet. Misschien gaat ze ooit opnieuw beginnen, als ze er weer tegen opgewassen is. Ze hééft een passie voor antiek zilver, en ze jaagde altijd op de beste stukken. Kopen en verkopen was Collies lust en d'r leven.'

'Het spijt me… dat je vriendin zo ziek is,' mompelde Johnny, die de bezorgdheid gezien had in haar ogen. 'Woont ze in New York?'

Rosie schudde haar hoofd. 'Nee, ze woont in Frankrijk. Ze is een Française.'

'Je hebt veel van haar geleerd over zilver, hè?'

'O, ja. Ze nam me vaak mee naar veilingen in Londen en…' Rosies stem stierf weg bij al de herinneringen die haar overvielen. Dat waren de goede jaren die we samen hebben gehad, dacht ze, voordat de wereld in stukken viel voor haar. En voor mij. Rosie zuchtte zachtjes terwijl ze dacht aan die gelukkige tijden op Montfleurie, en ze slikte een onverwachte golf van verdriet weg.

Snel had Rosie zichzelf weer in de hand en ze zei, zo opgewekt mogelijk: 'Paul Storr was een onvoorstelbaar goede zilversmid, vind je niet? Collie vond hem de beste, en ik ook, eigenlijk. Ze zou helemaal uit haar bol gaan als ze deze fruitschalen zou zien. Ze zijn ook adembenemend, schitterend gewoon.'

Johnny knikte. 'Ik heb belangstelling gekregen voor Engels zilver door Nell. Zij heeft me geholpen bij de aankoop van mijn eerste kandelaars en het koffiestel. Maar de meeste stukken die ik de afgelopen twee jaar gekocht heb, heb ik zelf gevonden.' Hij lachte verlegen. 'Of liever gezegd: met de hulp van vrienden die een winkel hebben in Londen, Toni en Francis Raeymaekers. Die hebben een uitzonderlijk goede smaak, en van hen heb ik veel over zilver geleerd.'

Hij hield even zijn mond. Hij voelde zich nu meer op zijn gemak met Rosie en hij was dankbaar dat ze zijn smaak bewonderde. Hij realiseerde zich ook dat hij haar al een stuk minder onaangenaam vond en plotseling, onverwacht, schaamde hij zich dat hij zich zo bot had gedragen tegenover haar. Na een slokje wijn mompelde hij: 'Nell zegt dat ik er gevoel voor heb.'

'Gevoel waarvóór?' vroeg Nell vanuit de deuropening.

'Voor zilver,' zei Johnny grinnikend. 'Rosie begon over die schalen van Paul Storr, zij vindt ze prachtig.'

'Ze zijn ook schitterend,' zei Nell, en ze ging weer zitten.

'Is het allemaal gelukt?' vroeg Rosie. 'Je was eeuwen weg.'

'Ik weet het. Het spijt me. Ik moet me echt verontschuldigen bij jullie.'

'Onzin, schat,' zei Johnny.

'Ik denk dat ik alles goed in de hand heb,' ging Nell verder. 'Maar ik ben bang dat ik straks nog een paar telefoontjes moet plegen. Als we klaar zijn met eten. Het is heel vervelend, maar ik kan er niets aan doen.' Nell maakte een berustend gebaar en schudde haar hoofd, een spoor van spijt op haar gezicht. 'Je bent persagent of je bent het niet. Je hebt vierentwintig uur per dag dienst. Je moet altijd voor iedereen klaarstaan. Dus als je het niet erg vindt, Johnny, ik moet zorgen dat ik even alle rimpels gladstrijk.'

'Ga je gang. Je kunt bellen zoveel je wilt,' zei Johnny. 'Je doet maar of je thuis bent, dat weet je. Zover ken je me wel. Maar eerst komt het dessert. Giovanni heeft *crostata di mele alla crema* gemaakt.'

'Allemachtig!' riep Nell, en ze trok haar wenkbrauwen op. 'Dat klinkt bijna obsceen. En ik wed dat je er dik van wordt!'

Johnny lachte: 'Alsjeblieft, wat krijgen we nou? Jíj hoeft toch niet op je gewicht te letten? En dan nog – een hapje pudding zo nu en dan zal je geen kwaad doen.'

'Ik zal hier zo vet worden als modder,' zuchtte Nell. Ze rolde met haar ogen en lachte.

'Maar wat betekent dat dan?' vroeg Rosie. 'Wat krijgen we?'

'Een custardpudding met appelen. Je zult het heerlijk vinden.' Hij monsterde haar even vluchtig. 'En jíj hoeft ook niet op je gewicht te letten.'

Na het diner ging Nell vlug weer naar Johnny's kamer, om daar te telefoneren en Johnny nam Rosie mee naar de bibliotheek aan de andere kant van het huis.

Hij liet haar binnen en zei: 'Ik dacht dat we hier misschien koffie konden drinken. Ik zou je graag een paar van mijn andere aanwinsten willen laten zien – zilver dat ik in Londen gekocht heb.'

'Graag,' zei Rosie, en ze meende het oprecht. Ze begreep niet waarom hij plotseling als een blad aan de boom was omgedraaid, maar ze was in ieder geval opgelucht dat hij nu wat vriendelijker tegen haar deed. Hij was heel charmant – de ommekeer was werkelijk totaal – en ze vroeg zich af wat daarvan de reden kon zijn. Haar belangstelling voor zijn zilver? Dat was toch niet mogelijk? Hoe kon zo'n kleinigheid nu zoveel verschil maken voor hem?

'Dit zijn George III kandelaars, ook van Paul Storr, gedateerd 1815,' legde Johnny uit toen hij met haar langs de lange boekentafel liep achter de bank, die tegenover de open haard stond. 'Die heb ik ook uit die winkel in Bond Street. Ik heb daar veel geluk gehad, dankzij Toni en Francis.'

Rosie stond met een bewonderende blik naar de kandelaars te kijken. Ze knikte en richtte haar belangstelling op een grote zilveren schaal in het midden van de tafel. 'Die is ook mooi. Maar die is niet van Storr, nietwaar?'

Hij schudde zijn hoofd. 'Die is veel eerder dan Storr – dat scheelt bijna een eeuw. Het is een Queen Anne-schaal met geschulpte rand, gedateerd 1702 en gemaakt door een andere Engelse meester-zilversmid, William Denny.'

'Je hebt een paar verrukkelijke dingen. En afgezien daarvan: het hele huis is bijzonder smaakvol,' zei Rosie. Ze liep snel om de bank heen en ging zitten.

'Dank je,' zei Johnny, en hij volgde haar op de voet. Hij ging tegenover haar zitten in een grote fauteuil naast de open haard. 'Wil je iets drinken? Een likeurtje? Cognac?' vroeg hij, terwijl hij haar aankeek.

'Dank je. Alleen koffie graag.'

Op dat moment kwam Arthur binnen met de koffiekan, gevolgd door Sophia met de kopjes en schoteltjes. Toen de koffie was ingeschonken verdwenen ze geruisloos.

Rosie en Johnny dronken hun espresso.

Ze spraken geen van beiden, maar dit keer was de stilte tussen hen niet gevuld met een negatieve onderstroom. Johnny's antipathie voor Rosie was in rook opgegaan, hij was zelfs een beetje nieuwsgierig naar haar geworden. Johnny voelde zich een idioot dat hij zich zo onbeschoft had gedragen tegen haar, en dat zat hem niet lekker. Hij was over de hele wereld bekend om zijn charme, met name ten opzichte van vrouwen, en hij vroeg zich af waarom hij die tegenover Rosie niet had kunnen opbrengen.

'Van wie is dat schilderij?' vroeg Rosie en ze wees op een landschap dat boven de open haard hing. Een korenveld, de halmen gebogen in de wind, met twee boeren die maaiden en garven bonden. Rosie vond het een mooi tafereeltje en plotseling voelde ze heimwee naar Montfleurie.

Johnny ging rechtop zitten en volgde haar blik. 'Dat is van Pascal. Ze woont hier in L.A. en ik hou erg van haar werk. Ik heb boven nog meer schilderijen van haar.'

'Ik ben ook dol op moderne impressionisten... Dat korenveld doet me denken aan het zuiden van Frankrijk,' mompelde Rosie terwijl ze naar het schilderij keek. Ze dacht aan de landerijen rond het kasteel.

'Daar is het ook geschilderd. Pascal werkt graag in Frankrijk,' legde Johnny uit. Hij staarde haar aan – zijn belangstelling voor haar groeide.

Rosie staarde terug met een lichte frons en een vragende blik in haar ogen.

Johnny sloeg het eerst zijn ogen neer. Hij zette zijn kopje weg, stond op en ging naast Rosie op de bank zitten.

Johnny bood nooit iemand zijn excuses aan, uit principe niet. Maar nu zat hij zich tot zijn verbazing te excuseren tegenover Rosie Madigan. Hij sprak snel en zachtjes. 'Hoor es, eh – het spijt me dat ik daarstraks zo on- beleefd tegen je ben geweest, dat was niet de bedoeling.' Hij zweeg even en schudde zijn hoofd. 'Ja, het spijt me. Ik had het niet op jou moeten af- reageren.' Weer was het even stil. 'Ik heb een slechte dag gehad, veel za- kelijke problemen en zo,' improviseerde hij onhandig, in een poging zijn niet te verontschuldigen gedrag te verontschuldigen, om zichzelf in een wat beter daglicht te stellen.

'Ik begrijp wat je bedoelt,' antwoordde Rosie. 'Ik heb ook wel eens van die dagen.'

'Wil je het me vergeven?'

'Natuurlijk.' Rosie lachte naar hem. Een lach die van haar gezicht straal- de, die haar mond plotseling zacht en lieflijk maakte en die haar ogen deed glanzen. Ze lachte nog eens, en Johnny voelde dat iets hem raakte van binnen. Dat maakte hem in de war. Hij bleef stil zitten en hij keek naar haar met een onderzoekende blik.

Rosie keek terug, recht in de helderste blauwe ogen die ze ooit gezien had. Ze ging wat verzitten en hield haar hoofd schuin. Er kwam een vra- gende blik in haar ogen en ze bedacht dat dit de wonderlijkste man was die ze ooit in haar leven gezien had.

Toen Rosie bewoog viel het licht over haar gezicht.

Johnny zag in één oogopslag haar fascinerende groene ogen en de glans van haar koperkleurige haar, en hij werd getroffen door de schoonheid van deze vrouw. Hij vroeg zich af hoe hij haar ooit saai en gewoontjes had kunnen vinden. Het drong tot hem door dat Rosalind Madigan ver- bijsterend mooi was.

Rosie, van haar stuk gebracht door die wonderlijke uitdrukking in zijn ogen, raakte even Johnny's hand aan. ''t Geeft echt niet, hoor. Ik begríjp het en ik heb je allang vergeven.' Weer trok er een lach over haar gezicht. Ze begon hem aardig te vinden en ze was al bijna vergeten hoe grof hij haar bejegend had. Ze zag het beste in hem, zoals ze altijd in iedereen het beste zag.

Johnny knikte. Hij wist het zelf nog niet, maar ze had iets in hem losgemaakt.

12

Johnny lag zich nog te verbazen over zijn eigen reactie op Rosie, toen de beide vrouwen allang weg waren. Er was geen twijfel mogelijk, ze had hem van zijn stuk gebracht.

Toen hij haar zag vond hij haar meteen een afschuwelijk mens, en hij stond er nog steeds versteld van dat hij ineens 180 graden was omgedraaid. Hij begreep zichzelf niet meer. Hij lag in pyjama op bed en probeerde te analyseren wat er van binnen bij hem omging.

Hij schrok op uit zijn gedachten bij het schelle gerinkel van zijn privé-telefoon. Met een blik op de wekker op zijn nachtkastje pakte hij de hoorn. Hij vroeg zich af wie er op dit uur van de dag nog kon bellen. Het was al bijna half twaalf. En het moest iemand zijn uit zijn naaste omgeving, omdat maar een paar mensen dit geheime nummer kenden.

'Hallo...' Het klonk niet helemaal gerust.

'Johnny, hoe gaat het ermee?' vroeg een ruige stem aan de andere kant van de lijn.

'Oom Vito! Wat doet u nog zo laat op, in godsnaam? Het is in New York al over tweeën.'

'Ja. Komt het niet gelegen, jongen? Stoor ik?'

Johnny grinnikte. 'Nee, ik ben alleen.'

'Jammer,' zuchtte de oude man. 'Waarom moet ik dat nou steeds blijven zeggen? Zoek eens een leuk grietje, een aardige Italiaanse meid, trouw met haar, maak een hele serie bambino's en wees een goeie huisvader. Waarom luister je toch niet naar me, Johnny?'

'Dat komt nog wel eens, oom Vito, dat komt wel.'

'Beloofd?'

'Ik beloof het u.'

'Ik ben op het eiland geweest, voor het familiediner. Da's elke donderdag, dat weet je. Je moet de groeten hebben van de grote baas. Je bent z'n favoriet, vergeet dat niet. Hij verwacht ons met Thanksgiving. Je komt toch, hè Johnny?'

'Natuurlijk. Natuurlijk kom ik. Ik kom toch ieder jaar op die familiereünie? Ik heb u nog nooit teleurgesteld. Of de grote baas. Zeg, waar belt u eigenlijk vandaan?'

'Maak je niet ongerust – ik sta bij een openbare telefoon.'

'Alstublieft, ga naar huis en naar bed. Hebt u iets nodig? Alles goed met u?'

'Met mij is het prima, jongen. Ik heb het nog nooit zo goed gehad.' Ver weg in New York, op straat, huiverend in de kille nachtlucht, begon Vito Carmello te lachen. 'Er zijn er hier een paar die het niet zo goed hebben, Johnny. Die hebben hun mond een beetje voorbij gepraat. Da's niet zo best. Slecht voor de zaken, *capisce*?'

'Ja.' Johnny lachte mee met zijn oom. 'Maar goed, doe me een plezier en ga naar bed. We zien elkaar volgende week. Ik kom woensdagavond laat aan.'

'Waar logeer je?'

'In het Waldorf.'

Weer schalde van ver de grove lach van Vito uit de hoorn. 'Welterusten Johnny.'

'Welterusten, oom Vito.'

Johnny bleef nog even over zijn oom nadenken. Vito was achter in de zeventig – negenenzeventig, om precies te zijn – en hij werd te oud om te kunnen doen wat hij deed. Het werd tijd dat hij zich terug zou trekken. Maar de oude man was eigenwijs, hij wou niet naar Johnny luisteren en hij wou ook geen geld van hem aannemen. 'Geld heb ik niet nodig, jongen. Geld heb ik genoeg – meer dan ik uit kan geven. Hou het nou maar zelf, voor slechte tijden,' mopperde hij, als Johnny het hem aanbood.

Oom Vito was een trotse Siciliaan. Hij was onvoorwaardelijk trouw aan zijn oude *goombah*, Salvatore Rudolfo, de grote baas, zoals hij door velen genoemd werd, en daarom wilde hij zijn werk niet opgeven. 'Niet voordat de Don zijn macht heeft overgedragen,' zei Vito altijd tegen Johnny. 'Als hij er mee uitscheidt, dan scheid ik er ook mee uit. We zijn samen begonnen, we zullen samen eindigen.'

En dus was Vito Carmello nog altijd een *caporegime*, een kapitein, in de Rudolfo-organisatie, zoals hij zijn hele leven al geweest was.

Vito en Salvatore waren in hun kinderjaren al met elkaar bevriend. Ze waren geboren in Palermo en hun families waren samen met de boot uit de Oude Wereld gekomen toen de jongens acht waren. Dat was geweest in 1920, en de beide families waren in dezelfde buurt gaan wonen, in Lower Manhattan. Ze wilden zo dicht mogelijk bij elkaar blijven, zoals ze het op Sicilië al hun hele leven gewoon waren.

Johnny had van zijn oom al veel verhalen gehoord over die eerste jaren, toen de Carmello's en de Rudolfo's net in de wereldstad New York waren aankomen.

Het waren moeilijke tijden voor de nieuwe immigranten en de ouders van de jongens ontdekten al vlug dat ze niet rijker en niet succesvoller waren dan vroeger in Palermo, en zeker niet gelukkiger. Ze hadden vaak heimwee naar hun geboorteland.

Er waren momenten, vooral tijdens familie-bijeenkomsten, dat Guido Carmello en Angelo Rudolfo zich hardop afvroegen waarom ze zo gek geweest waren om naar Amerika te komen, het land van overvloed, waar de straten geplaveid waren met goud. Dat laatste was duidelijk niet waar en die overvloed waar ze zoveel over gehoord hadden was weggelegd voor anderen, niet voor hen. De twee mannen, zeer goede vrienden die samen waren opgegroeid, waren beide meubelmaker en ze werkten hard, maar het leven was niet makkelijk. Guido en Angelo hadden vaak moeite om de huur te betalen en eten op tafel te krijgen voor hun gezin.

Maar de jongens hielden van de stad, en toen ze het Engels eenmaal machtig waren begonnen ze zich thuis te voelen in de straten van Manhattan, ze raakten verslaafd aan de opwinding, het lawaai, het gedoe, dat zo verschilde van wat ze gewend waren in het slaperige Palermo. Voor school hadden ze geen belangstelling; de straten waren veel interessanter met al die spanning, dat avontuur – en tenslotte met al dat geld.

Tegen de tijd dat ze dertien waren hadden de jongens hun eigen straatbende gevormd, een *borgata*, zoals dat heette in het Italiaans. Een bende beginnen was het idee van Salvatore, hij was de sterkste, de sluwste en de slimste van hen beiden, een geboren leider. Ze begonnen met kleine diefstallen, maar al gauw werd de misdaad hun tweede natuur en hun bende floreerde. Ze gapten van marktkooplieden en slopen binnen in opslagplaatsen, ze stalen op allerlei manieren en soms beroofden ze dronken mensen. Ook deden ze boodschappen voor de plaatselijke mafiosi en vaak brachten ze meer geld mee naar huis dan hun eerlijke, hardwerkende vaders.

Met zijn snelle begrip en zijn voortvarendheid werd Salvatore van bende-leider tot mafia-hulpje. Hij had zich vastgeklampt aan een *capo* die het wel zag zitten met de jonge Siciliaan en die zijn talenten onderkende: schranderheid, stalen zenuwen en brute kracht. Salvatore nam Vito op sleeptouw, hij zong zijn lof bij de *capo* en zorgde ervoor dat zijn *goombah* een plaatsje kreeg in de familie. Binnen de kortste keren was Salvatore gestegen in de rangen van de organisatie en ondanks zijn jeugd werd hij een volwaardig lid van de mafia, net als zijn vriend Vito.

Al gauw had Salvatore Rudolfo zich de reputatie verworven van een niets ontziende jonge gangster waar je rekening mee moest houden, en die maar één doel voor ogen had, en dat was de hoogste top. Salvatore was niet alleen door de wol geverfd, hij bezat ook een uitzonderlijk goed instinct voor zaken, een ijskoude wreedheid en een uniek vermogen om anderen respect en onvoorwaardelijke trouw af te dwingen. Naast Vito verzamelde hij een stoere en trouwe club *goombata* om zich heen, die ieder bevel van hem opvolgden, die zelfs een moord voor hem pleegden, als hij dat vroeg. En hij vroeg het nogal eens.

De tijd kwam dat Salvatore, die door hebzucht, ambitie en machtswellust werd gedreven, brak met de misdaadfamilie waarin hij was opgenomen, en met Vito in zijn kielzog probeerde hij een eigen organisatie op te bouwen.

Dat die twee erin slaagden was meer te danken aan het tijdstip van de coup en een hoop geluk, dan aan iets anders. Het was in het jaar 1930, toen ze allebei achttien waren en toen zich een bepaalde, voor hen gunstige, situatie ontwikkelde in de Newyorkse mafia.

Er was een groep Jonge Turken die zich achtergesteld voelden en die gefrustreerd werden door de regerende Dons – die ze de veelzeggende naam 'snorrebazen' gegeven hadden – en die in opstand kwamen tegen hun leiders-oude-stijl.

Toen de revolutie voorbij was, in 1931, waren de meeste vroegere Dons terzijde geschoven of vermoord. De managementstijl die ze hadden meegebracht uit de Oude Wereld bestond niet meer, de moderne Amerikaanse mafia, zoals we die vandaag de dag kennen, was geboren. En de Rudolfo misdaadfamilie stond aan de wieg. Omdat Salvatore en Vito geholpen hadden de coup tot een succes te maken, kregen ze het groene licht van de Jonge Turken, die het nu voor het zeggen hadden. En zo konden ze verder gaan met hun plannen – of liever gezegd: met de plannen van Salvatore.

De familie Rudolfo steeg weldra in getal, aanzien en macht en in de loop der jaren kregen zij een dominante positie tussen 'de mannen van eer', de Broederschap van de mafia, ook bekend onder de naam *Cosa Nostra*, Onze Zaak. Salvatore was de onbetwiste leider, zijn broer Charlie zijn plaatsvervanger, zijn neef Anthony was *consigliere* of adviseur, en Vito was één van de kapiteins, en daarbij Salvatores vertrouwensman.

Toen Johnny nog klein was had hij nooit precies begrepen wat zijn oom Vito eigenlijk deed, behalve dan dat hij in het familiebedrijf werkte van de andere ooms – Salvatore, Charlie en Tony. Toen hij ouder werd begreep hij dat al zijn ooms gangsters waren en lid van de mafia. Maar dat verbaasde hem niets, want hij was opgegroeid in een puur Italiaanse buurt, waar de mafia heel gewoon gevonden werd. Hij wist bijna niets van wat er omging in de wereld buiten zijn buurt, waar met respect en angst gesproken werd over de *amici*, de 'mannen van eer'.

Zoals de mafia-regels voorschreven werd er thuis nooit en te nimmer over zaken gepraat, en dus wist Johnny niet wat oom Vito overdag deed of wat precies zijn taak was. Het kon hem ook niet schelen. Het enige wat de jonge Gianni wist was dat zijn vier ooms van hem hielden, dat ze hem beschermden en dat ze altijd zorgden dat hij niets te kort kwam.

Als Vito extra geld nodig had voor hem, voor nieuwe kleren en schoenen, voor de dokter, de tandarts, muzieklessen of wat dan ook, zorgde oom Salvatore er altijd voor dat het geld er kwam. En hoewel de flat in Mulberry Street klein en onaanzienlijk was, Johnny ontbrak het aan niets en hij zag er altijd gezond en verzorgd uit.

Het was oom Salvatore die als eerste het talent van Gianni had ontdekt en die op een dag had verklaard dat hij zong als een engel, waarna hij hem een biljet van vijf dollar had toegestopt als beloning. Toen hij eenmaal besloten had van zingen zijn beroep te maken, had Salvatore een smoking voor hem gekocht, zijn eerste, en hij had erop toegezien dat hij regelmatig geboekt werd in de nachtclubs in het hele land, die gedreven werden door zijn zakenvrienden.

Sinds die tijd werd Johnny vanuit de verte in de gaten gehouden door Salvatore Rudolfo, die het getalenteerde, knappe neefje van zijn vriend Vito beschouwde als zijn speciale beschermeling.

Hoewel hij opgegroeid was in de schaduw van de Siciliaanse mafia in New York had Johnny er nooit deel van uitgemaakt, of er zelfs ook maar naar getaald. Zijn leven werd beheerst door zijn muziek. Daar waren oom Vito en oom Salvatore blij om, ze stimuleerden hem en hielpen hem bij het opbouwen van zijn carrière – en hielden hem verder op een afstand, omdat ze niet wilden dat hij vanwege hen met de vinger zou worden nagewezen.

Zover ze wisten had niemand ooit het verband gelegd tussen Johnny en hen, en dat was precies wat zij wilden. Er mocht geen smet komen op zijn blazoen. En dat was tot nu toe ook niet gebeurd.

Voor zijn protectie gedurende al die jaren had Salvatore nooit iets teruggevraagd. Behalve dan zijn aanwezigheid bij het diner ter gelegenheid van Thanksgiving. Dan werd hij altijd verwacht in het huis van oom Salvatore op Staten Island, en op het hoogtepunt van het feest werd hem dan gevraagd of hij een paar van de lievelingsnummers van de Don wou zingen. Het was allemaal heel gezellig, heel gewoon, en ze hadden altijd een heerlijke avond samen.

Johnny dacht even aan het diner, volgende week. Wat oom Salvatore graag zou willen horen. De oude favorieten, natuurlijk, zoals 'Sorrento' en 'O Sole Mio'. Maar Johnny wist dat hij ook een paar nieuwe, populaire songs moest uitzoeken, om de jongere leden van de familie een plezier te doen. Hij moest het hele gezelschap tevreden stellen, met inbegrip van de grote baas zelf, hij zou een half uur lang hun aandacht moeten vasthouden.

Johnny dacht met affectie aan Salvatore, en inwendig moest hij lachen. Zij hadden een heel speciale band. Onuitgesproken, maar overduidelijk. Die was er altijd geweest, al toen hij nog in een kort broekje rondliep. Hij voelde zich op een bepaalde manier dichter bij deze man staan dan bij zijn oom Vito, en hij hield van hem en vereerde hem. Hoewel de term 'Peetvader' bijna nooit gebruikt werd in de mafia, was dát een beetje wat hij voelde bij Salvatore. Die wàs zijn peetvader, in de beste betekenis van het woord. Hij beschouwde Salvatore als een groot man op z'n eigen manier. Dat hij regeerde over een groot rijk, dat hij de *capo di tutti capi* was van alle mafia-families aan de westkust, dat was nog nooit bij Johnny opgekomen. Salvatore Rudolfo was eenvoudigweg zijn oom aan wie hij veel te danken had.

Een poosje later keek Johnny op de klok, zuchtte zachtjes toen hij zag hoe laat het was en tastte naar de afstandsbediening. Hij zette de televisie af, die het laatste half uur zonder geluid had staan spelen, kroop onder de lakens en probeerde te slapen.

Maar de slaap wilde die avond niet komen.

Lang lag Johnny Fortune in het donker te woelen en te draaien. Zijn gedachten dwaalden van Salvatore en Vito naar Rosalind Madigan. Hij merkte dat hij haar niet uit zijn hoofd kon zetten.

Hij zag duidelijk haar gezicht voor zich en plotseling voelde hij een lichtheid van het bestaan, al zijn eindeloze zorgen verdwenen als bij toverslag. Toen sloeg er onverwacht een golf van warmte door hem heen en hij kreeg zo'n diep gevoel van geluk, dat hij zijn adem inhield. Hij wist niet wat hem overkwam. Die emotie had hij in zijn hele leven praktisch nog nooit gevoeld, hij was gewoon gelùkkig, en dat kwam door haar. Voor Johnny was dat niets minder dan een wonder.

Hij wist niets van haar – of ze alleen was, getrouwd, of gescheiden of wat dan ook. En het kon hem niets schelen ook. Rosalind Madigan was de eerste vrouw, de énige vrouw, die hem ooit dat gevoel gegeven had, en het was een gevoel dat, wat hem betrof, eeuwig mocht blijven. Die gedachten cirkelden lang door zijn hoofd, tot hij eindelijk wegdommelde.

Ik hóóp dat ik haar nog eens terugzie.

Ik wìl haar nog eens terugzien.

Ik móet haar terugzien.

Ik zàl haar terugzien.

13

'Nou, vooruit, Rosie, beken het maar eens. Wat heb je gedaan dat hij zich plotseling als een lammetje gedroeg?'

'Waar heb je het over?' riep Rosie. Het klonk een beetje gespannen. Ze keek Nell aan in het gedempte licht van de foyer.

Nell lachte, stak haar arm door die van Rosie en trok haar mee naar de suite die ze deelden in het Regent Beverly Wilshire Hotel.

'Jij weet drommels goed waar ik het over heb, liever, dus hou je maar niet van de domme. Toen ik de eerste keer wegging om te bellen deed Johnny of je er niet was, erger nog – of je zijn ergste vijand was. Toen ik terugkwam was hij een stukje vriendelijker. Hij trok tenminste niet meer zo'n zuur gezicht. De tweede keer vind ik jullie in de bibliotheek, knusjes samen op de bank. Sterker nog: hij at uit je hand. Om niet te zeggen: hij zat je af te likken. Nou, vooruit, Rosie, er moet toch íets gebeurd zijn? Die ommekeer van onze zoetgevooisde balladezanger was zo overduidelijk!'

Rosie moest lachen. Ze maakte haar arm los, draaide zich om en kaatste terug: 'Er is helemaal niets gebeurd. Ik ben alleen over zijn zilver begonnen. Je probeert me uit te dagen, omdat je je betrapt voelt, omdat je zelf het een en ander op je kerfstok hebt. Vertel eerst eens eventjes over jouw relatie met Kevin, en waarom je me daar niets van gezegd hebt. Beken jíj maar eens, Nelly. 't Is jouw beurt. Wanneer is dat begonnen met mijn broer?'

Nell gooide haar jas over een stoel en ze liep door de kamer zonder antwoord te geven. Ze nam de telefoon van de haak, draaide room service en keek vragend naar Rosie. 'Wat zou je denken van een lekker bakje thee, voor we naar bed gaan?'

Rosie knikte. 'Uitstekend idee. Heerlijk.'

Nadat Nell thee besteld had liet ze zich met een diepe zucht neervallen op de bank. 'Het was helemaal niet onze bedoeling om het geheim te houden voor je, eerlijk niet. Kevin en ik hebben het er net een paar dagen geleden over gehad.' Ze maakte een beweging met haar schouder en schudde haar hoofd. 'We hebben het aan helemaal níemand verteld, om je de waarheid te zeggen. Ik weet niet precies waarom niet. Dat is niet helemaal waar... Die collega van Kevin, zijn vriend Neil O'Connor, die wist ervan. Maar hij is de enige.'

Nadat ze zelf haar jas had weggelegd ging Rosie naast Nell op de bank zitten en ze mompelde: 'Ik ben niet boos op je of zo, lieve Nell. Echt niet. Integendeel, zou ik haast zeggen. Ik vind het geweldig dat jij en Kevin samen zijn.' Ze lachte toen ze dat zei en ze raakte met een teder gebaar even de arm van haar vriendin aan. 'Is het serieus tussen jou en Kev?'

Nell keek lang naar Rosie voordat ze antwoord gaf. Eindelijk verscheen er een klein lachje om haar mond. 'Ik weet het niet... en misschien is dat de reden waarom we het jou of Gavin of wie dan ook nooit verteld hebben. Misschien waren we er zelf nog niet zo zeker van, misschien wilden we onze gevoelens niet analyseren, en – dat is misschien wel het belangrijkste – we wilden niet onder druk staan.'

Rosie keek haar verbaasd aan. 'Maar lieve hemel, Nell! Ik zou jou of Kevin toch nooit onder druk zetten? Alsjeblieft, dat moet je toch niet denken. Ik was alleen even nieuwsgierig. Ik hou van je, en ik hou van mijn broer, en natuurlijk zou het fantastisch zijn als jullie het serieus met elkaar menen, als jullie een vaste relatie zouden opbouwen. Maar in alle eerlijkheid, dat zijn míjn zaken niet.'

'Ik wil je niet aanvallen. Ik probeer je alleen maar iets uit te leggen. We hebben jou en Gavin trouwens nauwelijks gezien, dit jaar, dus…' Nell hield middenin de zin op, draaide zich af en keek een poosje uit het raam. Toen zei ze plotseling: 'Stom om zoiets te zeggen. Natuurlijk hebben we jullie allebei gezien. Bij de opnamen, bijvoorbeeld. Kevin is maar één keer op de set geweest, maar ik was er toch, zo af en aan, een keer of vier, de afgelopen maanden. En ik hàd het je moeten vertellen. Maar ik heb het niet gedaan omdat… tja, omdat ik me niet wilde blootgeven, denk ik. Ik weet zeker dat Kevin er net zo over denkt. Dit is iets tussen ons tweeën, niet een onderwerp voor een publieke discussie.'

'Ik begrijp het,' zei Rosie, en kneep haar in haar arm.

'Ik hoop het, schat. Ik wilde je echt niet buitensluiten. Wíj wilden je niet buitensluiten. Ik zei je net, we hebben er eigenlijk nooit samen over ge-sproken, tot verleden week.' Nell schraapte haar keel en zei kalm: 'Ik ben helemaal idolaat van Kevin. Hij is zo'n geweldige man. We zijn heel goe-de vrienden, we kunnen goed met elkaar opschieten, we houden van de-zelfde dingen, en we kunnen heerlijk samen vrijen. Nou, dat is het.'

'Je hoeft het niet uit te leggen. Ik ben alleen maar blij dat jullie elkaar een beetje troost en geluk kunnen geven.'

'Ik ook. En hij betekent heel veel voor mij. Ook al wil ik niet met hem trouwen.'

Rosie liet die laatste opmerking even op zich inwerken en vroeg toen: 'Wil Kevin met jou trouwen?'

'Ik denk het niet.' Ze haalde haar schouders op en trok een pruillip. 'Om je de waarheid te zeggen, ik weet het niet. Hij heeft het nooit over trou-wen gehad, en ik ook niet. Ik denk dat we er nooit over nagedacht heb-ben. Hij is zo met zijn politiewerk bezig en ik heb mijn eigen besognes, ik moet zorgen dat mijn zaak loopt.'

'Wanneer is het gebeurd? Ik bedoel – wanneer kregen jullie belangstel-ling voor elkaar?'

'Zo ongeveer een jaar geleden. Die avond dat Gavin in New York was, op weg naar Londen voor de eerste besprekingen over *Kingmaker*. Weet je nog? Ik heb je gebeld en gezegd dat we met z'n drieën zouden dineren in het Carlyle. Kevin heeft me naar huis gebracht. Ik heb hem boven ge-vraagd voor een laatste slokje. En pats! Plotseling lagen we in elkaar ar-men.'

'Wat fantastisch!' zei Rosie. 'En neem dit van mij aan: pak wat je pakken kunt, op het moment dàt je het pakken kunt, de rest zien we later wel. Dat is mijn nieuwe lijfspreuk.'

''t Is niet waar!' Verbaasd trok Nell haar wenkbrauwen op. 'Nou, nou, dat is de verrassing van de avond, afgezien van de ommezwaai van Johnny. Laten we het eens even over hem hebben. Hoe kwam je erop om over zijn zilver te beginnen?'

Rosie grinnikte. 'Ik was misselijk van de manier waarop hij zich gedroeg, en ik wilde jou gaan zoeken om te zeggen dat ik terugging naar het hotel. Maar in plaats van mezelf te excuseren zei ik iets over die fruitschalen. Die schalen van Paul Storr.'

'Ah, dàt verklaart alles! Je had geen beter onderwerp kunnen kiezen. Die fruitschalen zijn, letterlijk, zijn trots en zijn vreugde. Zijn vrienden in Londen, de Raeymaekers, hebben ze voor hem gevonden, en hij heeft letterlijk een gat in de lucht gesprongen toen hij ze voor het eerst zag, het begin van deze maand.'

'Ik stond er versteld van dat hij zoveel wist over antiek zilver. Gek, vind je niet?'

'Ja, heel wonderlijk, eigenlijk. Hij komt uit een arm milieu, hij heeft in zijn jeugd in de Bronx of in Brooklyn gewoond – ik weet niet precies. Geen beste opleiding of zo, behalve dan zijn muzieklessen, en hij is niet veel met kunst en antiek in aanraking geweest. Hij was te veel bezig met het bestijgen van de showbusiness-ladder om belangstelling voor ook maar iets anders te hebben. Johnny is een heel gedreven mens, heb ik gemerkt. Maar hij heeft er oog voor, en nu heeft hij een passie voor antiek zilver. Dan weet hij er ook meteen alles van. Ik denk dat hij er de laatste tijd veel over gelezen heeft, en hij heeft er liefde voor. Dat is het geheim van iedere goede verzamelaar.'

Rosie knikte, liep naar het raam en keek naar buiten. Vanuit hun suite kon je over Rodeo Drive kijken, waar de feestverlichting voor Kerstmis al brandde, al was het nog maar pas november. Haar gedachten waren bij Johnny en voor ze er erg in had vroeg ze: 'Is hij met iemand?'

'Niet dat ik weet,' antwoordde Nell, die zich verwonderde over die vraag. Vanaf de bank bekeek ze Rosie eens goed. 'Eigenlijk weet ik zeker van niet.'

Op dat moment werd er aan de deur geklopt en Nell ging opendoen. Een kelner bracht een blad met thee binnen.

Even later, toen ze weer alleen waren, zei Nell, terwijl ze de thee inschonk: 'Ik geloof niet dat er ooit een vrouw is geweest in het leven van Johnny. Wat ik ervan begrepen heb, tenminste. In ieder geval niet de laatste jaren, sinds ik met hem te maken heb. O ja, hij heeft zo nu en dan een revue-meisje, een danseresje of een groupie, en soms heeft hij een hoertje op sleeptouw. Maar dat betekent niets. Een pleziertje voor één nacht, meer niet.'

'Waarom denk je dat hij… dat hij nooit getrouwd is?'

Nell schudde haar hoofd. 'Geen idee, hij praat er nooit over. Hier is je thee. Kom je niet bij me zitten? Wat Johnny Fortune betreft, ik kan alleen maar gissen naar de reden waarom hij nooit getrouwd is, of waarom hij nooit een vaste verhouding heeft gehad. Nu ik erover nadenk – er hebben wel eens geruchten de ronde gedaan dat hij iets had met de een of andere vrouw, maar dat is dan in ieder geval nooit iets geworden.' Ze nam een slok van haar thee en toen zei ze een beetje verwonderd: 'Misschien is hij nog nooit verliefd geweest – dat zou toch kunnen? Misschien is dat de reden.'

'Da's mogelijk.' Even was het stil. Toen vroeg Rosie: 'Wat ìs het eigenlijk voor man?'

Nells wenkbrauwen schoten omhoog en ze keek Rosie recht in haar ogen met een vragende blik. 'Ik zou het niet precies weten, moet ik je eerlijk zeggen. Je kunt nooit echt dicht bij hem in de buurt komen, weet je. Hij houdt iedereen op een afstand – dat wil zeggen op het persoonlijke vlak.'

'Maar hij is met jou toch heel intiem, lijkt het.'

'Op het zákelijke vlak, ja. Hij maakt zich altijd zorgen over zijn carrière, zoals je vanavond hebt gemerkt, en ik schijn hem gerust te kunnen stellen. Om precies te zijn: hij is een chronische tobber, die constant overal over inzit. Maar hij is niet onsympathiek, en tegenover mij is hij altijd vriendelijk en geduldig. Natuurlijk loopt hij over van allerlei onzekerheden. Hij is ook een beetje een egotripper; hij is altijd ontzettend met zichzelf bezig. Maar ja, hij zit dan ook in de show-business.'

'Dat geldt in ieder geval niet voor Gavin!' riep Rosie meteen.

'Nee, maar Gavin is een uitzondering op de regel. Maar om op Johnny terug te komen, het is geen kwaaie, en best sympathiek, zoals ik net al zei. En toch…'

'En toch wàt?'

Nell zuchtte. 'Ik weet het niet… Er is iets met hem, iets waar ik mijn vinger niet op kan leggen, Rosie. Hij is altijd een beetje ontwijkend, op een afstand, en over zijn familie praat hij maar liever niet. Daar doet hij geheimzinnig over.'

'Hééft hij wel familie?'

'Er moet ergens een oude oom zijn. Ik geloof dat hij in Florida woont. De tante is dood. Door die oom en tante is hij opgevoed. Hij heeft me ooit eens gezegd dat zijn moeder gestorven is toen hij nog heel jong was. Hij heeft in ieder geval geen broers of zusters. En verder heb ik hem nooit over familie gehoord, behalve over die oom dan. Ik denk dat hij een beetje eenzame, sombere jeugd heeft gehad, en ze hadden het zeker niet breed. Hoewel ik begrepen heb dat die oom later in goeden doen is geraakt. Maar veel heeft hij me er nooit over verteld. Johnny zal niet gauw iemand in vertrouwen nemen, zijn hart bij iemand uitstorten. En ik moet je zeggen: ik vraag hem ook maar niet al teveel. Omdat ik weet dat hij zich afsluit, dat hij niet wil praten over zijn verleden of over zijn persoonlijke leven. Hij heeft ook weinig vrienden. Hij heeft genoeg aan zichzelf.'

'Ik vind hem aardig, Nell.'

'Dat weet ik, ja.'

'Dat wéét je?'

'Ja, natuurlijk.'

'Hóe dan?'

Nell lachte. 'Omdat je nog nooit zoveel belangstelling hebt gehad voor welke man dan ook aan wie ik je de afgelopen jaren heb voorgesteld. Het feit dat je me probeert uit te horen over Johnny zegt alles over je gevoelens. Ik denk dat je meer dan gewone belangstelling voor hem hebt.' Nell lachte haar liefste vriendin toe. 'En ik moet bekennen, ik vindt het heerlijk dat je nu ook eens op iemand valt.'

Rosie bloosde. 'Ik val niet op hem!'

Nell barstte in lachen uit. 'Natuurlijk wel, Rosie. Ontken het maar niet. En ik zal je nog eens wat anders vertellen: Johnny Fortune valt op jou!'

'Doe niet zo krankzinnig!'

'Dat zeg je altijd als je weet dat ik gelijk heb. En het is níet krankzinnig. Weet je wat?' Nell keek naar Rosie met pretlichtjes in haar ogen, bijna ondeugend.

'Nee. Wat?' mompelde Rosie.

'Ik zal je een handje helpen, hem uitnodigen voor…'

'Nell, nee! Alsjeblieft niet!' riep Rosie met ogen wijd van schrik.

'Ja, dàt ga ik doen,' ging Nell onverstoorbaar verder. 'Ik maak een afspraak met hem op de dag na Thanksgiving. Dan is hij in New York, voor zaken, weet je nog? En om Thanksgiving te vieren met zijn oom. Dat heeft hij ons zelf verteld. Dan spreken we af met z'n vieren, Kevin en ik, jij en Johnny. Een geweldig idee!'

'Die dag vertrek ik naar Parijs,' zei Rosie, bijna opgelucht.

'Boek je vlucht om. Ga op zaterdag. Laat die kans nou niet lopen, Rosie,' drong Nell aan.

'Ik kan mijn vlucht niet omboeken. Ik ben al veel te lang weggebleven. Ik heb vandaag met Yvonne gebeld – Collie voelt zich niet goed, de laatste tijd. Ik moet echt terug. In ieder geval, afgezien van Collie, is er van alles te doen op Montfleurie.'

'Jij en je Montfleurie!' riep Nell wanhopig en, hoewel ze Rosie niet wilde kwetsen, voegde ze er toch aan toe: 'Waar bemoei ik me ook mee! Waarom ben ik zo gek te denken dat jij belangstelling hebt voor een man, als je alleen maar verliefd bent op een húis!'

Rosie was onaangenaam getroffen. 'Ja, Nell, je bènt gek, anders zou je niet zo'n rotopmerking maken. Dit is zo vergezocht dat ik er niet eens antwoord op geef. Maar ik hou van Collie, van Lisette en van Yvonne. Ze houden van mij en ze hebben me nodig, nog afgezien van het feit dat ik mijn verantwoordelijkheden heb ten opzichte van hen. Ik kan ze niet in de steek laten.'

Nell zat stil haar thee te drinken. Er trok een wolk over haar gezicht. Inwendig kookte ze. Er waren momenten waarop Rosie haar geduld op de proef stelde, met name als de mensen op Montfleurie bij haar op de eerste plaats kwamen, als ze aan hen dacht nog voordat ze aan zichzelf had gedacht. Ze was in een heleboel opzichten veel te goed en Nell was er vast van overtuigd dat er mensen waren, de Franse familie in de eerste plaats, die misbruik maakten van Rosies goedheid.

Rosie zei: 'Laten we alsjeblieft geen ruzie maken, lieverd. We hebben tegenwoordig toch maar zo weinig tijd voor elkaar, en ik mis je echt. Het laatste wat ik zou willen is dat we met elkaar overhoop liggen, Nell. Jij bent mijn beste vriendin, ik hou van je.'

Nell zat stil naar haar te kijken, knikte, en er kwam een verontschuldigend lachje om haar mond. Zonder iets te zeggen hees ze zich uit de bank en liep naar haar slaapkamer.

Rosie zag haar gaan en ze had er duizendmaal spijt van dat ze ooit over Johnny Fortune begonnen was. Ze wilde Nell achterna gaan om vrede met haar te sluiten, toen Nell in de deuropening verscheen. Ze had een muziekcassette in haar hand. Ze liep naar de bank en gaf het bandje aan Rosie. Ze zei nog steeds niets.

Rosie bekeek de cassette. Het was de nieuwste opname van Johnny die net uitgekomen was en die al veel succes had, dat wist ze. De titel was *Fortune's Child* en er stond een foto van Johnny op het doosje. Het stond als een paal boven water: hij was een bijzonder knappe man. Ze bestudeerde even zijn gevoelige gezicht en keek toen met een vragende blik naar Nell.

Nell zei: 'Johnny is knap, hij heeft talent, hij is rijk en in de grond is het een goede kerel, zou ik zeggen. Dus luister nu eens even naar me. Ik weet dat hij in je geïnteresseerd is, want ik heb naar hem zitten kijken toen we koffie dronken. Ik heb hem nog nooit zo meegemaakt.'

'Hoezo, zó?'

'Nou, hij keek je de woorden bijna uit de mond, hij zat bijna te spinnen. En verder: hij kon zijn ogen geen seconde van je afhouden. En hij wilde maar al te graag dat we nog wat langer zouden blijven. Ik wed dat hij wat duidelijker geweest zou zijn als ik er niet bij was geweest. Misschien zou hij wel geprobeerd hebben je te verleiden.'

'Tjonge, wat heb jij een voorstellingsvermogen!'

'Ik wéét wat ik zie,' antwoordde Nell, heftig bijna. 'Waarom loop je ervoor weg? Laat ik nu een dinertje organiseren, of een lunch desnoods, voordat je naar Frankrijk vertrekt. Voor ons vieren, de dag na Thanksgiving.'

'Ik kan niet, Nell, echt, ik kan niet. Ik moet Collie niet teleurstellen. Ze heeft al zo lang op me gewacht. Ik ben maanden weggeweest voor de film, en ik hèb er al een week Amerika aan vastgeknoopt.'

Ze is bang, dacht Nell. Bang om verliefd te worden op een man, omdat ze weet hoe dat de vorige keer is afgelopen. Daar gaat het allemaal om. Ze verstopt zich in dat belachelijke huis omdat ze zich op Montfleurie veilig voelt. Maar ze is daar helemaal niet veilig. Voor haar is dat de gevaarlijkste plaats ter wereld. Ik moet haar zien over te halen om dat huis voor eens en voor al vaarwel te zeggen, voordat het te laat is. Voordat er iets verschrikkelijks gebeurt.

14

Ik zit hier nu al twintig minuten en je hebt nog geen woord gezegd over de film,' klaagde Rosie. Van opzij keek ze naar Gavin.

Ze zaten op een koele, maar zonnige morgen samen vóór de lunch een glas witte wijn te drinken op het terras dat uitzag over de tuinen van Gavins huis in Bel Air.

Hij grinnikte. 'Moet je horen wie dat zegt. Jij hebt het hoogste woord gehad, vanaf het moment dat je hier aankwam. Ik kon er geen speld tussen krijgen, tussen dat verslag van jou over die bespreking met Garry Marshall en dat nieuws over Nell en Kevin. Dat was het leukste, eigenlijk.'

Rosie was het roerend met hem eens en voegde eraan toe: 'Zoiets had ik nou in de verste verte niet verwacht.'

'Ik ook niet. Mijn mond viel open, om je de waarheid te zeggen. Ik heb lang gedacht dat Nell nog steeds niet over Mikey heen was, maar dat heb ik kennelijk mis.'

'En ik dacht dat Kevin zijn Sunny nooit zou vergeten. Nu zie je maar eens hoe we het allebei bij het verkeerde eind hadden,' lachte Rosie.

'Is het serieus?' vroeg Gavin. Hij ging wat verzitten in zijn stoel en sloeg zijn benen over elkaar.

'Ik weet het niet. Dat heb ik Nell precies zo gevraagd, maar ze gaf een beetje… tja, een ontwijkend antwoord. Zo kan je het 't beste stellen.'

'Ze zijn er anders uitstekend in geslaagd het geheim te houden voor ons.'

'Dat heb ik je uitgelegd, Gavin. Ze wilden niet dat wij ons ermee zouden bemoeien, of dat we druk op hen zouden uitoefenen.'

'Dat kan ik me voorstellen. Daar zit niemand op te wachten.'

'Maar nu over je film, Gavin. Ik…'

'Je zult het prachtig vinden. En ik weet zeker dat jij de kostuums wilt doen,' viel hij haar in de rede.

'Dat spreekt toch vanzelf, of niet?'

'Dat mag ik hopen, schat,' antwoordde hij grinnikend. Toen stond hij op, wandelde over het terras en leunde tegen de balustrade met zijn gezicht naar haar toe. 'Het gaat over een groot man,' zei hij, en zweeg.

'Over wat ànders!' riep Rosie uit. 'Grote mannen fascineren je nu eenmaal – de grote mannen uit de geschiedenis. Ik wed dat het een historische figuur is.'

'Natuurlijk. Er zijn vandaag de dag nauwelijks staatslieden meer die onder de noemer 'grote mannen' vallen – Gorbatsjov misschien, maar dat kunnen we pas zien als het stof wat is opgetrokken. In ieder geval, je weet dat voor mij Winston Churchill dè grote man van deze eeuw is. Die kan je vergelijken met de geweldenaars uit de geschiedenis, die ook…'

Ze viel hem in de rede. 'Wil je zeggen dat je een film gaat maken over Winston Churchill?'

Gavin schudde zijn hoofd. 'Het gaat over iemand die meer dan honderd jaar vóór Churchill op deze aarde rondliep, iemand over wie meer dan tweehonderdduizend boeken geschreven zijn en die in zijn tijd de meest dominante figuur in Europa was.'

'Wie dan?'

'Napoleon.'

Dat was wel het laatste wat Rosie verwacht had en ze was dan ook met stomheid geslagen. Ze staarde in opperste verbazing naar Gavin, het ongeloof stond duidelijk op haar gezicht te lezen. 'Gavin, dat is krankzinnig om te proberen het leven van Napoleon te verfilmen!' riep ze verhit. 'Je oog is groter dan je maag! Dat kan zelfs jíj niet verstouwen. Je haalt je een onmogelijke taak op je hals, dit is stukken moeilijker dan *Kingmaker* al was.'

'Ja, dat is waar. Daar heb je volkomen gelijk in. Maar ik wil ook geen film maken over zijn léven. Zó gek ben ik nu ook weer niet. Het gaat over een bepaalde episode in zijn leven. Het zou veel te veel geld kosten om een biografische film te maken over zo'n figuur, en een dergelijke film zou ook altijd te lang worden. Daarom wil ik maar een déél van zijn leven verfilmen.'

'Welk deel? Zijn aanloop naar de macht?'

'Nee, de periode waarin hij al aan de macht is. Als hij het van generaal via eerste consul tot keizer gebracht heeft. Het hoogtepunt van zijn leven, toen hij het gelukkigst was – althans dat denk ik. En het wordt meer een liefdesverhaal, een familiegeschiedenis, dan een verslag van de kolossale veranderingen die hij heeft doorgevoerd en zijn wereldschokkende successen als veroveraar. Ik wil het verhaal vertellen van... eigenlijk van een man en een vrouw... Napoleon en Josephine. Het begint vlak voor het moment dat hij zichzelf tot keizer en Josephine tot keizerin kroont en ik wil laten zien hoe goed ze het samen hadden, hoe één ze waren, hoe groot hun liefde was voor elkaar. Natuurlijk moet ik dan een paar jaar overslaan om op het punt te komen waar Napoleon besluit dat hij van Josephine moet scheiden. Voor zijn land, voor Frankrijk. Ik wil de afschuwelijke innerlijke strijd van de man laten zien als hij tot de conclusie komt dat hij de vrouw die hij liefheeft moet opgeven om zijn land te beschermen. Het was helemaal een politieke kwestie. Het was noodzakelijk het bondgenootschap met Rusland te bekrachtigen, en hoe zou dat beter kunnen dan met een huwelijk? Hij dong naar de hand van Anna Paulowna, de zuster van tsaar Alexander. Hij wilde met dit huwelijk een blijvende vrede bewerkstelligen, een garantie voor vrede, een pact, in feite. De tsaar was ervoor, maar de keizerin-moeder was ertegen, en tenslotte werd Napoleon afgewezen. Maar het was voor hem noodzakelijk om verder te bouwen aan de vrede, en hij had ook een machtige bondgenoot nodig. En er was nog iets, Rosie: hij had al lange tijd verlangd naar een zoon, een erfgenaam aan wie hij zijn macht, zijn glorie en zijn troon kon overdragen. Tenslotte is hij getrouwd met een Oostenrijkse prinses, zoals je ongetwijfeld weet.'

Rosie zei: 'Ja, Marie Louise van Oostenrijk, de dochter van keizer Franz, die hem de zoon schonk die hij zo graag had gewild. Ze was toen nog heel jong, als ik me niet vergis. En Josephine was zes jaar ouder dan hij.'

Gavin knikte, en zette zich af tegen de ballustrade. 'Kom, laten we naar binnen gaan. Ik wil je een paar dingen laten zien.'

Hij nam haar bij de arm en leidde haar via de eetkamer door de hal naar zijn werkvertrek, de kamer waar hij het liefst zat. Dit was zijn studeerkamer, waar hij het grootste deel van zijn werk deed. Het was een groot, luchtig vertrek met een gewelfde zoldering, wanden vol boeken en ramen die uitkeken over keurig onderhouden gazons, die afliepen naar een vijver vol dotterbloemen. Een enorme antieke mahoniehouten tafel, zoals je wel ziet in directiekamers, diende als bureau, en er waren verschillende zitjes van makkelijke stoelen, bekleed met zacht, koffiekleurig leer.

Gavin schoof een stoel aan voor Rosie en ze gingen naast elkaar aan de grote tafel zitten. Hij zocht naar zijn schrijfblok, klapte het open en legde uit: 'Ik heb een theorie ontwikkeld. Ik geloof dat de scheiding van Josephine het begin was van de ondergang van Napoleon. Het lijkt of het geluk hem vanaf dat moment verlaat. Dat hij Josephine heeft opgegeven, de enige ware liefde in zijn leven, was de grote vergìssing in zijn leven. Ik heb het idee dat voor hem alles anders is geworden zonder haar.'

'Er zit iets verschrikkelijk verdrietigs in hun verhaal,' mompelde Rosie. 'Dat heb ik altijd al gevonden, Gavin.'

'Ik ben het helemaal met je eens.' Gavin bladerde in zijn blocnote. 'Wat denk je van deze scène, Rosie. Het is een koude dag, dertien november 1809. We zijn in het paleis – de Tuilerieën – met Napoleon en Josephine. Hij deelt haar mee dat hij hun huwelijk wil laten ontbinden. Dan spreekt hij de volgende woorden: 'Ik hou nog steeds van je, maar in de politiek doet het hart niet mee, alleen het hoofd.' Josephine valt flauw, dan smeekt ze hem, dan stort ze volledig in en begint te huilen, overmand door verdriet. Maar hij is onvermurwbaar. Hij moet wel. Hij moet dit doorzetten.'

'O, Gavin, wat afschuwelijk. En verder?'

'Zij gaat naar Malmaison, het huis dat hij jaren daarvoor voor haar heeft gekocht en waar ze zo gelukkig geweest zijn, samen. Op die vijftiende december verdwijnt Josephine voorgoed uit zijn leven, nadat ze veertien jaar samen zijn geweest. Maar hij is altijd van haar blijven houden, om dat te bewijzen is er documentatie te over. Zo heeft hij haar bijvoorbeeld een maand later al geschreven dat hij met haar wou praten. Haar hart was gebroken door hun scheiding, natuurlijk. Maar dat van hem ook. Dat denk ik tenminste, en dat is waar de film over gaat – een man en een vrouw, niet alleen maar een grote historische figuur.'

Gavin keek weer in zijn aantekeningen. 'Moet je dit horen. Dat is de brief die hij op zijn zesentwintigste aan haar schreef, nadat ze voor het eerst met elkaar naar bed geweest waren. Zij was tweeëndertig, en nog niet zo stapel op hem als hij op haar. Zij is pas later voor hem gevallen. Maar moet je luisteren, Rosie.'

'Toe maar, ik luister.'

Het was duidelijk voor Rosie dat Gavin de woorden uit zijn hoofd kende. Hij keek nauwelijks op zijn papier, toen hij begon:

'Vol van jou werd ik wakker. Jouw beeltenis en de herinnering aan die bedwelmende avond van gisteren hebben mijn geest geen rust gegeven. Zoete en onvergelijkelijke Josephine, wat een wonderlijk effect heb jij op mijn hart! Ben je boos? Zie ik je in zorgen? Ben je ongerust? Dan is mijn ziel vervuld van ellende, en je vriend vindt geen rust... Maar ik kan ook geen rust vinden als ik denk aan de diepe gevoelens die mij overweldigen en jouw lippen en jouw hart hebben een vlam ontstoken die in mij brandt. Ah! gisteravond realiseerde ik me hoe anders je bent in werkelijkheid dan op het portret dat ik van je bezit! Jij vertrekt om twaalf uur, en over drie uur zal ik je weer zien. Tot dan, mio dolce amor, duizenden kussen, maar kus mij niet, want jouw kussen trekken het bloed uit mij weg.'

Rosie staarde Gavin aan en even kon ze geen woord uitbrengen. Ze was volkomen in zijn ban, hij had die tekst zo schitterend voorgedragen, zoals alleen hij het kon, en ze had het gevoel of hij plotseling Napoleon geworden was. Ze kon hem zich nu precies voorstellen in die rol.

Met een lichte frons vroeg hij: 'Nou, wat denk je? Je zegt niets, en ik dacht toch dat dit een schitterende liefdesbrief is van een man, waarvan de wereld denkt dat hij een ambitieuze generaal is die alleen maar de wereld wil veroveren, terwijl hij zich hier van een heel andere kant laat zien. Hij was in ieder geval een man met vele facetten.'

'Ik was ontroerd, Gavin, daarom zei ik even niets.' Ze keek hem recht in de ogen. 'Het script is al klaar, zeker?'

'Ah, jij kent me te goed, Engelensmoeltje. Jou kan ik nooit iets wijsmaken. Ja, er is al een script en het is bijna af ook. We moeten er alleen nog eens een paar keer goed doorheen gaan.'

'Vivienne Citrine heeft het zeker geschreven?'

'Je slaat de spijker op z'n kop.'

'Ik ben blij dat zij het script geschreven heeft. Zij is de beste, en jullie kunnen zo goed samenwerken.'

'Je zult veel plezier beleven aan deze film, Rosie. Om te beginnen gaan we draaien in het land waar jij zo van houdt – Frankrijk. Het hoofdkwartier worden de Billancourt Studio's in Parijs, en van daaruit gaan we op lokatie in en rond Parijs. We gaan ook filmen in Malmaison, als ik daar tenminste toestemming voor krijg van de Franse overheid.'

'Het is zo'n schitterend paleisje, Gavin, en ik weet zeker dat je daar opnamen mag maken, zelfs binnen. De Franse overheid is in de regel heel welwillend als het om zulke historische projecten gaat.'

'Ik weet het. In ieder geval, er wordt aan gewerkt. De machine loopt al. Ik hoop dat je na Kerstmis meteen kunt beginnen met je voorbereidende studies. Is dat mogelijk?'

'Wat dacht je?'

Gavin lachte. 'Ik wist dat ik op je kon rekenen! Tussen haakjes, je wilt natuurlijk graag die niemandalletjes ontwerpen die Josephine en haar hofdames droegen, maar ik moet je wel zeggen dat Napoleon het daar helemaal niet mee eens was.'

'O, nee?'

'Nee, zeker niet. Op een keer had hij in Malmaison de haarden zo hoog laten opstoken dat iedereen liep te transpireren. Het leek wel een oven, en hij riep alsmaar veelbetekenend: de dames mogen het niet koud krijgen in hun nááktheid.'

Rosie lachte. 'Hij had veel gevoel voor humor, zeker. Maar ik zie het al voor me: het wordt weer een spannende tijd. Ik ben er nu al opgewonden van. Ik kan haast niet wachten om aan de kleding te beginnen.'

'Ik wist dat je dat zou zeggen.'

'Wanneer kan ik het script krijgen?'

'Begin januari. Ik kom het je zelf brengen. Ik ben dan toch in Parijs, want tegen die tijd is de postproduktie van *Kingmaker* klaar.'

'Mooi. Hoe eerder hoe beter.'

Aan het andere eind van de tafel ging de telefoon en Gavin stond op om hem aan te nemen. Rosies ogen dwaalden over de tafel. Er lagen stapels boeken, mappen en kaarten. Ze zag dat er heel wat werken bij waren over

Napoleon, Josephine, de Franse politiek rond 1800 en de veroverings-tochten van Napoleon. Er lagen ook boeken over tijdgenoten, van Barras tot Talleyrand, die later allebei vijanden van Napoleon bleken te zijn, wist ze. Het was duidelijk dat Gavin, zoals gewoonlijk, zijn huiswerk grondig gedaan had.

Toen Gavin had opgehangen zei hij: 'Laten we gaan lunchen, Engelen-smoeltje. Miri heeft de tafel gedekt op het terras.'

Later die middag, lang nadat Rosie afscheid genomen had, zat Gavin in zijn studeerkamer te werken aan zijn script toen plotseling de deur openvloog.

Geïrriteerd omdat hij gestoord werd keek hij op. Zijn vrouw, Louise, stond in de deuropening.

Met nauwelijks verborgen ergernis keek hij haar aan.

Louise, een frêle, donkerharige schoonheid, zag er zoals gewoonlijk uit alsof ze zo van de couturier kwam. Ze stond naar hem te kijken en zag meteen het ongenoegen in zijn ogen, zo gevoelig was ze de laatste tijd ge-worden voor zijn stemmingen.

'Ik ga,' zei ze snibbig.

Toen er geen antwoord kwam, voegde ze er nog aan toe: 'Naar Washing-ton.'

'Maar natuurlijk,' zei Gavin tenslotte met ijzige stem. 'Waar zou je an-ders naartoe gaan, tegenwoordig.'

Louise gooide de deur dicht met een elegant gebaar van haar fraai ge-schoeide voet, omdat ze geen zin had in nieuwsgierige huishulpen. Ze kwam de kamer in terwijl ze hem bleef aankijken. Ze liep rood aan toen ze riep: 'Bij mijn vrienden daar heb ik in ieder geval het gevoel dat ik welkom ben. En dat kan ik in dit huis niet zeggen.'

'Dit huis, zoals jij het noemt, is jóuw thuis, Louise. En hou op met dat dramatische gedoe. Mij heb je er niet mee – ik ben er niet van onder de indruk. Ik ben de acteur in de familie, weet je nog wel? Maar goed, wan-neer ben je terug?'

'Eindelijk een beetje belangstelling, merk ik. Ik wéét niet wanneer ik weer terug ben.'

Gavin trok zijn wenkbrauwen op. 'Wat dacht je van Thanksgiving?'

'Wat moet ik daarvan denken?'

'Ben je er dan?'

'Waarom zou ik er dan zijn?'

'In ieder geval voor David.'

'David heeft alleen oog voor zijn vader, dat weet je maar al te goed. Jij hebt hem zelf tegen me opgezet.'

'Doe niet zo stom, Louise,' riep Gavin woedend. Hij schreeuwde bijna. 'Doe niet zo verdomd stom! Waarom zou ik onze zoon tegen zijn moeder opzetten, in godsnaam?' Gavin schudde zijn hoofd. Hij wist echt niet waar ze daar nou weer mee bedoelde. Hij kon toch moeilijk aannemen dat ze écht dacht dat hij een wig gedreven had tussen haar en hun zoon.

Louise veranderde van onderwerp omdat ze voelde dat ze terrein verloor. Ze zei: 'En hoe lang blijf jíj? Hoe lang zullen we kunnen genieten van jóuw aanwezigheid in L.A.?'

'Ik moet eind november terug naar Londen. Ik ben bezig met de postproduktie van *Kingmaker*. Dat weet je maar al te goed.'

'En kom je thuis voor Kerstmis?'

'Ja, waarom zou ik niet?'

'Ik dacht dat je misschien meteen aan je volgende film wilde beginnen. Dat doe je toch zo graag, de laatste tijd, de ene film na de andere maken, zonder tussenpauze? En allemaal opgenomen in het buitenland, niet te vergeten. Het is de laatste jaren maar al te duidelijk. Voor jou is het: eerst je films, dan David en ik.'

'Dat is niet waar. En je weet heel goed dat dat niet waar is, Louise. En je mag dan een hekel hebben aan mijn films, zoals je tegen mij en iedereen die het maar horen wil voortdurend loopt te roepen, je geeft met liefde het geld uit dat ze opbrengen.'

Louise keek hem aan met een kille blik, maar ze hield haar mond.

Gavin zei: 'Ik begin met de voorbereidingen van de nieuwe film in februari of maart.'

'Fijn voor je.'

'Oh, Louise. Alsjeblíeft, hou op, wil je.'

Ze stond tegenover hem aan de tafel en ze keek naar de stapels boeken. 'Napóleon! Lieve hemel, dat had ik kunnen weten dat je ooit nog eens aan hèm zou beginnen. Ook zo'n klein mannetje met geweldige ideeën,' zei ze sarcastisch, haar ogen als blauwstalen dolken in haar bleke gezicht.

Gavin ging niet in op die trap onder de gordel. 'Je zult volgend jaar geen last van me hebben, want ik ga de komende zes, zeven maanden wonen en werken in Frankrijk.'

'Dat dacht ik al,' riep ze. 'Dat wou je toch altijd zo graag?'

'Wat bedoel je daar nu weer mee?'

'Jouw dierbare Rosalind woont en werkt in Frankrijk, en je kunt de gedachte niet verdragen dat je niet bij haar in de buurt bent.'

'Kom nou toch! Hou nou toch op!' riep hij. 'Je oordeel wordt altijd vertroebeld door je idiote jaloezie. Dat heeft ons huwelijk kapotgemaakt!'

'Ha! Kom me nou niet aan met die smoesjes, Gavin Ambrose. Ik heb ons huwelijk niet stukgemaakt. Dat heb jij gedaan. Jij en al die vrouwen van je.'

Gavin wist dat het weer op een afschuwelijke schreeuwpartij zou uitlopen, als hij dit gesprek niet op een ander spoor bracht, en wel direct. Op zachte, rustige toon zei hij: 'Alsjeblieft, Louise, laten we hiermee ophouden. Nu. Ik ben aan het werk en dat script moet af. En jij moet je vliegtuig halen. Veel plezier in Washington, en doe Allen de groeten.'

Louise kroop een beetje in haar schulp. 'Ik ga niet naar Washington om Allen op te zoeken. Ik ga naar de Merciers – hun dochter Alicia is jarig. Ze geven een feest, en ik blijf daar logeren.'

Nee, jij zal Allen Turner niet gaan opzoeken, dacht hij, maar hij zei: 'Doe de Merciers de groeten dan. En heb veel plezier. Ik zie je nog voordat ik naar Londen ga, neem ik aan?'

'Misschien,' mompelde Louise. Ze draaide zich om op haar hielen, trippelde hooghartig de kamer uit en sloeg de deur met een klap achter zich dicht.

Gavin bleef even naar de deur zitten kijken en probeerde zich toen weer op zijn script te concentreren. Het was pas de tweede versie, maar het was al zo compleet dat je het bijna zou kunnen gebruiken als draaiboek.

Nog een paar veranderingen, dacht hij, terwijl hij een potlood pakte. Ik moet hier en daar nog wat nuances aanbrengen.

Even later realiseerde Gavin zich dat hij zijn hoofd niet bij zijn werk kon houden. De woorden van Louise spookten nog door zijn hoofd. Ze had gesuggereerd – nee, ze had heel duidelijk gezegd – dat hij in Frankrijk wilde werken omdat Rosie daar woonde. En dat was niet waar.

Of wel?

Hij zat daar lange tijd over na te denken. Zijn script was hij totaal vergeten.

Deel Twee

Heilige Vriendschappen

15

Het was druk in Parijs, maar het verkeer stroomde snel door en tot Rosies opluchting was ze binnen een half uur de stad uit.

Maar ze begon zich pas te ontspannen toen ze in haar grote Peugeot de snelweg opreed, richting Orléans. Ze ging er eens makkelijk voor zitten en slaakte een zucht van verlichting. Het was de zesde december en na een week Parijs, waarin ze voornamelijk haar kantoor had opgeruimd, haar administratie in orde had gebracht en een paar dingen voor Gavin had gedaan, was ze nu eindelijk op weg naar haar beminde Montfleurie.

Op vrijdag is het op de weg altijd drukker dan anders, omdat dan veel mensen een weekeind naar hun buitenhuis gaan. Maar het was nog vroeg in de middag en er stonden gelukkig nog nergens files. Ze kon zelfs een flink tempo aanhouden en onder het rijden dreven haar gedachten af naar Johnny Fortune.

Ze zocht naar het bandje dat Nell haar in Beverly Hills gegeven had en dat ze die middag in haar canvas reistas gestopt had voordat ze de deur van haar appartement in het zevende, aan de Rue de l'Université, achter zich had dichtgetrokken. Ze had er eerder die week even naar geluisterd, maar ze had niet alle nummers gespeeld. Toen zijn warme stem de kleine ruimte van de auto vulde werd ze getroffen door de ontroerende woorden van het liedje dat hij zong: 'You and Me, We Wanted It All'.

Tot haar verrassing ontdekte ze dat de song haar raakte, en niet eens zo weinig – in feite had ze nooit gedacht dat een populair liedje haar zo zou kunnen ontroeren.

Toen ze zo zat te luisteren naar zijn stem werd ze plotseling overvallen door een vlaag van zwaarmoedigheid. Ze voelde zich verloren, ze dacht aan wat haar leven had kùnnen zijn, wat er had kunnen gebeuren als het niet gegaan was zoals het wàs gegaan. De woorden die hij zong waren diep, intens droevig. En hoe profetisch klonk het haar in de oren... Het wàs zo makkelijk om iemands hart te breken, of voor iemand anders om je eigen hart te breken. Dat wist ze maar al te goed.

Johnny ging door met een volgend nummer en zijn melodieuze stem vulde de ruimte om haar heen. Het was niet verwonderlijk dat ze terugdacht aan hem en aan die avond die ze samen hadden doorgebracht in zijn huis. Wat leek het haar ver weg. En toch was het nog niet eens een week geleden dat ze met Nell en Gavin, haar twee dierbaarste vrienden, in Beverly Hills was geweest, waar ze de beroemde Johnny Fortune voor het eerst had ontmoet.

Op een vreemde manier had ze zich tot hem aangetrokken gevoeld. Nu reed ze door hartje Frankrijk, op weg naar een volslagen ander leven. Wat lagen die werelden ver uit elkaar, en dat niet alleen in geografische zin. In Europa was alles veel meer gestructureerd dan in Californië, en het stond buiten kijf dat het een grote overstap was van het makkelijke je-doet-maar Hollywood-wereldje naar het formele leven van de Franse aristocratie. Nell had dat al duizend keer tegen haar gezegd, ze plaagde haar vaak met die twee totaal verschillende levenssferen. Maar haar jeugdvriendin was de eerste om haar aanpassingsvermogen te bewonderen.

Nell had haar gisteren vanuit New York gebeld om te zeggen dat ze nog een paar kerstcadeaus verstuurd had per koerier, en toen was ze op een ondeugende manier begonnen te lachen. 'Johnny zeurt me m'n kop gek om jouw telefoonnummer. Ik was er niet zeker van wat of je dat leuk zou vinden, ja of nee, dus ik heb hem het nummer gegeven van de studio in Londen. Toen heb ik Aida meteen een fax gestuurd met de boodschap dat ze je nummer aan niemand moest geven. *Maar dan ook aan niemand.* Weer had Nell gelachen en op een samenzweerderige toon had ze eraan toegevoegd: 'Natuurlijk heb ik gezegd dat dat op jouw uitdrukkelijk verzoek was, dat je een paar weken even niemand wilde spreken, dat je ging uitrusten op Montfleurie. Maar je zíet, Rosie, dat ik gelíjk had. Johnny is helemaal gek van je. Hij is tot over z'n oren, lieverd, tot over z'n oren!'

Rosie moest in zichzelf lachen, dat ze die veronderstelling van Nell zo had weggewuifd. Maar ze moest bekennen dat ze gevleid was toen Nell haar gisteren vertelde over zijn belangstelling voor haar. Die Johnny had iets heel bijzonders, dacht ze. Ze vond hem aardig – erg aardig zelfs. Hij was zo totaal verschillend van alle mannen die ze kende en ze had ontzettend veel aardige dingen in hem ontdekt. Ze ontkende niet dat ze hem graag nog eens zou willen ontmoeten, maar dat zou onmogelijk zijn. Ze mocht zelfs niet meer aan hem denken... althans niet op díe manier. Er waren tenslotte beletselen.

Ik sta mezelf niet eens toe om een beetje te dagdromen, dacht Rosie, en drukte op de STOP-knop van de ingebouwde casetterecorder. Zijn stem hield abrupt op en het werd stil in de auto.

Ze reed een poosje verder, terwijl het woord ''beletselen'' bleef ronddraaien in haar hoofd. Gek woord eigenlijk. Haar gedachten gingen terug naar een film die ze vroeger ooit op televisie gezien had. Het was *Jane Eyre*, de verfilming van dat schitterende Engelse klassieke meesterwerk van Charlotte Brontë. Ze hield zowel van het boek als van de film.

Eén scene stond zowat op haar netvlies gebrand: Jane en Mr. Rochester in de dorpskerk en de voorganger vraagt of er *beletselen* zijn voor hun huwelijk, en dan die schok en de verwarring daarna als er een man naar voren komt die zegt dat er inderdaad beletselen zijn. Een vrouw. En nog wel een krankzinnige... de vrouw waar Mr. Rochester als jongeman mee getrouwd was, die was opgesloten in een gecapitoneerde kamer boven in zijn huis, de geestelijk gestoorde vrouw die verzorgd werd door Grace Poole, en die de branden had gesticht.

Tja, er zijn natuurlijk allerlei soorten beletselen, dacht Rosie, en de een is erger dan de ander.

Zij werd opgeschrikt uit haar gedachten door bliksemschichten aan de hemel en een paar donderslagen, toen plotseling een bui losbarstte. Rosie zette de ruitewissers aan en concentreerde zich op de weg. Ze vergat alles om zich heen en stuurde snel en behendig door de zware regen die neerkletterde op het asfalt van de snelweg, die glad en gevaarlijk werd.

De Loire is, met zijn bijna duizend kilometer vanaf de oorsprong in de Cévennes tot aan de Atlantische Oceaan, net ten westen van Nantes, de langste rivier van Frankrijk. Een groot gedeelte loopt door een landschap dat vergeven is van hoogspanningsmasten en koeltorens van kerncentrales – de Fransen spreken dikwijls van de *fleuve nucléaire* – maar er is een stuk van zo'n dikke honderd kilometer dat nog steeds ongelooflijk, adembenemend mooi is.

Dit gedeelte van de Loire ligt tussen Orléans en Tours. De rivier stroomt daar door een arcadisch landschap dat De Vallei der Koningen genoemd wordt. Want hier liggen de mooiste van de beroemde driehonderd kastelen aan de Loire: Langeais, Amboise, Azay-le-Rideau, Close-Lucé, Chaumont, Chambord, Chiverny, Chinon en Chenonceaux, om er maar een paar te noemen.

Zelfs in de winter is dit stuk van de Loire anders dan welk landschap in Frankrijk ook – zachter, vriendelijker en ongelooflijk veel lieflijker in z'n groene vredigheid. Zo kwam het Rosie voor, tenminste. Het was voor haar de liefste plek op de hele wereld, en niet langer dan anderhalf uur nadat ze Parijs had verlaten, reed ze al bijna in het hart van het gebied, het mooiste gedeelte, in haar ogen.

Vanachter het stuur keek ze om zich heen en haar gezicht lichtte op van vreugde. De regen was al tijden geleden opgehouden en de lucht had een tere, blauwe kleur. Het licht was kristalhelder en een winters zonnetje

hing boven het diepere blauw van de stromende rivier. De bleke zilver-
glans van de zandbanken onderstreepte nog de zachte, serene sfeer.

Nu ben ik gauw thuis, dacht ze, en haar stemming steeg van geluk naar
opwinding, een opwinding die geen grenzen kende. Dadelijk ben ik daar
waar mijn echte thuis is. Dat was op Montfleurie, ook een van de grote
Loire-kastelen, en voor Rosalind Madigan het meest betoverende.

Montfleurie ligt midden in de lange vallei tussen Orléans en Tours, dichtbij het legendarische Chenonceaux, waar ooit Hendrik II woonde met zijn
maîtresse Diane de Poitiers, zijn vrouw Catherina de Medici, hun zoon
Frans II en zíjn vrouw, Mary Stuart, de *petite reine d'Écosse*, zoals ze altijd genoemd werd – de kleine koningin van Schotland.

Montfleurie was oorspronkelijk een middeleeuws kasteel, een versterkte
vesting, gebouwd door Fulco V, graaf van Anjou, de elfde-eeuwse gewel-
denaar die de Zwarte Havik werd genoemd, heerser over dit gebied, stich-
ter van het geslacht Angevin en grondlegger van de Plantagenet-dynastie,
die drie eeuwen lang over Engeland heerste.

Het kasteel werd tweemaal door brand verwoest en tweemaal herbouwd,
en in de loop van driehonderd jaar wisselde het ontelbare malen van ei-
genaar. Tot het tenslotte in de zestiende eeuw gekocht werd door de
machtige graaf de Montfleurie, die zijn landgoederen in de Loire-vallei
wilde uitbreiden. Ook de ligging, dichtbij Chenonceaux, was voor hem
van groot belang.

Philippe de Montfleurie, *grand Seigneur* en puissant rijke landeigenaar,
bekleedde verschillende ministersposten en hij was tijdens de korte rege-
ringsperiode van Frans II en zijn gemalin, Mary Stuart, een graag geziene
gast aan het hof. Deze invloedrijke figuur, nauw verwant aan hertog de
Guise, de oom van de jonge koningin, nam zeer actief deel aan het politieke leven van zijn tijd en hij schroomde nooit om voor eigen gewin gebruik te maken van zijn politieke en adellijke connecties.

In 1575 legde deze graaf de Montfleurie de fundamenten voor het kasteel,
en in de loop der tijd schiep hij het enorme stenen bouwwerk dat daar nog
steeds oprijst op een heuvel, die uitziet over de vallei. Hij spaarde kosten
noch moeite en het lustslot werd een spectaculair hoogtepunt van renais-
sance-architectuur. Het kasteel, zoals het er vandaag-de-dag bijstaat, is
zíjn creatie. Hij was verantwoordelijk voor de schoonheid van het ex- en
interieur en voor de buitengewone inrichting van de imposante vertrekken.

Rosie was voor Tours van de snelweg afgegaan en na de bocht in de binnenweg, die ze bij Amboise was ingeslagen, remde ze af. Toen de wagen stilstond bleef ze even zitten kijken, zoals ze meestal deed als ze voor lange tijd was weggeweest, om te genieten van de eerste blik op het château. Ze liet de imposante schoonheid op zich inwerken en ze genoot van de sierlijkheid en de tijdloosheid. En zoals altijd begon het verleden voor haar te herleven.

Montfleurie was gebouwd uit plaatselijke Loire-steen, een soort kalkzandsteen die door de jaren heen van kleur verandert en tenslotte praktisch wit wordt. Het lag daar op de top van een heuvel in de schilderachtige bocht van de Cher, een zijtak van de Loire, zoals het daar al eeuwen had gelegen, de bleke steen oplichtend in het heldere middaglicht, de schuine daken en de kegels die de ronde torens bekroonden donker afstekend tegen de azuurblauwe lucht.

Haar hart klopte snel en haar opwinding bereikte een hoogtepunt toen ze een paar minuten later over de ophaalbrug reed en het binnenplein aan de voorkant van het château opdraaide. Nog voor ze geremd had vloog de zware, eikenhouten deur open en Gaston, de huisbediende, kwam de trappen afhollen.

Toen Rosie uitstapte kwam hij met uitgestoken armen op haar af om haar te begroeten, een brede glimlach op zijn gezicht. 'Madame de Montfleurie! Hallo! Hallo! Wat fijn u weer te zien!' riep hij uit, terwijl hij haar hand greep.

'Het is fijn om jóu weer te zien,' antwoordde Rosie, met een even blijde lach. 'En het is heerlijk om eindelijk weer terug te zijn. Je ziet er uitstekend uit, Gaston – en hoe is het met Annie?'

'Heel goed, madame, en ze zal erg gelukkig zijn dat u er weer bent, *bien sûr*.' Hij fronste zijn wenkbrauwen en schudde zijn hoofd. 'Maar u bent vroeg. Monsieur le Comte heeft u niet verwacht voor vijven. Het spijt me, hij is er niet. Hij is nog niet terug van de lunch en…'

'Dat geeft niet,' viel Rosie hem in de rede. Vanuit haar ooghoek zag ze hoe een klein meisje in een rood jurkje de trap af kwam hollen. Rosie excuseerde zich, deed een paar stappen en ving Lisette op in haar armen. Het kind drukte zich stijf tegen haar aan.

'Tante Rosie! Tante Rosie! Ik dacht dat u nooit zou komen!'

Rosie knuffelde het meisje van vijf stevig en vol liefde. Ze streelde haar wangen en pakte haar toen bij de kin om het stralende gezichtje te zien dat verwachtingsvol naar haar opkeek.

'Ik heb je gemist, *ma petite*,' mompelde ze zachtjes, en ze kuste Lisette op beide wangen. 'Maar nu gaan we een geweldig kerstfeest vieren.'

'Ja, dat weet ik, dat weet ik,' riep Lisette opgewonden.

Yvonne was ook naar buiten gekomen, haar gezicht één en al glimlach. Wat is ze groot geworden in die drie maanden dat ik haar niet gezien heb, dacht Rosie, èn volwassen, plotseling. Snel nam ze het uiterlijk van het achttienjarige meisje in zich op: de vuurrode krullen opgestoken, het vleugje roze lippenstift op de gevoelige jonge mond, de rouge op het gezicht vol sproeten.

'Hallo, mijn lieve Yvonne,' zei Rosie en ze keek haar bewonderend aan toen ze, met Lisette aan de hand, naar haar toeliep. 'Wat zie jij er geweldig uit. Heb je die jurk zelf gemaakt?'

Yvonne greep Rosie bij haar armen, trok haar stevig tegen zich aan en gaf haar een paar dikke zoenen. 'Ik kan het niet geloven dat je eindelijk weer thuisgekomen bent, Rosie. Het is hier zo verdrietig zonder jou, we missen je allemaal als je er niet bent. En ja, die jurk heb ik zelf gemaakt, maar natuurlijk naar één van jouw ontwerpen.'

'Dat had ik al gezien,' lachte Rosie. 'En je hebt het uitstekend gedaan. Jij bent een natuurtalent! Ik moet je maar eens les gaan geven.'

'O, ja? Meen je dat? Dat zou geweldig zijn! De droom van mijn leven! Kom mee, laten we naar binnen gaan. Collie wacht op je, ze verlangt zo naar je. Ze heeft de dagen zitten aftellen.'

'Ik ook. Ik kom zo. Even m'n tas pakken.' Rosie liep terug naar de wagen en toen ze haar canvas reistas van de voorbank had genomen zei ze tegen Gaston, die bezig was de koffers en pakjes uit de kofferruimte te halen: 'Breng alles maar naar boven, naar mijn kamer. En dank je, Gaston.'

'*De rien, madame de Montfleurie, de rien.*'

Rosie haalde Yvonne en Lisette in en met z'n drieën gingen ze naar binnen. Lisette kwetterde honderduit. Ze stonden al midden in de immense marmeren entreehal toen Rosie toevallig opkeek.

Boven aan de trap stond, in rijkostuum, Guy de Montfleurie. Hij volgde hen met zijn ogen.

Even stond Rosie stil, ze voelde zich als verlamd. Het hart zonk haar in de schoenen en ze was niet in staat om verder te lopen. De laatste man die ze graag zou willen zien op Montfleurie was de eerste waar haar oog op viel.

Hij was de trap afgekomen en hij stond voor haar voordat ze de kans had gekregen zich te herstellen.

Hij staarde haar aan.

Ze keek terug, terwijl ze haar best deed haar gezicht in de plooi te houden, om haar emoties niet te laten blijken.

'We hadden je pas verwacht aan het eind van de middag, Rosalind,' zei hij.

'Dat zei Gaston, ja.'

Guy deed een stapje naar voren en hij keek haar indringend aan. 'En hoe gaat het met je, lieve?'

'Goed. En met jou?'

'Ook goed.'

Er viel een ijzige stilte. Toen trok er een scheef lachje om zijn mond en hij zei op sarcastische toon: 'En – krijg ik geen kus van mijn vrouw?'

Rosie gaf geen antwoord.

Hij lachte. 'Wat jammer. Maar ik zal er ongetwijfeld overheen komen, over die koelheid van jou.' Hij lachte weer, draaide zich om en stapte weg door de hal, terwijl hij met zijn zweep korte tikjes gaf tegen zijn rijlaarzen. Bij de deur stond hij stil en riep over zijn schouder: 'Ik zie je straks nog wel, lieve. Ik ga ervan uit dat we samen eten.'

Rosie haalde diep adem. 'Waar zou ik anders eten dan hier, met je vader en de meisjes,' riep ze, op een voor haar ongewoon scherpe toon. Ze sloeg haar arm om Lisette en liep met het kind naar de trap, op de hielen gevolgd door Yvonne.

Terwijl ze met z'n drieën over de monumentale middentrap naar boven gingen, keek Rosie naar al die vertrouwde dingen om haar heen: de enorme antieke kristallen kroonluchter die aan het plafond hing, de zeventiende-eeuwse wandtapijten aan de muren met daarnaast de portretten van vele generaties Montfleuries, en ze werd een beetje verdrietig toen ze dacht aan Guy. Wat zonde dat hij niet een ander soort man was, de man waar zijn vader trots op zou zijn, de man die zijn verantwoordelijkheden ten opzichte van Montfleurie serieus zou nemen. Maar Guy was zwak, zonder daadkracht, egoïstisch en spilziek. Hij had zijn vader bitter teleurgesteld. Hij had háár bitter teleurgesteld.

Acht jaar geleden was ze hier op dit schitterende kasteel gekomen als jonge bruid, zíjn bruid. Vol liefde en bewondering voor Guy de Montfleurie, de toekomstige graaf. Maar het ging algauw mis tussen hen. Een paar jaar na het huwelijk waren ze al volslagen vreemden voor elkaar. Nu voelde ze niets meer voor hem, behalve misschien een soort medelijden.

16

Rosie, die tegenover Collie zat, zei zachtjes: 'Ik had er absoluut niet op gerekend dat ik Guy zou zien. Hij zou toch op reis gaan?'

'Dat was hij ook,' antwoordde Collie. 'Maar hij is onverwacht en onaange-kondigd teruggekomen, vanmorgen. Als de spreekwoordelijke luis in de pels, mag ik wel zeggen.' Ze zweeg even. 'Misschien had ik dat niet moe-ten zeggen,' zuchtte ze. 'Dat was heel onaardig. Tenslotte ís Guy mijn broer, en hij is me dierbaar. Al is hij de meest irritante man op aarde.'

'Ik weet het, maar dat is hij ondanks zichzelf. Hij kan het ook niet hel-pen,' mompelde Rosie. Ze lachte liefdevol naar haar schoonzusje, pakte haar hand en drukte die teder. De twee vrouwen zaten samen in Collies kamer op de eerste verdieping. Eindelijk konden ze even rustig met elkaar praten, nu de kinderen waren weggegaan.

Collie keek Rosie lachend aan, toen schudde ze bijna verbijsterd haar hoofd en zei: 'Jij ziet ook altijd het goede in iedereen… jij hebt voor ieder-een een excuus. Ik zou dat niet kunnen, en ik zou zeker geen excuus kun-nen vinden voor Guy. Hij is onmogelijk. De moeilijkheid is dat we hem met z'n allen jaren en jaren verwend hebben. Mijn vader, zelfs Claude toen hij nog leefde, en mijn moeder tot de dag van haar dood. En jij ook, Rosie. Vanaf het moment dat je hem met mij ontmoette in Parijs, al die jaren gele-den. Van Guy werd alles geaccepteerd. Alles. En door iedereen.'

'Het is waar wat je zegt, Collie, maar daarom is het toch nog geen kwade man?' Rosie wachtte niet op antwoord, maar ging haastig verder. 'Het is een kleine jongen die nooit volwassen geworden is, in geen enkel opzicht. Hij wil direct succes, hij wil alles op z'n eigen manier doen en hij heeft geen enkel verantwoordelijkheidsgevoel, voor niets…'

'En voor niemand,' viel Collie haar in de rede. Ze keek Rosie aan met een doordringende blik.

'Misschien is het mislukken van ons huwelijk ook wel gedeeltelijk mijn fout,' zei Rosie snel. Ze meende het oprecht. 'Zoals mijn moeder altijd zei: aan ieder verhaal zitten twee kanten.'

'En mijn moeder zei in dat geval altijd: er is haar verhaal, zijn verhaal, en de waarheid,' kaatste Collie terug.

Rosie lachte, zonder te antwoorden. Ze wilde maar liever niet praten over haar huwelijk, dat zo falikant fout was gegaan, en alle problemen die daarmee verband hielden. En zeker niet op dit moment.

Collie ging door: 'Ik bedoelde niet alleen jou, toen ik zei dat hij voor niemand verantwoordelijkheidsgevoel heeft. Ik dacht ook aan vader. Hij heeft absoluut hulp nodig bij het beheren van dit erfgoed, maar Guy… ja… Guy geeft geen donder om Montfleurie, dat is zo duidelijk als wat. Of niet soms? De kosten rijzen de pan uit en mijn vader kan het werk nauwelijks aan, ook al heeft hij tegenwoordig dan François Graingier om hem te helpen. En ook al komt er tegenwoordig dan een beetje geld binnen, omdat hij op jóuw advies het kasteel heeft opengesteld voor het publiek. Als Guy ook maar éven zijn schouders eronder zou zetten, zouden de dingen zoveel makkelijker worden voor vader, en voor ons allemaal. Ik begrijp mijn broer gewoon niet.'

'Ik weet het, lieverd, en ik heb er ook moeite mee,' bekende Rosie, en ze voegde er op zachte toon aan toe: 'Ik probeer het ook niet echt om hem te begrijpen. En ik snap al helemaal niet waarom hij geen belangstelling heeft voor Montfleurie, als je bedenkt dat het zijn erfgoed is, dat hij hier op een dag heer en meester zal zijn…' Rosies stem stierf weg. Ze draaide haar hoofd af en staarde naar het vuur, haar blik bedachtzaam en een beetje verdrietig.

Collie reageerde niet. Ze leunde achterover tegen het verschoten groene brokaat van de Lodewijk XVI-bank en sloot haar ogen. Ze voelde zich plotseling uitgeput. In stilte veroordeelde ze haar broer voor zijn gedrag. De laatste jaren was het hoe langer hoe erger geworden met hem – hij was een eigengereide, koppige, impulsieve hedonist van het zuiverste water. Ze vroeg zich af wat hij eigenlijk maakte van zijn leven, en hoe hij zijn tijd doorbracht als hij weken van huis was. Ze wist er wel íéts van – hij hing soms tijden rond bij quasi-religieuze sekteleiders in India en het Verre Oosten – zijn goeroes, noemde hij ze – en dan zat hij eindeloos met ze te mediteren op een of andere bergtop. Voor haar waren het niets anders dan charlatans die hem zijn geld afhandig hadden gemaakt en die nu probeerden hem ook zijn laatste centen nog af te persen. En als hij dan eindelijk van zijn bergtop naar beneden kwam hing hij maanden achter elkaar rond in steden als Hong Kong en Manila. Wonderlijk dat hij zo gefascineerd was door die oosterse cultuur. En nog wonderlijker was zijn houding ten opzichte van Rosie. Het was onvergeeflijk, Collie zou hem nooit kunnen vergeven.

'Waarom ben je met Guy getrouwd?' Ze spuwde de woorden bijna uit. Ze schrok er zelf van en met een ruk ging ze rechtop zitten. Ze keek naar Rosie.

Rosie knipperde met haar ogen, van de wijs gebracht door die plotselinge vraag, met stomheid geslagen. Toen zei ze langzaam: 'Ik was verliefd op hem... ik bewonderde hem... en ik denk dat ik totaal wèg was van hem.' Ze aarzelde even en ging toen door, bijna fluisterend: 'Je weet hoe charmant en innemend je broer kan zijn, als hij wil – ongedwongen charmant, warm, amusant, speels. Hij zal me wel op een of andere manier... overdonderd hebben, of misschien kan ik beter zeggen overwèldigd.' Er waren nog andere redenen waarom Rosie met hem getrouwd was, daar was ze zich maar al te zeer van bewust, maar daar wilde ze verder maar liever niet op ingaan.

'Ja, dat heeft hij allemaal,' gaf Collie toe. 'En het is zeker dat vrouwen hem vaak onweerstaanbaar vinden. Dat was vroeger al zo, op zijn zestiende, zeventiende al. Mijn god, al die veroveringen waarmee hij vóór jou thuis kwam! Ik denk wel eens: zo gek en zo egoïstisch kan hij toch niet geweest zijn toen je met hem trouwde.' Collie keek Rosie recht in de ogen en vroeg: 'Waarom laat je je niet scheiden?'

'Ik weet het niet.' Rosie voelde zich een beetje betrapt. Ze trok haar wenkbrauwen samen en zei: 'Probeer je van me af te komen, me uit de familie te stoten?'

'Oh, Rosie, nee! Dat nóóit!' riep Collie, haar ogen wijd van schrik bij de gedachte alleen al. Ze schoof naar Rosie toe op de bank, pakte haar bij de schouders en drukte haar tegen zich aan. 'Hoe kan je zoiets afschuwelijks zeggen? Dat zoiets in je òpkomt! Ik hou van je. We houden allemaal van je. En ik sta onvoorwaardelijk aan jouw kant. Guy is een idioot.'

Collie legde de armen in haar schoot en keek haar schoonzusje recht in het gezicht, haar lichtblauwe ogen vol genegenheid, trouw en toewijding. 'Montfleurie is net een graftombe als jij er niet bent, echt waar, schat. Vader vindt het vreselijk als jij weg bent – wij allemaal. Het is of er dan geen zon meer schijnt in ons leven. Jij bent zo'n belangrijk deel van ons leven, Rosie, en een heel bijzonder lid van de familie, het zusje dat ik nooit heb gehad, een tweede dochter voor vader. Dat moet je toch weten.'

'Ja, dat weet ik ook wel. En ik denk net zo over jou, Collie. Ik hou van jullie allemaal – jullie zijn ook míjn familie, en Montfleurie is mijn thuis. Hoe kan het ook anders, mijn leven zou niet compleet zijn zonder jullie en ik zou het niet aankunnen als ik hier niet een deel van de tijd woonde.' Rosie schudde haar hoofd en er trok een vage lach over haar gezicht. 'Hoor es, laten we Guy nu verder laten rusten. Hij leeft in zijn eigen wereldje, zoals jíj maar al te goed weet. In ieder geval is hij er niet vaak, de laatste tijd, dus we hebben niet al te veel last van hem, nietwaar?'

Collie knikte en leunde weer achterover op de bank. Ze keek een paar seconden naar de speelse vlammen in de open haard. Was Guy maar niet precies op déze tijd van het jaar teruggekomen, dacht ze. De laatste tijd leek het of hij, om een of andere wonderlijke, onnavolgbare reden haar en Rosie verantwoordelijk stelde voor al zijn problemen en ze hoopte en bad dat hij met zijn veeleisendheid en ongeduld en zijn slechte humeur geen domper zou zetten op het kerstfeest. Yvonne en Lisette hadden zich zo verheugd op deze vakantie.

Of ze Collies gedachten gelezen had zei Rosie: 'Laten we proberen er een fijne kerst van te maken voor de meisjes.'

'Daar zat ik net over te denken!' riep Collie uit. 'Natuurlijk zullen we dat proberen.'

Rosie gooide het gesprek over een andere boeg. 'Toen ik vanmiddag aankwam viel het me op hoe volwassen Yvonne is geworden. Het is plotseling een vrouwtje,' zei ze.

'Ja, dat is waar. Het is of ze uit de knop gekomen is, van de ene dag op de andere. Je hebt haar ook sinds eind augustus niet gezien.' Collies lichte ogen dwaalden naar het tafeltje naast de haard en haar blik bleef rusten op een foto in een zilveren lijst – de foto van haar overleden man, Claude Duvalier, en zijn enige zusje Yvonne, dat door hem was opgevoed. 'Vind je ook niet dat ze verschrikkelijk op Claude is gaan lijken?'

'Ja – nu je het zegt,' antwoordde Rosie. 'En ze heeft ook zijn karakter – vrolijk, extravert. En ze loopt over van energie, net als hij.'

'Ja.' Er was even een ongemakkelijke stilte. 'Het is zo lief van je dat je haar iedere maand een cheque stuurt voor dat kleine beetje werk wat ze voor je doet. Maar dat is niet nodig, Rosie. Echt niet. Ze is blij dat ze iets voor je kan doen, en dat ze zoveel kan leren van je werk. En míj hoef je ook echt geen geld te sturen. Het is ontzettend lief bedoeld, dat weet ik, maar ik kan rondkomen van wat Claude me heeft nagelaten. Heus.'

'Maar ik wil het graag, Collie. Ik wil je het leven zo gemakkelijk mogelijk maken. Je weet heel goed dat je vader iedere cent nodig heeft voor het kasteel, en dat hij praktisch geen financiële speelruimte heeft. Dus laat me nu doen wat ik kan. Mijn hemel, het is toch niet zóveel wat ik jou en Yvonne geef? Het is bedoeld als speldengeld.'

'Je bent zo goed voor ons. Je bent zo'n engel,' mompelde Collie, en ze draaide haar hoofd af toen ze voelde dat er plotseling tranen opwelden in haar ogen.

17

'Mademoiselle Colette ziet er beter uit tegenwoordig, *n'est ce pas*?' vroeg de huishoudster zonder van haar werk op te kijken. Ze was bezig de koffers van Rosie uit te pakken.

'Ja, ze heeft tenminste weer een beetje kleur op haar gezicht en haar ogen staan helder – sprankelend, zou ik haast zeggen, Annie,' antwoordde Rosie terwijl ze een stapeltje truien in een la legde. 'Maar ze is zo mager als een lat.'

'*Mais oui, c'est vrai.*' Annie keek op en wisselde een blik met Rosie. Ze knikte ijverig met haar grijze hoofd en haar gezicht betrok, toen ze Rosies nachtjapon uit de koffer haalde en op bed legde.

Annie was, net als haar man, geboren in het dorp en ze werkte al haar hele leven op het château. Op haar vijftiende was ze begonnen als keukenhulpje, ze had zich opgewerkt tot huishoudster en nu, op haar vijfenvijftigste, was ze een lid van de familie geworden, na veertig jaar trouwe dienst. Ze kende iedereen van binnen en van buiten, ze accepteerde zonder een spier te vertrekken alle eigenaardigheden van iedereen en ze had nog nooit iemands vertrouwen beschaamd. Ze zou alle geheimen meenemen in het graf, daar was iedereen van overtuigd, en daar hadden ze gelijk in.

Annie deed de lege koffer dicht. Ze keek nog eens naar Rosie en zei: 'Collie is altijd heel slank geweest. Toen ze nog een klein meisje was noemde ik haar altijd *l'épouvantail* – hoe zeg je dat in het Engels? Een verschrikvogel?'

'Een vogelverschrikker,' verbeterde Rosie lachend. Vanaf het eerste ogenblik had ze grote waardering gehad voor Annie, die het kasteel leidde als een admiraal op de brug van een oorlogsschip: ze had alles volledig in de hand, absoluut vertrouwend op haar eigen kennis en inzicht. En ze had de wind eronder! Ze was niet alleen een harde werkster en een toegewijde hulp van de graaf en zijn familie, ze was ook meelevend en begrijpend, omdat ze de aard en het karakter van mensen uitstekend doorgrondde. Rosie vond haar altijd een soort wonderdoenster en ze vroeg zich dikwijls af wat ze zonder haar zou moeten beginnen.

Annie lachte: 'Ja, nu weet ik het weer. Ze was een vógelverschrikker! Zo magertjes, alleen maar armen en benen, en een jongenslijfje. Tja, ze is niet veel veranderd, *n'est ce pas*? Maar dat geeft niet, zo is ze nu eenmaal gebouwd. Madame la Comtesse, haar moeder...' Annie brak haar zin af, sloeg een kruis en mompelde: 'God hebbe haar ziel, de arme vrouw.'

Toen ging ze door: 'Madame la Comtesse was ook heel slank en jongens-achtig. Dat frêle heeft ze van haar moeder – de hele familie Caron-Bougi-val was zo.' Annie schudde beslist haar hoofd en voegde er met nadruk aan toe: '*Ce n'est pas important,* haar figuur. U kent Colette al jaren, u weet toch dat ze altijd al een bonestaak was.'

'Dat weet ik, ja,' viel Rosie haar bij, want ze wist dat Annie gelijk had. Maar haar ongerustheid bleef. Toen ze Collie ging begroeten op haar ka-mer, vlak na haar aankomst, was ze ontzettend geschrokken. Ze had bij de omhelzing duidelijk haar botten gevoeld door de dikke trui heen en het kwam Rosie voor of er nog maar heel weinig vlees aan dat frêle lichaam zat.

Annie pakte de lege koffer en droeg die naar de deur van de aangrenzen-de zitkamer, waar ze ook de andere koffers al had neergezet. Toen draai-de ze zich om naar Rosie en vroeg: 'Is er nog iets wat ik voor u kan doen, Madame de Montfleurie?'

Rosie schudde haar hoofd. '*Non, merci beaucoup.*'

Annie schonk haar een warme glimlach. 'Ik ben blij dat u weer thuis bent, en Gaston ook, en Dominique en Marcel en Fanny. Iedereen op het châ-teau is blij, en nu u weer hier bent zal alles in orde komen, *bien sûr.*'

Zoiets had Gaston ook al gezegd, bedacht Rosie, en ze vroeg zich af waar dat precies op sloeg. Met een rimpel in haar voorhoofd vroeg ze: 'Zijn er dan veel problemen geweest, de laatste tijd, Annie?'

'*Non, non, madame.* Nou ja – dat is te zeggen… Monsieur le Comte…' Ze schudde haar hoofd. 'Hij is zo ernstig, zo somber de laatste tijd. Hij lacht haast nooit meer en hij ziet eruit of hij zich constant zorgen maakt. En Mademoiselle Collie treurt nog steeds om haar man. Maar als u er bent wordt alles heel anders. *La famille est joyeuse, très gaie. C'est vrai, madame.* Oh, ja, het is maar al te waar wat ik zeg.'

Ik ben blij dat te horen, Annie. Maar ik wou je nog iets anders vragen. Toen ik een paar weken geleden in Californië was hoorde ik van Yvonne dat Collie zich niet goed voelde. Wat was er?'

'Ik weet niet – ik geloof niet dat ze ziek was. Ze was – hoe zal ik het zeg-gen? Ze had verschrikkelijk verdriet, geloof ik. Ze heeft soms zo van die dagen. Ik ken dat van haar: het komt altijd onverwacht, en langzaam trekt het weer weg. Wat hield ze veel van Monsieur Duvalier, en wat mist ze hem verschrikkelijk. Dat ongeluk! Wat erg, wat erg. *Oh, mon Dieu!*' An-nie maakte weer een kruisteken en ze rilde even.

'Ik begrijp het,' mompelde Rosie. 'Dus jij denkt dat ze zich niet goed voelde omdat ze verdriet had, een paar weken geleden?'

'*Oui*. Zit u er maar niet te erg over haar in, madame. Ze redt zich wel. Ik ken haar al van voor haar geboorte. Ze is sterk, die kleine. Het spijt me, ik moet nu naar de keuken, Dominique helpen met de voorbereidingen voor het diner. Ik stuur Marcel even om de lege koffers weg te halen.'

'Dank je, Annie. En fijn dat je me even hebt helpen uitpakken.'

'Dat is toch vanzelfsprekend, Madame de Montfleurie. Het doet me plezier als ik iets voor u kan doen.'

Annie trok de deur achter zich dicht en Rosie bleef nog zo'n minuut of tien bezig in de slaapkamer. Ze borg de rest van haar dingen op en ging toen naar de aangrenzende zitkamer.

Dat was een plezierige ruimte, groot, luchtig, met een hoog plafond en grote ramen die uitzicht gaven op de tuinen met daarachter de rivier de Cher. De vensters waren zo hoog dat de hemel bijna de kamer ingetrokken werd, en prachtige panorama's ontrolden zich voor het oog.

Door de aankleding in zacht hemelsblauw en crème, met accenten van grijzig rose en licht mosterdgeel, had de kamer een bepaald soort belegen elegantie, zo passend bij oude, verarmde adel. Maar het was ook een buitengewoon comfortabele kamer en Rosie was er dol op.

Veel van de zijden, brokaat en tafzijden stoffen waren oud en hadden allang hun oorspronkelijke kleur verloren en het achttiende-eeuwse Aubusson tapijt op de vloer vertoonde hier en daar slijtplekken. Maar het was een ware schatkamer. De houten meubelen waren schitterend, met als pronkstuk een Louis XVI-*bureau plat* van taxushout, met ornamenten van goudbrons. Ieder museum zou trots zijn op deze schrijftafel, die tegen de muur stond tussen twee ramen in. Ook de wandtafel met marmeren blad was van museumkwaliteit, met z'n ingewikkeld gesneden voet vol cherubijntjes. Gemakkelijke banken en stoelen en allerlei bijzettafeltjes van vruchtbomenhout, ingelegd met kostbare houtsoorten, completeerden de inrichting. Het was een smaakvol geheel.

In de loop der jaren had de graaf zich gedwongen gezien minder belangrijke bezittingen te gelde te maken om de meest waardevolle stukken te kunnen behouden, om het château en de landerijen te kunnen onderhouden – letterlijk: om de eindjes aan elkaar te kunnen knopen. Het kapitaal dat hij geërfd had van zijn vader leverde onvoldoende op om het noodzakelijke onderhoud van Montfleurie te bekostigen; en hoewel de Franse staat subsidie gaf aan historische gebouwen zoals dit kasteel, was ook dat bedrag volledig ontoereikend.

Maar de laatste drie jaar ging het de graaf financieel wat beter en de voortdurende stroom prachtige voorwerpen die verdwenen naar de veilinghuizen in Parijs of de antiquairs op de Quai Voltaire was tot zijn grote opluchting eindelijk opgedroogd.

Dat kwam omdat hij het kasteel voor het publiek had opengesteld. Hij verkocht ook allerlei souvenirs, waaronder een serie middeleeuwse poppen en spelletjes die Rosie had ontworpen naar een antieke collectie die ze op zolder gevonden had.

Al werd hij niet rijk van deze nieuwe onderneming, het geld dat binnenkwam van de entreekaartjes, de folders, het speelgoed en de andere souvenirs begon toch aardig aan te tikken. Om precies te zijn: van het geld dat in het voorjaar en de zomer was binnengekomen kon het landgoed zes maanden draaiend gehouden worden. En die kleine familiezaak, waarvan Rosie de grote initiator was, zorgde er ook voor dat de graaf zich niet verder in de schulden hoefde te steken.

Hij zei altijd tegen haar: 'Dankzij jouw talent en vooral dankzij jouw overredingskracht, kan ik de banken nu een evenwichtige balans laten zien, en kan ik me éindelijk de schuldeisers van het lijf houden.'

Rosie dacht aan het geld, toen ze een paar akelige vochtplekken ontdekte in een hoek van het plafond, dichtbij een van de ramen. In augustus had ze die nog niet gezien. Maar er zou wel geen cent in kas zijn voor een onverwachte reparatie of een schilder. Zeker niet deze maand, nu Henri de Montfleurie aan zijn vele verplichtingen moest voldoen. En dan nog met Kerstmis voor de deur.

Geeft niet, dacht ze, ik doe het zelf wel. Als we na de vakantie een loodgieter kunnen vinden om het lek te dichten, dan zal ik zelf wel schilderen. Gaston en zijn broer helpen me wel een handje. We hebben alleen pleisterkalk en witte verf nodig. Daar zullen we toch makkelijk aan kunnen komen, denk ik. Rosie was er trots op dat ze allerlei karweitjes in huis zelf op kon knappen. Ze had veel opgestoken van decorateurs en timmerlieden, de decorbouwers en schilders in de studio's waar ze werkte. Dit klusje zou ze klaren, en dan nam ze de kosten wel voor eigen rekening.

Ze pakte haar canvas reistas, zette 'm op een gecapitoneerde bank en haalde de mappen tevoorschijn met gegevens die ze aan het verzamelen was voor het Napoleon-project van Gavin, de grijze tas die ze in de Concorde had gekregen en waar haar persoonlijke papieren in zaten, en nog een paar andere dingen.

Een van die dingen was de zilveren lijst met de foto van haar groep, die zo lang geleden in New York genomen was. Die nam ze altijd mee, waar ze ook heenging. Ze zette hem op een antieke commode, naast de foto's die er al stonden en daar keken Nell, Gavin, Kevin, Sunny en Mikey haar met lachende gezichten aan.

Wat waren ze toen jong en mooi, zo ongeschonden door het leven. En zo onschuldig.

Die onschuld zijn we nu wel kwijt, mompelde Rosie in zichzelf. Het leven heeft vat op ons gekregen, het heeft ons veranderd, het heeft ons hard gemaakt, het heeft ons teleurgesteld, het heeft onze illusies kapot gemaakt en, wie weet, ook onze hoop en onze dromen. Misschien wel onomkeerbaar. En we zijn allemaal de verkeerde weg ingeslagen.

'Waar naartoe zouden ze ons hebben geleid – de wegen die we niet genomen hebben?' zei ze hardop in de lege kamer. Ze herinnerde zich die woorden van een liedje uit *Follies*, die heerlijke musical van Sondheim uit het begin van de jaren zeventig. Alexis Smith had erin gespeeld, en John McMartin, Yvonne de Carlo en Gene Nelson, en altijd als ze de plaat van die Broadway-produktie draaide werd ze meegesleept door de tekst en de muziek.

Toen dacht ze: misschien hebben we helemaal niet de verkeerde wegen genomen. Misschien was het voor ieder van ons wel de juiste weg. Het kan toch ons lot, onze bestemming zijn dat we leven zoals we leven…

Que sera, sera – wat moet zijn, zal zijn.

Gavin, Nell, Kevin en zijzelf hadden tenminste succes in hun beroep, dàt deel van hun droom was in ieder geval uitgekomen. Maar hun persoonlijk leven… Volgens Nell stond Gavin er niet veel beter voor dan de rest van het groepje.

Ze zuchtte zachtjes, ze wreef het zilver even op en keek toen aandachtig naar de foto van Colette en Claude, een paar zomers geleden genomen op een van de terrassen van Montfleurie.

Het was een kleurenfoto, heel levensecht.

Wat was Collie mooi, met haar gebruinde gezicht en het donkere haar verwaaid door de wind, haar welgevormde mond lachensbereid, haar ogen van een doorschijnend blauw, de kleur van de lucht. En Claude, jong, knap, zíjn ogen vol liefde gericht op zijn vrouw. En hoe mager was Collie op die foto. Annie had natuurlijk gelijk, ze wàs haar leven lang al een bonestaak geweest.

Toch maakte Rosie zich zorgen. Collie was zó vel-over-been dat je er bang van zou worden. Ze is zo breekbaar, dacht Rosie. Dat is precies wat er aan haar veranderd is – ze is verschrikkelijk, angstwekkend breekbaar geworden in die drie maanden dat ik haar niet gezien heb. De angst om haar schoonzusje vervaagde toen ze zich omdraaide om de rest van haar spullen op z'n plaats te leggen.

Op een gegeven moment was ze bezig bij haar *bureau plat* en toen ze uit het raam keek werd ze getroffen door het verrukkelijke uitzicht.

Een levendig spel van gazig-witte wolkjes tegen de strakblauwe lucht, en de rivier was gevangen in een glazuur die je soms ziet op oud porcelein. Alles gloeide op onder het glorieuze licht van de late namiddagzon, en de bronsbruine tuinen daar beneden zagen eruit of ze met goud bespoten waren. Het leek Rosie of alles daarbuiten glansde in een onaards licht.

Voor Rosalind was er maar één plaats op aarde, en dat was Montfleurie. Ze kon de roep van haar geliefde tuinen niet weerstaan, ze greep haar loden cape van de bank en holde naar buiten. Ze sloeg de cape om haar schouders terwijl ze de lange gang door liep naar de achtertrap. Ze had er even geen behoefte aan om wie dan ook tegen het lijf te lopen.

18

In minder dan geen tijd was Rosie de poort uit. Ze gooide de zware deur achter zich dicht en rende langs het pad van natuursteen naar de rivier. Haar cape bolde achter haar op als een zeil in de wind.

Rosie ging regelrecht naar haar geliefde plek in de weidse, haast onafzienbare tuinen, de Toren van de Zwarte Havik, een ruïne die zo genoemd werd omdat het een overblijfsel was uit de tijd van Fulco I, de graaf van Anjou die bekend stond als de Zwarte Havik.

Na eeuwen was er van wat eens een wachttoren was geweest niet veel méér overgebleven dan een stapel stenen. De plaats van de vroegere uitkijkpost was strategisch gekozen, op een heuvel in de bocht van de rivier de Cher. Vanaf die plek kon je in de middeleeuwen het hele land van Montfleurie in de gaten houden. Indringers kregen geen kans.

In de achttiende eeuw waren er bomen geplant rond de ruïnes. De stenen waren bedekt met mos en gras, en 's zomers bloeiden er in de barsten en voegen allerlei kleurige bloemen. Een uniek plekje dat van zichzelf een vreemde en boeiende schoonheid bezat, waar je het verleden en de geschiedenis van Frankrijk bijna kon inademen.

De oude, vergane vestingmuren en de overdaad aan bomen en groen gaven een gevoel van veiligheid en beschutting, en 's zomers ging de familie hier dan ook dikwijls picknicken. Jaren achter elkaar had Rosie hier zitten schetsen en tekenen, of ze zat er te lezen of gewoon maar te dagdromen.

Ze was buiten adem toen ze bij de half ingezakte poort kwam, ooit de hoofdingang van de toren. Maar ze hield haar pas niet in tot ze aan de andere kant van de ruïnes was, uit het gezicht van het château.

Daar ging ze zitten op de stenen bank die daar honderden jaren geleden door een van de Montfleurie-voorvaderen was neergezet, en ze keek uit over de Cher, die door het landschap meanderde. Niets bewoog, er heerste een volkomen stilte. Het enige geluid was het kloppen van haar hart. Langzaam nam het bonzen af, haar adem werd weer normaal en er kwam een weldadig gevoel van ontspanning over haar.

Ze wikkelde de cape om zich heen tegen de kou, leunde achterover tegen de boom die achter de bank stond en ze liet de lieflijkheid van de omgeving op zich inwerken, de uitbundige schoonheid van de natuur.

Wat was het hier vredig, op deze plek waar eens de Zwarte Havik, de krijgsheer, de veroveraar, de heerser van deze streek, in felle veldslagen zijn macht over de vallei had gevestigd. Het stof van het strijdtoneel was al lang, lang geleden opgetrokken en voor Rosie was het nu de lieflijkste plaats die ze zich kon bedenken, een plaats om alleen te zijn, een plaats waar ze kon nadenken.

Haar gedachten waren bij Guy, waarmee ze nu acht jaar getrouwd was. Ze vroeg zich af wat er van hen beiden moest worden. Ze zagen elkaar de laatste jaren nauwelijks, en als ze eens samen waren was de sfeer altijd geladen. Er was geen enkele hoop dat het ooit nog eens goed zou komen tussen hen, niet nadat ze al vijf jaar van elkaar vervreemd waren, niet met zijn kwade wil.

Rosie was zich ervan bewust dat Guy negatief over haar dacht en ze had het daar al dikwijls over gehad met Collie. En dan had Collie steevast gezegd dat het niets te maken had met haar, omdat Guy vijandig stond tegenover iedereen, en tenslotte dacht ze dat haar schoonzusje wel eens gelijk kon hebben. Maar de situatie waarin ze zich bevond werd met het jaar belachelijker; en niet alleen dat – het was een heel ongezonde situatie ook nog. Maar Rosie was niet in staat er iets aan te doen.

Onverwacht knapte er een takje en er schoven voeten door de afgevallen bladeren. Rosie ging met een ruk rechtop zitten. Ze was direct weer gespannen, toen ze voelde dat er iemand naar haar toekwam.

Ze keek om zich heen en ze hoopte dat het niet Guy zou zijn, die haar hierheen was gevolgd. Ze was er geestelijk nog niet op voorbereid om met hem alleen te zijn. Ze moest weer wennen aan zijn nabijheid, ze moest op haar hoede zijn, zich wapenen tegen hem zodat ze zijn verbale aanvallen zou kunnen pareren.

Tot haar opluchting was het niet Guy. Ze sprong op en een glimlach trok over haar bezorgde gezicht. Henri, graaf van Montfleurie, kwam de hoek om. Liefde straalde uit zijn ogen en hij strekte met een warm gebaar van welkom zijn armen naar haar uit.

Rosie rende naar hem toe, ze vielen in elkaars armen en ze omhelsden elkaar stevig. Eindelijk maakte hij zich los, pakte haar bij haar schouders en keek haar diep in de ogen, zoekend, vragend. Hij kuste haar op beide wangen en zei: 'Alles goed met je? Je bent toch niet verdrietig? Guy heeft je toch niet verdrietig gemaakt, of wel, Rosie?'

'Nee hoor, Henri, nee nee. Ik heb hem maar eventjes gezien, toen ik net aankwam. We liepen elkaar tegen het lijf in de hal – hij wou net gaan paardrijden. Hij was natuurlijk een beetje sarcastisch, maar dat schijnt tegenwoordig zo z'n normale toon te zijn.'

'Ik weet precies wat je bedoelt. Zo doet hij tegen mij ook, en tegen Collie, jammer genoeg. Ik begrijp niet waarom hij niet wat vriendelijker is tegen zijn zuster. Hij weet toch wat ze de afgelopen jaren allemaal heeft meegemaakt. Maar ja...' Hij zuchtte. 'Zo is Guy nu eenmaal, denk ik maar. Alleen maar met zichzelf bezig, en geen enkele belangstelling voor anderen of voor andermans gevoelens.'

Henri nam Rosie bij de arm en ze liepen samen terug naar de bank.

De graaf was een slanke man van gemiddelde lengte, zo'n een meter vijfenzeventig, met donker haar dat grijs werd aan de slapen, een prettig gezicht met aantrekkelijke kraaiepootjes en de wat ruwe huid van iemand die een groot deel van zijn tijd in de buitenlucht doorbrengt. Hij was drieënzestig, en hij had het grootste deel van zijn leven doorgebracht op het château, behalve de jaren toen hij in Parijs aan de Sorbonne studeerde. Maar direct na zijn studie was hij weer teruggekeerd naar het Loire-dal waar hij zo aan verknocht was, en hij had van zijn vader geleerd hoe het landgoed bestuurd moest worden, een opleiding die al in zijn jonge jaren begonnen was. Henri was enig kind en na de dood van zijn vader erfde hij op vierentwintigjarige leeftijd het landgoed en het kasteel Montfleurie. Een jaar later trouwde hij met Laure Caron-Bougival, zijn jeugdliefde. Henri was zevenentwintig toen zijn zoon, Guy, geboren werd en vier jaar later kwam Colette. Nu was hij alweer twaalf jaar weduwnaar en hij was nooit hertrouwd, al drong Collie daar ook nog zo vaak op aan.

Ze gingen op de bank zitten en Henri huiverde. Hij trok zijn tweed overjas, die er een beetje kaal en versleten uitzag, dichter om zich heen. Hij pakte Rosies hand en drukte die teder. 'Ik ben zo blij dat je weer thuis bent, Rosie. Het doet mijn hart goed je weer te zien, lieverd.'

'Dat gevoel heb ik ook, en het is fijn om weer hier te zijn. Ik heb een drukke tijd achter de rug, met dat filmen. Er zijn redenen genoeg waarom ik het vervelend vind zo lang van huis te zijn, maar er was niets aan te doen, dit keer.'

Hij knikte en keek haar toen weer diep in de ogen. 'Zeg eens eerlijk, hoe voel je je ècht?' Ik wil de waarheid horen, en niets dan de waarheid.'

'Redelijk,' antwoordde Rosie in volle overtuiging, maar ze moest plotseling lachen om zichzelf, een kort, cynisch lachje. 'In ieder geval gaat het heel goed met me als ik werk. Omdat ik het dan te druk heb voor iets anders, denk ik. Maar ik weet het niet...' Ze maakte haar zin niet af. Ze schudde haar hoofd en haar mond stond ontevreden.

Dat ontging hem niet. 'Wat is er?' vroeg hij bemoedigend.

'Als ik niets te doen heb ben ik altijd zo huilerig,' bekende Rosie. 'Bij het minste of geringste voel ik de tranen branden. En dat is niets voor mij, dat ik me de hele tijd verdrietig voel. Maar als je nu vraagt wat er met me is – ik zou het niet weten. Ik zou je echt geen antwoord kunnen geven.'

'Misschien weet ik het,' mompelde hij, en hij pakte Rosies hand nog steviger vast. 'Jij bent heel ongelukkig, Rosalind. En het leven dat jij leidt is heel ongezond voor een vrouw van eenendertig, neem me niet kwalijk dat ik het zeg. Je bent niet getrouwd en je bent niet gescheiden. Je leeft in een soort... een soort niemandsland, en ik geloof echt dat je iets moet doen aan de situatie tussen jou en Guy.'

'Hoe moet dat ooit weer goed komen?' riep Rosie. 'Dat kan niet meer. We zijn te ver uit elkaar gegroeid.'

'Natuurlijk! Ik heb het er ook niet over dat jullie weer bij elkaar komen. Ik heb het erover dat jullie uit elkaar moeten gaan. Voorgoed. Ik heb het over een schéiding!'

Sprakeloos zat Rosie hem aan te gapen.

'Kijk nou niet of je het in Keulen hoort donderen, Rosie. Mensen scheiden wel eens, weet je. Jullie mogen dan allebei katholiek zijn, toch denk ik dat je stappen moet ondernemen om je huwelijk met mijn zoon te ontbinden.' Toen het stil bleef kon hij zich niet weerhouden te zeggen: 'Er

was de afgelopen vijf jaar nauwelijks sprake van een huwelijk, nietwaar?'
'Nee… Misschien nog wel langer.'
'Nou, wat is dan de moeilijkheid?'
Er viel een lange stilte, toen bekende Rosie fluisterend: 'Ik ben bang.'
De graaf ging rechtop zitten en keek haar vol verbazing aan. 'Bàng? Jíj! Dat kan ik nauwelijks geloven. Waar ben je bang voor, dan?'
Rosie beet op haar lip en sloeg haar ogen neer. Ze vroeg zich af hoe ze het hem moest uitleggen. Toen ze eindelijk weer opkeek zag ze zo'n bezorgdheid in zijn lieve, vriendelijke ogen dat ze wist: ik moet hem de waarheid vertellen. Hij zal het begrijpen.
Ze slikte even en zei toen, nauwelijks hoorbaar: 'Ik ben bang jou en Collie en de meisjes te verliezen. Jullie zijn de enige familie die ik heb, die ik de afgelopen jaren gehad heb, en ik hou verschrikkelijk veel van jullie allemaal. Ik zou het niet kunnen verdragen als ik hier weg zou moeten, als Montfleurie niet meer mijn thuis zou zijn, als ik nooit meer hiernaartoe zou kunnen komen om met jullie samen te zijn.'
'Maar daar is absoluut geen sprake van,' zei hij snel.
'Maar als ik zou scheiden van Guy hoor ik niet langer bij de familie.' Tot haar ergernis werden haar ogen vochtig en voor ze er iets aan kon doen liepen de tranen langs haar wangen.
Henri haalde de pochette uit de borstzak van zijn jasje en gaf die zwijgend aan Rosie. Hij wachtte tot ze haar tranen gedroogd had.
Toen ze zich weer wat had hersteld zei hij: 'We hóuden allemaal erg veel van je, Rosie. Ik heb altijd al van je gehouden, vanaf de eerste keer dat je hier binnenkwam met Collie, lang voordat je met Guy getrouwd was. En ik zal je altijd beschouwen als mijn dochter, of je nu met hem getrouwd bent of niet. En al zou je met iemand anders trouwen, dan nog zouden mijn gevoelens voor jou niet veranderen. Hoe kan het ook anders? Ik hou niet van je om je relatie met mijn zoon, ik hou van je om alles wat je bent, om je geweldige persoonlijkheid, Rosie. Ik hou van je om jezèlf. En onthou dat goed: Montfleurie is jouw huis, wat er ook gebeurt, voor de rest van je leven. Ik zou het niet anders willen.' Hij sloeg een arm om haar heen en trok haar dichter naar zich toe. 'Ik weet niet wat er aan de hand is met Guy. Ik heb alle pogingen om het te begrijpen opgegeven.'
Henri de Montfleuri zweeg, schudde zijn hoofd en voegde er met verdriet in zijn stem aan toe: 'Ik weet alleen dat ik de vader ben van een idioot. Ja, ik moet het toegeven, mijn zoon is niet normaal. Hoe hij zich tegenover jou zo kan gedragen gaat mijn verstand te boven. Dat zal ik nooit begrij-

pen. En ik zal ook nooit begrijpen waarom hij geen enkele belangstelling heeft voor Montfleurie, dat op een dag van hem zal zijn. Moge God het verhoeden! Ik hoop dat ik nog lang te leven heb, zodat ik het château kan overgeven aan de generatie ná hem, want God mag weten wat er gebeurt als hij het ooit zal erven. Dan wordt het ongetwijfeld één grote puinhoop, letterlijk en figuurlijk. Dat moet ik zien te voorkomen, ik moet voorzieningen treffen voor de toekomst. Dat is een grote zorg voor mij, de laatste tijd, gezien zijn gedrag.'

'Maar waarom kunt u Montfleurie niet nalaten aan Collie?'

'Dat zou kunnen volgens de Code Civile – de Code Napoléon, het wetboek dat door de keizer is ingevoerd – àls ze mijn enige kind was. Een meisje kan volgens de Franse wet erven. Maar ik kan mijn zoon niet passeren ten behoeve van mijn dochter. Dat is hier absoluut tégen de wet. Als Guy kinderloos zou sterven gaat het kasteel en de titel over op Collie of op haar dochter, Lisette. Maar neem me niet kwalijk, lieve Rosie, dat ik zo afdwaal – dat ik je met mijn eigen problemen lastigval. Laat ik je liever nog eens herhalen wat ik daarnet zei. Jij bent voor mij een dochter, en niets zal dat feit kunnen veranderen.' Hij liet haar los om haar recht aan te kunnen kijken. 'Wil je iets voor me doen?'

Rosie knikte.

'Als je teruggaat naar Parijs, wil je dan een afspraak maken met maître Hervé Berthier? Je hebt hem eens ontmoet, weet je nog? Hij was een paar jaar geleden hier voor het diner. Hij is een geweldige advocaat, een van de beste in Frankrijk, en het is een goede vriend van me, al jaren. Alsjeblieft, Rosie, ga met hem praten, zet eindelijk eens de stap om je vrij te maken van Guy. Hij doet je geen goed. Ik beloof je: van mij krijg je alle hulp en steun die je nodig hebt, en mijn liefde.'

'Goed dan. Ik zal een afspraak maken met jouw advocaat. Ik denk dat er niets anders op zit. Dank je, Henri, voor alle lieve dingen die je vanmiddag tegen me gezegd hebt. Jij bent als een vader voor mij en ik zou het niet kunnen verdragen als… als… als jij en Collie niet meer een deel van mijn leven zouden zijn.'

'We blijven altijd jouw familie, lieve Rosie. Over familie gesproken: hoe is het met Kevin? Komt hij nog hierheen met Kerstmis, zoals hij beloofd had?'

'Ik denk het niet. Ik heb het hem weer gevraagd, maar hij heeft net een nieuwe baan gekregen bij de politie in New York, iets bij de Criminele Inlichtingen Dienst, die zich bezighoudt met de mafia. Voor zover ik begrepen heb zitten ze achter de familie Rudolfo aan, een van de machtigste misdaadorganisaties van New York. Kevin is bij dat onderzoek betrokken, geloof ik.'

'Gevaarlijk werk, lijkt me,' mompelde Henri. 'Maar Kevin houdt geloof ik van spanning en gevaar. Jammer, dat is voor jou weer een extra zorg.'

'Ik wou dat hij eens een kantoorbaantje kreeg, of dat hij iets heel anders ging doen, maar daar wil hij niet van horen. Hij had ooit advocaat willen worden, maar…' Rosie maakte haar zin niet af. Ze haalde even haar schouders op.

Henri glimlachte. 'Kevin is eigenzinnig, net als jij, Rosie. En we weten allemaal dat ieder vogeltje zingt zoals het gebekt is. Maar hoe zit dat met Nell Jeffrey? Je zei me door de telefoon dat die twee iets hebben met elkaar, tegenwoordig. Kan zij hem niet op andere gedachten brengen?'

Rosie lachte en schudde haar hoofd. 'Ik betwijfel het. Ik had gehoopt dat zij Kevin kon overhalen om met Kerstmis hiernaartoe te komen. Dat ze allebéi naar Frankrijk zouden komen om kerst te vieren met ons. Maar ik denk dat hij moet werken, als ik haar mag geloven.'

'Wat jammer. Maar ja, niets aan te doen. Misschien kan jij ze zover krijgen dat ze met Pasen komen. Dat is altijd een prachtige tijd van het jaar in het Loiredal.'

'Jazeker. Ik zal het doorgeven aan Nell. Misschien kan ze Kevin meesleuren. Ik zou het heerlijk vinden.'

Er viel een stilte en samen zaten ze te genieten van het ogenblik.

Een zwerm vogels vloog kwetterend over, draaiend en cirkelend tegen de witte wolken – een gracieuze dans, als een zwierig zwartzijden lint dat omhoog werd gegooid tegen de bleke lucht. De vogels vlogen verder, hoger en hoger, hoog boven de leizwarte torens van Montfleurie, toen hergroepeerden ze zich: even vormden ze een boog boven de daken van het château, toen vlogen ze weg naar het zuiden, naar warmere landen.

Wolken trokken langs de verre, donkerende hemel die plotseling vol beweging leek, vol wisselende kleuren: blauw dat overging in grijs met een zweem van amethist, lila wegzinkend in gebrand saffraan, en langs heel de wijde horizon lichtende paarse en oranje strepen als van een laaiend vuur.

Aan de overkant van de rivier klonterden de bomen samen tot zware, blauwgroene silhouetten die vervaagden in de avondnevel toen het licht opnieuw veranderde en het eindelijk schemerdonker werd.

'Wat schitterend is het hier, Rosie, en zo stil en vredig,' zei Henri.

'Mijn moeder noemde deze tijd van de dag de avondgloed.'

Hij glimlachte, nam haar hand en hielp haar opstaan. 'Ik ben blij dat we even gepraat hebben. Toen ik je daarstraks over het pad zag rennen dacht ik: dat is een goede gelegenheid om eens even onder vier ogen met elkaar te praten. Kom, laten we naar binnen gaan. Het is kil geworden, plotseling. IJskoud, bijna.'

Hand in hand liepen Rosie en de graaf terug naar het grote château op de top van de heuvel.

Ze liepen in de pas, letterlijk en figuurlijk. Ze begrepen elkaar – zo was het altijd geweest en zo zou het altijd blijven. Zwijgend klommen ze de heuvel op – hun vriendschap had geen woorden nodig.

Ze waren al bijna bij het kasteel toen Henri stilstond en vroeg: 'Heb je nog altijd geen aardige man ontmoet?'

'Nee, natuurlijk niet!'

'Wat jammer! Ik vind het vreselijk je zo alleen te zien, en zo eenzaam. En zo ongelukkig, lieve Rosie. En als iemand kan weten hoe het is om te leven zoals jij, dan ben ík het toch wel, Rosie.'

'Ik weet het, Henri,' antwoordde Rosie. Ze aarzelde. Onzeker vroeg ze: 'Hoe is het met Kyra?'

Ze kon hem nauwelijks zien in de snel invallende duisternis, maar ze voelde hoe hij verstijfde. Hij klemde plotseling zijn kaken op elkaar. 'Heel goed,' zei hij tenslotte. 'Dat denk ik tenminste. Ze is er niet.'

'O,' zei Rosie verrast. 'Maar ze komt toch wel voor Kerstmis, hoop ik?'

'Ik weet het niet.' Zijn stem klonk gespannen, ongelukkig. Haastig liep hij door.

Rosie besloot het onderwerp maar even te laten rusten en ze vroeg niet verder. Ze deed moeite hem bij te houden.

Plotseling begon hij te grinniken en hij hield zijn pas in. Plagerig zei hij: 'Ik geloof dat het tijd wordt dat jij eens gaat uitkijken naar een aardige heer. Anders zal ik het voor je moeten doen.'

Rosie lachte. 'Je bent onverbeterlijk!'

'Nee, ik ben een Fransman, weet je nog? En al ben ik dan oud, ik heb nog steeds een romantische geest, zoals de meeste van mijn landgenoten.'

'Jij bent niet oud! En je bent een heel bijzonder mens. Zo'n schoonvader als jij heeft niemand.'

'Ik ga er maar van uit dat dit als een compliment bedoeld is, Rosalind de Montfleurie.'

'Natuurlijk!' riep ze uit. Ze was blij dat hij zijn goede humeur weer terug had. Maar terwijl ze verder liepen vroeg ze zich toch af of er iets misgegaan was tussen hem en Kyra, de Russische vrouw. Misschien wist Collie er meer van. Kyra was haar vriendin en ze hadden geen geheimen voor elkaar.

Even later gingen Rosie en de graaf naar binnen. Ze liepen nog steeds hand aan hand en Rosie voelde zich beter dan ze zich in tijden gevoeld had. Op één of andere manier leek de toekomst niet meer zo somber.

<h1 style="text-align:center">19</h1>

Rosie haalde een kleine hoededoos uit de kast en liep de gang op. Na een lekker warm bad had ze haar make-up verzorgd en ze had voor het diner de rode wollen jurk uitgezocht, waar ze zo dol op was.

Ze liep door de brede gang met de dikke loper en ze bleef staan voor de deur van Lisettes slaapkamer. Ze klopte en riep: 'Ik ben het, tante Rosie.' Zonder op antwoord te wachten ging ze naar binnen.

Yvonne keek op. Ze zat geknield op de vloer en was bezig Lisettes bruinfluwelen jurkje van achteren dicht te knopen. 'Hallo, Rosie. We wilden net naar je toekomen.'

'Dan ben ik jullie voor!' lachte Rosie. Ze liep door de kamer en hield de hoededoos achter haar rug, zodat Lisette hem niet kon zien. 'Ik dacht: laten we met z'n allen naar beneden gaan voor het diner.'

'Maar we moeten even op mama wachten,' zei Lisette met een benepen gezichtje. 'We kunnen niet naar beneden zonder haar. Ze is zo klaar, ze wilde alleen maar even een andere jurk aantrekken en haar haar kammen.'

'Natuurlijk wachten we, schat,' antwoordde Rosie. 'Ik zou er niet over dènken in de eetzaal te verschijnen zonder haar.' Ze lachte tegen haar nichtje en boog zich naar haar over. 'Ik heb een cadeautje voor je meegebracht, lieverd.'

Er trok een brede glimlach over het ronde, engelachtige gezichtje van het kind en er kwam een schittering in de donkerbruine ogen, die zo leken op de ogen van haar grootvader. Opgewonden en vol verwachting riep ze: 'Wat voor cadeautje? Wat is het? Alsjeblieft, tante!'

'Je mag drie keer raden.'

'Hebt u het meegebracht uit Amerika?'

Rosie knikte.

'*Un chapeau!* Een hoed, natuurlijk!'

'Niet te geloven, hoe raad je dat zo snel? Jij bent een kleine slimmerik, hè?' lachte Rosie, en daarna, plagerig: 'Dat heeft iemand je zeker verteld. Of heeft de wind het je ingefluisterd?'

'Nee, hoor, niemand heeft me iets verteld, tante Rosie. Echt niet,' zei Lisette, en ze trok haar gezichtje in de plooi. 'U hebt me beloofd dat u een hoed voor me mee zou brengen uit Amerika. Weet u niet meer? Dat hebt u me in augustus beloofd.'

'Dat is waar, ik heb je een hoed beloofd, en hier is-ie.' Rosie liet de doos zien die ze achter haar rug had gehouden. 'Alsjeblieft.'

Lisette deed een stap naar voren en nam de hoededoos aan. '*Merci beaucoup! Merci beaucoup!*' Ze maakte snel de deksel los, haar vingertjes zenuwachtig trekkend aan de strikjes, en haalde een parmantig hoedje tevoorschijn van donkergroen vilt, versierd met een rood-en-groen geribbeld lint en een toefje vuurrode kersen aan de zijkant. '*Très joli!*' riep ze opgetogen. Ze gaf haar tante een lekkere knuffel, rende toen naar de kast en deed de deur open. Aan de binnenkant van de deur zat een spiegel. Ze zette haar hoed op en deed een stapje terug, om haar nieuwe aanwinst eens goed te bewonderen.

'Hij is zo mooi dat ik hem maar ophou bij het eten,' kondigde Lisette aan, met een stralende blik naar haar tante.

Yvonne riep: 'Hij is prachtig, maar je kan niet met een hoed aan tafel gaan.'

'Waarom niet?' vroeg het vijfjarige meisje, met een onderzoekende blik naar Yvonne.

'Je weet heel goed dat je binnenshuis nooit een hoed draagt,' antwoordde Yvonne.

'Ik wel,' wierp Lisette tegen.

'Helemaal niet!' riep Yvonne, haar stem zowat een octaaf hoger.

'Welles. Toen we laatst in dat café waren had ik ook mijn hoed op.'

'De eetzaal op Montfleurie is geen café,' legde Yvonne uit, en ze schudde haar hoofd. 'En dat weet jij heel goed, Lisette. Je moet niet zo mal doen.'

'Maar daar hebben we ook gegeten,' sputterde het kind tegen.

Rosie, die inwendig moest lachen, kwam tussenbeide. 'Yvonne heeft gelijk, lieverd. Binnenshuis zet je je hoed af.'

'Maar in het ziekenhuis dan? Toen had ik er ook een op. Mama heeft het zelf gezegd.'

Rosie en Yvonne wisselden even een blik, en Rosie zei: 'Ja, natuurlijk. Maar nu... hij staat je schattig, die hoed past echt bij je, Lisette. Maar ik

denk dat je hem nu maar even weg moet leggen. Morgen kan je hem opzetten. Dan neem ik je mee als ik naar het dorp ga, en dan gaan we naar
het café, lekker ijs eten. Wat vind je daarvan?'

Het kind knikte en lachte. Maar het hoedje bleef stevig op haar donkere
krullen, en ze maakte geen aanstalten het af te zetten.

Rosie zei: 'Kom, Lisette, we bergen de hoed op bij de rest van je collectie. Heb je nog nieuwe gekregen na mijn vertrek? Die moet je me dan
eens gauw laten zien.'

'Ik heb twee nieuwe. Kijk maar!' Lisette, het groene hoedje nog op haar
hoofd, rende naar de speelkamer vol boeken en speelgoed. Op een paar
planken langs de muur was haar nogal ongewone collectie hoedjes uitgestald.

Lisette was altijd dol geweest op hoeden en ze ging bijna nooit bloots-
hoofds de deur uit, zelfs niet als ze alleen maar ging spelen in de tuin van
het château.

Haar moeder en Rosie waren tot de conclusie gekomen dat die voorliefde
voor hoedjes was ontstaan vlak na haar geboorte. Ze was te vroeg gekomen en ze had in het Parijse ziekenhuis waar ze was geboren acht weken
in een couveuse gelegen. Daar had zij al die tijd een soort wollen mutsje
op gehad om haar hoofdje warm te houden.

Toen Claude en Collie eindelijk thuis kwamen met hun dochtertje in hun
Parijse appartement hadden ze het mutsje afgedaan. De baby begon onmiddellijk te huilen en dat had ze een uur lang volgehouden. Tot Collie
bedacht dat ze zich misschien ongelukkig voelde omdat ze haar wollen
mutsje miste. Dus Collie had het weer op haar hoofd gezet en het huilen
was meteen opgehouden.

Als peuter al moest en zou Lisette een mutsje of een hoedje op haar hoofd
hebben, en daar kwam geen verandering in toen ze groter werd. Het was
heel eenvoudig: ze voelde zich gelukkiger als ze iets op haar hoofd had,
daarvan was iedereen op het kasteel nu zo langzamerhand wel doordron-
gen. Vandaar die grote verzameling op haar kamer.

'Deze heb ik van grootvader gekregen,' vertelde Lisette, en ze pakte van de
onderste plank een kralen kapje. 'Dat had hij gevonden in een kist op zolder
en hij zei dat het vroeger van grootmoeder Laure geweest is. Het is nu nog
te groot voor mij, maar grootvader zei dat het me later best zou passen.'

'Wat lief,' zei Rosie. 'En duidelijk heel, heel oud. Dus je moet er erg
voorzichtig mee zijn.'

'Dat ben ik ook,' antwoordde Lisette en ze zette het kapje behoedzaam weer terug. Eindelijk deed ze ook het hoedje af dat Rosie haar gegeven had en zette dat naast het kralen kapje. Ze pakte een beige wollen mutsje, strikte de bandjes onder haar kin en greep een krans van bont die ze over het mutsje heen op haar hoofd zette. 'Dit is ook een nieuwe. Raad eens van wie ik die gekregen heb?'

Rosie hield haar hoofd schuin en deed of ze heel erg hard nadacht. Ze had een blik van ik-weet-het-niet in haar ogen. 'Tja, laat eens kijken... Het doet me denken aan... kozakken... nee, de Russische Bojaren. Ah, dat is de oplossing, nietwaar? Heb je 'm van Kyra gekregen?'

'Geraden! Geraden! Wat bent u knap, tante Rosie!'

'Kom, ik zal je helpen 'm af te doen,' lokte Rosie, en ze trok het strikje los. 'Dan kan Yvonne nog even je haar borstelen voor we naar beneden gaan.'

Lisette knikte en vanuit haar ooghoek zag ze haar moeder binnenkomen in de slaapkamer ernaast. Ze greep haar nieuwe hoed van de plank om hem te laten zien.

'Wat allerliefst,' zei Collie, toen Rosie en Yvonne achter Lisette de slaapkamer binnenkwamen. 'En nu gauw je haar borstelen.' Ze keek Rosie met een liefdevolle blik aan. 'Wat ben je toch een schat. Je vergeet nooit een hoed voor haar mee te brengen.'

'Dat vind ik leuk. Het enige is – ze is er zo aan gewend dat ze er een krijgt, dat het geen verrassing meer voor haar is,' zei Rosie zachtjes.

Colette knikte. 'Ik weet het. We verwennen haar allemaal, wat die hoeden betreft. Maar het is zo'n lief kind, zo gehoorzaam en aardig. Ik heb nooit moeilijkheden met haar.'

'Ze is een stuk groter geworden, net als Yvonne. Ze lijkt veel ouder dan vijf. Zeven of acht, zou je haast zeggen.'

'Dat ligt niet alleen aan haar lengte en haar volwassen maniertjes, maar ook aan haar intelligentie,' legde Collie uit. 'Ze is heel snel en ze doet het uitstekend op school. Ze laat de andere kinderen in haar klas ver achter zich. En ze is niet bang, ze kan uitstekend voor zichzelf opkomen.'

'Net als haar moeder,' zei Rosie.

'Och, dat weet ik niet. De laatste tijd lukt het allemaal niet zo erg meer, vind je niet?'

Rosies gezicht werd ernstig. 'Voel je je niet goed, Collie?' vroeg ze, en ze liep op haar schoonzusje toe. Bezorgd legde ze een arm om haar heen.

'Ik voel me best. Nee, echt. Ik voel me op vele manieren een stuk beter, zelfs. Maar ik ben gauw moe, en ik heb de kracht niet om weer aan het werk te gaan.'

'Denk daar maar niet aan, op dit ogenblik. Misschien kan je volgend voorjaar je zilverwinkeltje weer openen. Het toeristenseizoen is nu toch voorbij en het château gaat pas in april weer open voor het publiek.'

'Ja, ik weet dat je gelijk hebt, maar… nou, ja – ik mis het zo. Je weet hoe dol ik ben op antiek zilver, met hoeveel plezier ik erin gehandeld heb, al die jaren.'

'Dat hoef je me niet te vertellen. Toen ik met Nell in Hollywood was heb ik Johnny Fortune ontmoet, de zanger. Hij heeft ons bij zich thuis uitgenodigd voor het diner, en hij heeft een schitterende collectie. Hij had twee fruitschalen van Paul Storr – om gek van te worden.'

'Ik ben klaar, mama.' Lisette kwam uit de badkamer gehold, waar Yvonne haar haar had geborsteld.

'Laten we dan maar gaan. Ik denk dat grootvader al op ons zit te wachten,' zei Colette, en schoof haar dochtertje voor zich uit, de deur uit. Op de gang zei ze tegen Rosie: 'Ja, je weet dat ik Paul Storr de mooiste Engelse zilversmid vind die er bestaat. Hoe zagen die fruitschalen eruit?'

Terwijl ze de monumentale trap afliepen vertelde Rosie haar alles over het prachtige zilver van Johnny Fortune.

20

Hoe zit dat met jouw vader en Kyra? Hebben ze ruzie gehad?' vroeg Rosie, zo dat de kinderen haar niet konden horen.

'Ruzie is misschien te veel gezegd,' zei Collie toen ze in de kleine salon een plaatsje gevonden hadden bij de open haard. Ze waren met z'n tweeën – de kinderen hadden zich voor de televisie geïnstalleerd in de andere hoek van de kamer. De anderen moesten nog komen.

Collie dacht even na en zei toen zachtjes: 'Ik denk dat je beter kunt zeggen dat ze het niet met elkaar eens waren. Waarom vraag je dat? Heeft vader er iets over gezegd tegen jou?'

'Ik vroeg hem hoe het met haar was, en hij wilde er niet op ingaan. Hij zei dat ze was vertrokken, en het leek wel of hij niet ècht wist of ze voor Kerstmis wel zou terugkomen of niet.'

'Ik hoop van wel. Vader is altijd veel gelukkiger als zij in de buurt is…'

'Wat is dan het probleem?' viste Rosie.

'Ik weet het niet precies, echt niet. Misschien heeft het iets te maken met… *Alexandre*.' Collie fluisterde, toen ze die naam uitsprak.

De twee vrouwen keken elkaar begrijpend aan. Een paar seconden zeiden ze geen van beiden iets, tot Collie dichter naar Rosie toeschoof en sotto voce mompelde: 'Ze doen altíjd moeilijk over Alexandre. Maar ze hebben mij geen van beiden in vertrouwen genomen, dus meer kan ik je echt niet vertellen. Om je de waarheid te zeggen, ik wou dat ze gingen trouwen, Rosie. Kyra houdt van mijn vader, ze houdt heel veel van hem, dat weet je net zo goed als ik. Ik probeer hem in die richting te duwen de laatste maanden – om met haar te trouwen – en ik dacht echt dat ik hem zover had dat hij haar zou vragen.'

'Je kunt een paard naar het water leiden, maar je kunt een paard niet laten drinken, om maar eens een cliché van stal te halen,' zei Rosie. 'Ik zou het ook heerlijk vinden als ze trouwden.'

'Wíe? Wie moet er trouwen?' Plotseling stond Guy in de deuropening.

Rosie keek over haar schouder. Ze wist hoe jaloers hij was op Kyra en ze wilde hem op geen enkele manier irriteren. Ad rem zei ze: 'Kevin en Nell. Ze hebben een verhouding, al meer dan een jaar. Ik zei net tegen Collie dat ik het heerlijk zou vinden als ze trouwden.'

'O, ja? Dàt is nog eens een interessante verbintenis – de erfgename en de smeris,' zei Guy met een kil lachje. Hij liep naar het dressoir waarop een blad met drank stond, pakte een fles wijn uit de koeler en schonk zichzelf een glas in.

Rosie bekeek hem eens aandachtig. Hij zag er moe uit, vond ze, met die wallen onder zijn ogen, die ze vroeger nooit van hem gezien had, die diepe groeven in zijn gezicht, van zijn neus naar zijn mondhoeken, en die grijze strepen in zijn donkere haar. Hij zag er veel ouder uit dan zesendertig, maar toch was hij nog steeds een knappe man, en er zat geen gram vet te veel op zijn lenige lijf.

Hij hield zijn lichaam in vorm, dat was duidelijk. Maar zijn geest… Zij wist dat hij geestelijk in de war was, dat hij emotioneel niet was opgewassen tegen het leven. Voor Rosie was hij het eeuwige jongetje, het verwende kind dat niet volwassen wilde worden. Hij was in zijn groei belemmerd. Hij had nooit voor zichzelf hoeven opkomen, hij had nooit innerlijke kracht ontwikkeld; daarom had hij niets om op terug te vallen als hij stuitte op weerstand of moeilijkheden.

Ja, hij wàs kinderlijk en verwend; hij was ook lui, hij wilde niet werken voor de kost en hij wilde zijn vader niet helpen bij het beheer van Montfleurie, wat een veel te zware taak was voor een man alleen. Rosie dacht vaak hoe jammer het was dat zijn moeder hem haar geld had nagelaten in een fonds. Nu had hij een eigen inkomen en hij kon min of meer doen en laten waar hij zin in had. Hij had zich buiten de maatschappij gesteld. En hij was ingepakt door allerlei wonderlijke oosterse goeroes, die een grote aantrekkingskracht uitoefenen op dwalers en zwakkelingen.

Gavin zei altijd dat Guy in het verkeerde stuk zat, en dat was ook zo. Hij was blijven steken in de jaren zestig, en hij kon niet voldoen aan wat er van een man gevraagd werd in de moeilijke jaren negentig, een tijd waarin de wereld op een dramatische manier verandert.

Guy liep naar de haard, hief het glas naar de beide vrouwen en zei: 'Santé.'

'Santé,' antwoordde Rosie.

Collie gaf zich niet eens de moeite te reageren. Ze zakte onderuit in haar stoel, zette haar glas op een bijzettafeltje en strekte haar handen uit naar de vlammen in de open haard.

'Heb je het koud?' vroeg Rosie. 'Zal ik een sjaal voor je halen?'

'Nee, nee, het is goed zo. Dank je, Rosie.'

'Ah, jullie zijn er allemaal al,' zei Henri, toen hij de salon binnenkwam. Hij liep naar het dressoir en schonk zichzelf een whisky in. Hij nam een slok, liet die genietend door zijn mond rollen en liep naar de anderen toe bij de haard.

Guy keek naar zijn vader, die tegen de schoorsteen leunde, en zei: 'Dat is niet helemaal waar, vader. We zijn er niet allemáál. Ik mis Kyra. Eindelijk eens.'

Er viel een doodse stilte.

Noch Rosie noch Collie dorsten iets te zeggen, en ze vermeden elkaars blikken. Rosie kromp ineen van binnen. Ze hield haar adem in, wachtend op de explosie.

Maar die kwam niet. Henri was zo verstandig de opmerking van zijn zoon te negeren. Hij nam een slok van zijn whisky en deed er het zwijgen toe.

'Waar ís de mooie Kyra eigenlijk?' vroeg Guy op gemaakt-vriendelijke toon. 'Ik dacht dat ze de laatste tijd bij het meubilair hoorde, hier in huis.'

Weer viel er een stilte, tot Henri tenslotte antwoordde. 'Kyra moest naar Straatsburg, naar haar zuster. Anastasia is ziek.'

'Wat denk je d'r aan te gaan doen – aan haar?' ging Guy door, terwijl zijn koolzwarte ogen strak op zijn vader gericht waren.

'Ik begrijp je niet... Wat bedoel je?' Henri's stem had een harde klank gekregen, en hij keek zijn zoon aan met een blik, die een waarschuwing inhield.

Dat ontging Guy, of hij sloeg er willens en wetens geen acht op. Hij zei:
'Je weet heel goed wat ik bedoel, vader. Ga je tróuwen met die dame?'
'Ik geloof niet dat jij daar ook maar iets mee te maken hebt!' viel Henri
uit. Plotseling glansde woede in zijn ogen.
'O, maar daar heb ik wel degelijk mee te maken,' sprak Guy tegen, met
een vals lachje.
'Hoor eens, Guy, ik ben niet van plan…'
'Vader, lúister eens een keertje als iemand iets tegen je zegt,' viel Guy
hem in de rede.
Rosie verstijfde. Zo'n grofheid! Haar adem stokte in haar keel.
Collie leunde achterover in haar stoel en keek haar broer met open mond
aan. Ze was geschokt door het gedrag van Guy omdat ze wist dat haar vader, die erg op goede manieren gesteld was, het zich vreselijk aan zou
trekken. Waarom wil Guy dat niet begrijpen, vroeg ze zich af, met stomheid geslagen door zoveel botheid en onwil.
Onbekommerd ging Guy verder: 'Ze is jong, mevrouw Kyra Arnaud, vijfendertig pas, ze zou dus nog best kinderen kunnen krijgen. Dat veronder-
stèl ik tenminste. Ikzelf zal daar wel nooit aan toekomen.' Hij wierp een
blik op Rosie en er verscheen een gemene grijns om zijn mond. 'Zeker
niet nu mijn vrouw en ik de laatste jaren een beetje van elkaar vervreemd
zijn. Laat ik het anders zeggen: het is niet waarschijnlijk dat ik legitíeme
nazaten zal krijgen, gezien de omstandigheden. Nu de zaken er zo voor-
staan kan ik me voorstellen dat je het geslacht Montfleurie voor uitsterven wilt behoeden door te hertrouwen en nog een zoon te verwekken. Hopelijk wòrdt het een zoon.'
Henri was furieus. 'Zo is het genoeg, Guy! Je bent schaamteloos en aan-
matigend! Dit is nóch de tijd nóch de plaats voor een dergelijk gesprek!'
De stem van de graaf klonk vast, ondanks zijn woede. Hij had zichzelf
volkomen in de hand. 'Daarbij, en dat heb ik je daarnet al gezegd: wat ík
doe gaat jou níets aan,' voegde hij er scherp aan toe.
Guy liet zich door die toon niet weerhouden om door te gaan. 'Natuurlijk
gaat het mij iets aan, vader. Als ik kinderloos sterf, zal dat het einde zijn
van het geslacht de Montfleurie.'
'Dat had je gedacht!' riep Collie boos. Ze ging rechtop zitten en keek
haar broer uitdagend aan. 'Denk je soms plotseling niet meer aan je kleine zusje? Volgens de Franse wet ben ik een volwaardig erfgename, net
als mijn dochter.'
'Ik ben nog niet dood!' kwam Henri tussenbeide. In één teug dronk hij

zijn glas leeg, zo ontzet was hij over wat hij daar allemaal hoorde. Met een korte beweging draaide hij zich om, liep naar het dressoir en schonk zich nog een whisky in, een dubbele dit keer. Inwendig kookte hij van woede.

In een poging de spanning die in de kamer hing wat te breken en om van onderwerp te wisselen zei Rosie, zomaar in het algemeen: 'Ik heb het komende jaar werk in Frankrijk.'

Collie viel haar meteen bij. 'Oh, dat is heerlijk, lieverd,' riep ze. 'Aan welke film ga je werken? Of wordt het een toneelstuk?'

'Nee, een film. Met Gavin.'

'*Naturellement*,' zei Guy, terwijl hij tegenover Collie in een stoel neerplofte.

Zonder op haar broer te letten vroeg Collie aan Rosie: 'Waar gaat de film over? Vertel eens.'

'Napoleon,' antwoordde Rosie. 'Gavin gaat…'

'*Mon dieu*! Wat een lef! Een Amerikáán die een film gaat maken over Napóleon. Belachelijk. Krankzinnig, gewoon. Hoe durft-ie! En ga me nou niet vertellen dat hij zichzelf de rol van de keizer heeft toebedacht.'

'Natuurlijk gaat hij de hoofdrol spelen,' zei Rosie kalm. Guy had haar al bijzonder geïrriteerd door de manier waarop hij tegen zijn vader had gesproken, nu werd ze nog bozer door de laatdunkende manier van praten en zijn bittere toon. Maar aan de andere kant was ze blij dat ze hem had weten af te leiden van het heikele onderwerp Kyra, dus ze hield wijselijk haar mond.

Guy begon te grinniken. 'Gavin Ambrose heeft in ieder geval een ding gemeen met Napoleon.'

Hij wachtte niet tot iemand zou vragen wat dat dan wel was, en ging door: 'Allebei kleine mannetjes. Napoleon was onder de maat, net als onze mega-ster.' Hij vond dat duidelijk erg grappig, want hij begon hardop te lachen.

Geen van de anderen zag er de humor van in. Collie zei koel en beheerst: 'Napoleon was een meter achtenzestig, en dat was helemaal niet zo klein voor die tijd. Toen was het zo'n beetje de gemiddelde lengte. Pas in de twintigste eeuw hebben we van die reuze-kerels gekregen.'

Rosie kon zich niet weerhouden te zeggen: 'Gavin is een-tweeënzeventig!'

'Ja, dat zal jíj wel weten,' kaatste Guy terug, terwijl hij een slok nam uit zijn wijnglas.

Henri was weer wat tot zichzelf gekomen en hij kwam terug naar de haard. Hij ging naast Rosie op de bank zitten en schonk verder geen aandacht aan zijn zoon. Hij zei: 'Fijn om te horen dat je volgend jaar niet zoveel op reis hoeft. Wanneer beginnen de opnamen?'

'O, pas over een maand of zes. Maar we moeten nu al beginnen met de voorbereidingen. Er moet van alles geregeld worden. Ik ga direct na nieuwjaar aan de gang. Ik moet me oriënteren, de kostuums van die tijd bestuderen. Daar ben ik eigenlijk al mee begonnen.'

'Waar wordt de film opgenomen?' vroeg Collie, die blij was dat Rosie en zijzelf Guy hadden kunnen afleiden van zijn onderwerp, het uitsterven van het geslacht De Montfleurie. Daar had hij het de laatste tijd dikwijls over, het leek wel of hij er steeds mee bezig was, sterker nog: of hij erdoor werd geobsedeerd.

'We beginnen met de studio-opnamen in Parijs,' vertelde Rosie. 'Later gaan we hopelijk op lokatie naar Malmaison. Als we daar toestemming voor krijgen, tenminste. En we draaien ook in andere delen van Frankrijk. Ik heb helaas het script nog niet gekregen. Als ik het gelezen heb, kan ik je er meer over vertellen.'

'Dat is een behoorlijke onderneming, nietwaar? Zelfs voor de grote Gavin Ambrose,' vroeg Guy op sarcastische toon.

'Helemaal niet.' Rosie klonk overtuigd, zelfverzekerd. 'Gavin is niet alleen één van de grootste filmacteurs van deze tijd, hij is ook een briljant regisseur en een geweldig organisator. Hij kan van íeder onderwerp een succesfilm maken, daar ben ik van overtuigd. Maar deze film gaat niet over het léven van Napoleon – het gaat maar over een bepaalde episode.'

'O, ja? Over welke periode dan?' vroeg Henri geïnteresseerd.

'De tijd dat hij tot keizer werd gekroond, vlak daarvoor en daarna.'

'Je bedoelt toen hij zichzèlf tot keizer kroonde, Rosie,' verbeterde Guy.

'Het was de wil van het Franse vòlk,' zei Collie met grote stelligheid, en ze wierp Guy een vernietigende blik toe. Het leek wel of haar broer er moedwillig op uit was zijn vader te kwetsen en pijn te doen, en ze begreep absoluut niet waarom. Hij had voor iedereen de avond al bedorven, moedwillig of niet.

'Onzin. Je weet wel beter,' sprak hij tegen, terwijl hij opstond om zichzelf nog een glas in te schenken. Bij het dressoir draaide hij zich om en beweerde: 'Napoleon was een tiran, geen haar beter dan Stalin of Hitler.'

Henri boog zich over naar Rosie en legde uit, als iemand die veel weet van de materie: 'Er zijn twee stromingen, als het gaat om de beoordeling van Napoleon Bonaparte. Velen zien hem als de redder van Frankrijk in een tijd dat het land op het punt stond ten onder te gaan; ze houden van hem, respecteren hem en bewonderen hem om alles wat hij bereikt heeft. Anderen moeten niets van hem hebben, wat naar mijn idee een beetje irrationeel is; ze zien hem als een despoot en een oorlogshitser. Maar als je de geschiedenis van die tijd goed bestudeert dan zie je dat veel van wat hij heeft gedaan goed was voor Frankrijk en de Fransen.'

'Noem jij al die oorlogen maar góed,' zei Guy op recalcitrante toon.

'Het waren voor het merendeel verdédigingsoorlogen,' zei Henri vlak, zonder te laten merken hoe kwaad hij was op zijn zoon. 'Oorlogen die Napoleon moest voeren om Frankrijk veilig te stellen.'

'Dat is niet waar,' begon Guy, 'Napoleon…'

'Dat zijn de feiten,' zei Henri kalm, en daarmee sloeg hij zijn zoon de argumenten uit handen. 'Ga maar naar de bibliotheek en kijk het maar na in de geschiedenisboeken, als je me niet gelooft. Je bent zeker vergeten wat je vroeger op school hebt geleerd.' En weer tot Rosie: 'In die tijd vormde Engeland een grote bedreiging voor Frankrijk, net als de meeste andere landen in Europa. Napoleon had weinig opties: hij móest wel ten strijde trekken om het gevaar van een invasie af te wenden. Dat had voor Frankrijk het einde betekend, mag ik wel zeggen.'

'Vader is een kenner van Napoleon en zijn tijd,' zei Collie, nog voordat Guy zich er weer mee had kunnen bemoeien. 'Een van onze grote voorouders, Jean-Manuel de Montfleurie, heeft in het leger van Napoleon gevochten tijdens de veldtocht in Egypte, en vanwege zijn grote dapperheid en moed heeft Napoleon zelf hem bevorderd tot brigadegeneraal. Later werd Jean-Manuel, een van de jongste zoons, zelfs maarschalk, na de slag bij Austerlitz.'

'Wat interessant,' zei Rosie. 'Dat heb ik nooit geweten.'

Henri lachte tegen haar. 'Hoe had je dat ook kunnen weten, lieve Rosie. Wij lopen niet op te scheppen over onze voorouders, en we hebben je nooit veel verteld over de geschiedenis van onze familie.' Hij lachte, en zij lachte met hem mee. De spanning was even verdwenen.

De graaf ging verder tegen Rosie: 'Ergens in die uitgebreide bibliotheek van ons vind je een hele collectie boeken over Napoleon en het keizerlijk tijdperk in Frankrijk. Ik zal morgen Marcel vragen een ladder uit de schuur te halen, dan kan hij de boeken voor je pakken. Er zitten heel interessante werken tussen en misschien vind je nog dingen die je kunt gebruiken – voor je kostuumontwerpen.'

'Dank je, Henri. Ik zal ze graag inkijken,' mompelde Rosie en ze glimlachte tegen hem. 'Allicht vind ik er dingen in waar ik wat aan heb.'

'Vader,' zei Guy. 'Mag ik je iets vragen?'

'Ja?' Henri keek naar zijn zoon, die in een stoel bij de haard zat.

'Is Kyra's kind van jou? Is Alexandre Arnaud echt jóuw zoon?'

Rosie bestierf het zowat. Ze voelde hoe de graaf, die naast haar zat, verstrakte. Hij kon zich ternauwernood bedwingen. Ze durfde hem niet aan
te kijken – daar had ze de moed niet voor.

Ook Collie was met stomheid geslagen. Ze hield zich doodstil en dorst
nauwelijks te ademen. Ze staarde in de vlammen en wachtte met droge
keel op wat komen ging. Haar broer was nu werkelijk over de schreef gegaan.

Henri wilde iets zeggen, maar slikte het weer in. Hij keek Guy alleen
maar in doodse stilte aan. Maar de uitdrukking op zijn gezicht sprak
boekdelen. Hij keek snel naar de andere kant van de kamer en tot zijn opluchting zag hij dat Lisette en Yvonne gespannen naar een spelletjespro-
gramma op de televisie zaten te kijken. Voor een keer was hij blij dat ze
zo aan het beeld gekluisterd waren. Er trok een zweem van opluchting
over zijn gezicht, dat ze de opmerking van Guy niet hadden gehoord.

Henri de Montfleurie zette zijn glas op het puntje van de tafel, stond op
en liep naar Guy toe, die leek terug te deinzen in zijn stoel.

Henri's gezicht was doodsbleek, maar uit zijn ogen spatte vuur. 'Sta op,'
zei hij op bevelende toon, toen hij voor zijn zoon stond.

Guy gehoorzaamde nerveus.

Henri deed nog een stap naar voren en keek zijn zoon strak aan. Zijn ogen
waren staalhard en hij sprak op lage, harde toon. 'Luister naar me, en
luister goed. Nooit zal jij ooit meer hier in huis de eer en reputatie van
een vrouw door het slijk halen, niet van Kyra Arnaud en niet van welke
andere vrouw dan ook. Nooit zal jij ooit meer onderwerpen aanroeren die
alleen voor volwassenen bestemd zijn, in het bijzijn van kinderen. En
nooit zal jij ooit meer proberen moeilijkheden te maken in deze familie.
Als je je niet aan deze regels kunt houden, die niets meer of minder zijn
dan doodgewone beleefdheid en goede manieren, dan kan je dit huis voor
eens en voor altijd verlaten. Nu direct. Ik zal dat gedrag van jou niet langer tolereren. Je bent geboren als aristocraat, als gentleman. Als je je niet
als zodanig kunt gedragen, dan kun je gaan.'

'Maar vader, alsjeblíeft... Het was niet mijn bedoeling jou of wie dan ook
kwaad te maken. Ik maak echt geen moeilijkheden, ik wil alleen met je

praten over bepaalde dingen. Ik wil er zeker van zijn dat het geslacht De Montfleurie wordt voortgezet, voor het geval mij iets zal overkomen. Dat is helemaal niet zo denkbeeldig – ik reis tenslotte veel. Ik probeer je alleen maar te helpen om…'

Guy hield op toen er op de deur werd geklopt. Iedereen keek om.

Langzaam zwaaide de deur open en het gezicht van Gaston verscheen in de deuropening. Hij deed een stap de kamer in.

Met licht gebogen hoofd kondigde hij aan: '*Monsieur le Comte… le dîner est servi.*'

'*Merci*, Gaston,' antwoordde Henri. 'We komen eraan.'

21

De week daarop kwam Kyra Arnaud terug in het Loire-dal.

Rosie ontdekte bij toeval dat ze thuis was. Ze was die vrijdagmorgen vroeg naar het dorp gegaan om een paar boodschappen te doen voor Collie en toen ze terugreed naar Montfleurie zag ze Kyra op het terras van haar huis.

Het kleine landhuis van grijze steen lag ver van de weg af, maar het was tegen een helling gebouwd en daarom kon je het duidelijk zien liggen tussen de bomen, die er in een halve cirkel omheen stonden. Kyra had van nature rood haar, een fel kastanjerood dat je op een afstand al ziet. De vrouw op het terras moest Kyra wel zijn, Rosie twijfelde daar geen moment aan. Het haar had haar verraden.

Ze reed door zonder te stoppen, want ze wilde Kyra niet lastigvallen door zomaar onaangekondigd bij haar aan te komen. Terug op het kasteel ging ze meteen naar boven, naar Collie.

Haar schoonzusje zat in een stoel bij de open haard kerstkaarten te schrijven. Ze droeg een zwarte trui, een grijze broek en een zwarte blazer. Ze keek op toen de deur openvloog en en haar gezicht lichtte op toen ze zag dat het Rosie was, die binnenkwam.

'Dat heb je vlot gedaan! Heb je lijm en lint kunnen vinden?' vroeg ze.

Rosie knikte. 'En ik heb nog iets anders gevonden ook. Of liever: iemand anders.'

Collie keek haar vragend aan. 'Wie?'

'*Kyra Arnaud*. Ze is terug!'

'Ben je haar in het dorp tegengekomen?'

'Nee. Ik zag haar op het terras bij haar huis, toen ik er op de terugweg langs reed.'

'Weet je zeker dat zij het was? Ze heeft een nieuwe huishoudster, een vrouw met een dochter. Die wonen allebei bij haar in.'

'Nee hoor, ik weet zeker dat het Kyra was,' antwoordde Rosie snel, terwijl ze haar loden cape afdeed en met haar rug naar de haard ging staan. 'Geen twijfel mogelijk. Al dat vuurrode haar.' Rosie keek naar Collie en grinnikte: 'Tenzij die huishoudster en haar dochter ook zo'n kastanjerode kop hebben.'

'Nee, dat niet,' antwoordde Collie. 'Dus het moet Kyra zijn. Ik vraag me af of vader weet dat ze weer terug is.'

Rosie haalde haar schouders op en schudde toen haar hoofd. 'Ik denk het niet. Als ze ruzie hadden toen ze wegging, waarom zou het dan nu plotseling weer goed zijn tussen hen?'

'Misschien hebben ze het uitgepraat door de telefoon,' suggereerde Collie. 'Hoe kunnen wij dat weten. Hij wil er met ons kennelijk niet over praten, en sinds afgelopen vrijdag heb ik haar naam niet meer durven noemen.'

'Ik ook niet. Ik was bang dat het zou werken als een rode lap op een stier. Ik kan me best voorstellen dat Guy er zaterdag tussenuit geknepen is. Hij heeft het deze keer behoorlijk verbruid.'

Collie zuchtte diep. 'Ik ben er nog steeds niet overheen, en jij ook niet, heb ik het idee. Ik verwonder me erover dat vader er zo rustig onder blijft…'

Plotseling brak er een lach door. 'Aan de andere kant – hij is altijd blij en opgewekt als jij hier bent, Rosie. En wat mijn broer betreft: dat is de grootste idioot die hier op het ondermaanse rondloopt. Ik sta nog steeds te trillen op mijn benen als ik eraan denk wat hij allemaal heeft durven zeggen.'

'Ik weet het. Maar hoor eens, lieve Collie – zullen we Kyra niet eens even gaan opzoeken en met haar praten? Als er iets vervelends is tussen jouw vader en haar, kunnen we dat misschien oplossen. Een vredesmissie, om het zo maar eens te zeggen.'

'Ik weet het niet…' Collie zweeg aarzelend. 'Ze stelt het misschien helemaal niet op prijs als wij ons ermee bemoeien. Ze is heel gevoelig op dat punt. Lichtgeraakt zelfs. En vader zal het ook niet leuk vinden als wij ons bemoeien met dingen die alleen hem persoonlijk aangaan.'

'Toen ik hier was in augustus kon jij er niet over uit dat kleine Alexandre zo op Lisette leek,' merkte Rosie op. 'Dat had ik zelf ook al gezien en ik ben er bijna zeker van dat die jongen een Montfleurie is.'

'Wie dat niet ziet is blind! Maar waar wil je naartoe?'

'Het is duidelijk dat jouw vader veel om Kyra geeft, heel veel zelfs, mag ik wel zeggen. Jij en ik – wij denken allebei dat Alexandre zijn zoon is, en nu Kyra gescheiden is van Jacques Arnaud is er geen enkele reden waarom die twee niet met elkaar zouden trouwen. Waar of niet?'

'Ja. Ik heb daar al een hele tijd op aangedrongen. Dat heb ik je laatst al gezegd.'

'Goed, wat let ze dan? Wat is dan het... het... beletsel?'

Collie schudde haar hoofd. 'Ik zou het absoluut niet weten.'

'Zou het kunnen zijn dat jouw vader niet met haar wìl trouwen?'

'Ik zou het heus niet weten, echt niet, Rosie.'

'Ik begrijp het. Of zou Kyra zelf misschien het beletsel zijn? Wil zij niet met Henri trouwen?'

Collie spitste haar lippen, maar ze zei niets. In gedachten staarde ze naar het plafond. 'Ik weet het gewoon niet.' Ze zuchtte. 'Mijn vader is natuurlijk veel ouder dan zij.'

'Niet zóveel ouder. Hij is drieënzestig, zij vijfendertig. Dat valt best mee, en hij ziet er jong uit voor zijn leeftijd. Het is een gezonde, energieke man.'

'Dat is allemaal waar wat je daar zegt, Rosie, maar ik snap nog steeds niet waar je heen wilt.'

'Hoor eens, Collie, jij en ik proberen uit te vissen wat hen ervan weerhoudt om met elkaar te trouwen. Daar zitten we nu al dagen over te dubben, en we komen geen stap dichter bij het antwoord. Omdat we niets wéten. We weten niet wat ze met elkaar besproken hebben, we weten zelfs niet precies hoe ze tegenover elkaar staan.'

'Nee, we zijn nu niet bepaald een stel vliegen aan de wand van de slaapkamer.'

'Zo is dat. Willen we iets te weten komen, dan zullen we moeten gaan praten met één van de hoofdrolspelers.'

Collie kreunde.

Rosie ging verder: 'Met jouw vader kunnen we niet praten. Ik zou niet durven, in ieder geval. Tenminste... ik denk het niet. Zou jíj erover willen beginnen met hem?'

'Van z'n levensdagen niet! Oh, nee, mij niet gezien!'

'Goed, dan zit er maar één ding op: we moeten met Kyra gaan praten. Dat is de andere hoofdpersoon.' Rosie keek zwijgend naar Collie. 'Waarom kijk je me zo aan? Ik heb altijd gedacht dat Kyra nogal aanspreekbaar was. Ze komt op mij heel vriendelijk over. En daarbij komt: jij bent toch altijd goed bevriend geweest met haar?'

'Ja.'

'Nou, waarom kijk je dan zo?'

'Omdat ik me een beetje geneer om met haar te praten over mijn váder. Ik zou het met haar niet graag hebben over hun relatie, zijn liefdesleven, zijn sèksleven nota bene!'

'Dat begrijp ik best, ja. Maar zij is de enige die een beetje licht op de zaak kan werpen. Behalve Henri dan, maar die hebben we net al uitgesloten.'

Collie knikte, maar ze zei niets.

Rosie liep naar het raam en keek met bedachtzame blik naar de rivier, daar beneden. Na een paar tellen draaide ze zich om en liep weer naar de haard. Ze leunde tegen de antieke schrijftafel en zei tegen Collie: 'Ik zal met haar praten. Maar wil je niet meekomen? Me een steuntje in de rug geven?'

'Natuurlijk!' riep Collie. 'Maar dan moeten we haar wel eerst opbellen om een afspraak te maken.'

'Het was niet mijn bedoeling zomaar plompverloren bij haar binnen te vallen,' zei Rosie met een vage glimlach. 'Bel haar maar en maak een afspraak, dan rijden we er samen heen. Hoe eerder hoe beter, denk ik. Waarom niet meteen vanmiddag?'

'Ja, waarom niet?' Zonder verder tijd te verliezen pakte Collie de telefoon en draaide het nummer.

22

Kyra Arnaud heeft iets koninklijks, stelde Rosie vast toen ze naar woorden zocht om de Russische vrouw te beschrijven.

Haar hele houding straalde een soort noblesse uit – het trots geheven hoofd, haar rechte rug, de manier van lopen. Kyra was fijngebouwd en boven de gemiddelde lengte, zo'n één meter tweeënzeventig, en hoewel ze niet mooi was in de klassieke zin van het woord, had ze toch een heel bijzonder gezicht. Mensen die haar zagen werden getroffen door haar elegante distinctie.

Haar gezicht was smal met hoge, platte jukbeenderen, een mooi, nogal breed voorhoofd, dunne wenkbrauwen boven grote, lichtende, grijze ogen die ver uit elkaar stonden.

Het meest opvallend was natuurlijk haar haar – dik, glanzend, met een natuurlijke golf, en van een heldere kastanjerode kleur. Die dag droeg ze het los, en het was of er een stralenkrans om haar gezicht lag. In een veel te grote gebreide trui in herfstkleuren, een bruine maillot en bijpassende suède laarzen ging ze rond met het dienblad. Ze bewoog zich uiterst gracieus en ontspannen door de kamer, de perfecte gastvrouw, een voorbeeld van een zelfverzekerde vrouw-van-de-wereld.

Het was zaterdagmiddag en Kyra schonk hete citroenthee in voor Rosie en Collie, die even daarvoor hun opwachting hadden gemaakt. Terwijl ze de glazen in de filigrain-zilveren houders volschonk vertelde ze over haar zuster Anastasia, die ziek geweest was.

'Ze heeft een blindedarmoperatie gehad,' zei Kyra, 'Maar gelukkig is nu alles weer in orde. Toen ze net uit het ziekenhuis kwam voelde ze zich tot niets in staat, daarom ben ik naar haar toegegaan.'

'Dat zei vader, ja,' mompelde Collie medelevend. 'Fijn dat het nu weer beter gaat met haar.'

'Dat vind ik ook.'

Kyra en Collie praatten nog een paar minuten verder over Anastasia en haar gezin, en over Olga, de andere zuster van Kyra, die nog niet zolang geleden naar New York verhuisd was.

Rosie leunde achterover in haar stoel. Ze luisterde maar met een half oor en ze vroeg zich af hoe ze het gesprek op Henri moest brengen, de reden waarom zij gekomen waren. Collie had gisteren de afspraak gemaakt, maar ze had niet gezegd waarom ze haar kwamen opzoeken, en Kyra had dat kennelijk ook niet gevraagd.

De avond daarvoor had Rosie erop gewezen dat Kyra, ook al zou ze willen praten over wat er mis gegaan was in haar relatie met Henri, misschien niet de waarheid zou zeggen. Collie was het daar niet mee eens geweest – ze had omstandig uitgelegd hoe goudeerlijk Kyra was, soms op het botte af. Nee, als Kyra iets zou zeggen, zou het ook de waarheid en niets dan de waarheid zijn.

Op de achtergrond klonk muziek – een weinig gespeeld werk van Rachmaninov. Rosie kende dit concert en de muziek stelde haar op haar gemak. De zonnige kamer was niet groot en niet klein, de openslaande deuren kwamen uit op het terras en de tuin. De inrichting was een beetje uit de losse pols gedaan, een mengelmoes van Franse en Engelse antieke meubels met daartussen spullen van de vlooienmarkt en dingen die Kyra links en rechts had opgepikt tijdens haar reizen. Het geheel ademde een soort artistieke charme: rommelig, maar warm en gezellig.

Rosie had Kyra altijd erg aardig gevonden, en dat was ook het eerste dat nu weer bij haar opkwam, toen zij de vrouw met zoveel liefde over haar zusters hoorde praten. Ze was de dochter van een Russische diplomaat die in 1971 naar het westen was uitgeweken – Kyra was toen vijftien. Haar vader was attaché geweest van de Russische ambassade in Washington toen hij politiek asiel had gevraagd voor zichzelf, zijn vrouw en zijn drie dochters. De regering van de Verenigde Staten had hem onmiddellijk in bescherming genomen en ze waren verhuisd naar het midden-westen, waar ze leefden onder een valse naam.

Toen haar vader na een korte ziekte in 1976 overleed was Kyra met haar moeder en haar beide zusters naar Frankrijk gegaan, waar haar moeder nog familie had wonen. Op haar zevenentwintigste was Kyra met Jacques Arnaud getrouwd, een bekend schilder, een moderne impressionist, maar al na een paar jaar was het misgegaan. Ze had Parijs vaarwel gezegd en was naar het Loire-dal gekomen, waar ze in 1986 het oude stenen land-huis had gekocht.

Veel van dat verhaal had Rosie van Collie gehoord, de rest had ze van Kyra zelf. Rosie had de Russische vrouw niet zo vaak ontmoet, maar in haar hart had ze een warm plekje voor Kyra.

'Maar goed, ik ben donderdagavond teruggekomen,' hoorde Rosie, toen ze zich weer concentreerde op het gesprek. Ze ging wat rechter op haar stoel zitten en keek Kyra aan.

Aarzelend ging Kyra verder: 'Ik weet nog niet precies hoelang ik blijf. Maar het zal niet lang zijn.'

'Waarom niet?' riep Collie verwonderd, haar gezicht een groot vraagteken.

Kyra gaf geen antwoord.

Rosie zei: 'Wil je zeggen dat je niet hier bent voor Kerstmis?'

'Ja, dat klopt,' antwoordde Kyra. 'Er is hier voor mij niet veel te doen, en voor Alexandre ook niet. Ik kan beter teruggaan naar Straatsburg, naar mijn zuster en haar gezin. Mijn moeder is daar ook en Olga komt over uit New York.'

'Je zegt dat er voor jou niet veel te doen is met Kerstmis, maar dat is niet waar,' zei Collie. Ze leunde voorover en legde haar hand met een liefde-vol gebaar op Kyra's arm. 'Je kunt toch bij òns komen? Net als altijd, de laatste jaren.'

Kyra schudde haar hoofd. 'Nee, dat gaat niet.'

Even was het stil.

Rosie besloot er maar meteen op in te gaan. 'Zijn er moeilijkheden, Kyra? Tussen jou en Henri?'

Weer was er een gespannen stilte.

Rosie drong aan: 'Is dat soms de wáre reden waarom je naar Straatsburg wilt?'

'Min of meer,' bekende Kyra met een vage glimlach.

'Kunnen we niet helpen die moeilijkheden uit de weg te ruimen?' vroeg Rosie.

Kyra schudde haar hoofd.

Collie zei: 'Daarom zijn we gekomen. Rosie en ik begrepen dat er iets aan de hand was, en we wilden, zeg maar als VN-ambassadeurs, een vredesoverleg op gang brengen. Jullie moeten tot een vergelijk komen, en daar willen we graag bij helpen. We hebben allebei gevoeld dat er iets mis was tussen jou en vader, en toch geven jullie heel erg veel om elkaar.'

'Dat is waar, dat doen we ook, maar ik denk niet dat er nog iets te redden valt.'

'Waarom niet?' Rosie hield haar blik vast. 'Als je van iemand houdt en hij houdt van jou, is er altijd van alles te redden.'

'Daar heeft Rosie gelijk in,' viel Collie haar bij. 'Vader geeft heel veel om je, hij hóudt van je, Kyra, dat weet ik. Ik dacht zelfs dat hij je ten huwelijk zou vragen, daar heb ik al een hele tijd bij hem op aangedrongen. Maar ik begrijp dat al mijn inspanning voor niets is geweest.'

'Dat is niet waar,' zei Kyra zachtjes. Collie zag aan haar ogen dat ze volkomen open en eerlijk was. 'Hij hééft me gevraagd... min of meer...'

Collie keek haar niet-begrijpend aan. 'Wat wil je daar precies mee zeggen?'

'Hij zei dat we er eens over moesten nadenken onze relatie een meer permanent karakter te geven, maar hij is niet op zijn knieën gevallen om me op de traditionele manier om mijn hand te vragen. Hij heeft het woord ''huwelijk'' zelfs niet genoemd.'

'Maar jij begreep precies wat hij bedoelde, nietwaar?' mompelde Collie.

'Natuurlijk. Ik wil geen spijkers op laag water zoeken. Maar toen ik niet meteen já zei, toen ik er niet op inging, trok hij zich onmiddellijk terug. Hij mompelde iets van dat hij toch te oud was voor mij, dat achtentwintig jaar toch een te groot leeftijdsverschil was en dat hij wel gek moest lijken te denken dat ik me zou binden aan een oude man als hij. Hij is weggelopen, nog steeds mompelend dat hij een oude gek was.'

'Je had hem achterna moeten gaan, Kyra,' wees Rosie haar zachtjes terecht. 'Je had hem moeten zeggen dat je met hem wilde trouwen, dat het leeftijdsverschil niet belangrijk was. Dat was toch wat hij wilde horen?'

'Ik denk het wel, achteraf gezien.' Er trok een sombere wolk over Kyra's gezicht en ze beet op haar lip.

'Wanneer was dat eigenlijk?' vroeg Collie.

'Vlak voordat ik naar Straatsburg ging.'

'En dat is de eigenlijke reden waarom je gegaan bent?'

'Gedeeltelijk. Anastasia wílde graag dat ik naar haar toe zou komen, natuurlijk, maar mijn moeder was al bij haar. Maar het was een goed excuus om er even tussenuit te gaan. Ik had het gevoel dat ik alleen moest zijn, ik wilde even nadenken, wat afstand nemen van Henri.'

'Maar waarom heb je vader dan niet gebeld vanuit Straatsburg? Waarom heb je niet gezegd dat je met hem wilde trouwen?'

Kyra keek naar Collie en schudde haar hoofd. Haar gezicht was gesloten, zonder emotie. Ze leunde achterover op de bank en sloot een paar seconden haar ogen, terwijl ze diep ademhaalde. Toen stond ze op, liep naar het raam en keek naar buiten met plotseling vochtige ogen. Vaag en vervormd zag ze de bomen door haar tranen heen. Er zaten geen bladeren meer aan de takken, het gras had te lijden van de vorst en de planten op het terras waren verdroogd. Haar tuin zag er in de winter altijd doods en verloren uit. Zo voelde ze zich ook. Verloren, treurig en verdrietig. Ze dacht aan Henri de Montfleurie en haar keel werd dichtgeknepen; haar gevoelens lagen de laatste tijd erg aan de oppervlakte. Ze wist dat Henri net zoveel verdriet had als zij, omdat ze van elkaar hielden, maar ze kon niets doen om hem te helpen. Of om zichzelf te helpen.

Ze zuchtte diep, veegde met haar vingers de tranen van haar gezicht en keerde zich om. Langzaam liep ze terug naar de haard, waar Collie en Rosie zaten. 'Ik heb hem niet gebeld omdat ik niet met hem wil trouwen,' loog ze.

Collie wist niet wat ze hoorde. Even was ze met stomheid geslagen. Toen ze haar stem weer had teruggevonden riep ze: 'Dat kan ik nauwelijks geloven, Kyra! Je houdt van vader, dat heb je met zoveel woorden toegegeven.'

'Ja,' zei Kyra. 'Ik hou ècht van hem. Maar soms is liefde alleen niet genoeg om over bepaalde obstakels heen te komen.'

'Je hebt het nu over het leeftijdsverschil?' zei Rosie.

'Nee.'

'Nou, wat zijn er dan voor... beletselen... Waarom zou je niet kunnen trouwen met Henri de Montfleurie?' vroeg Rosie, terwijl ze Kyra oplettend aankeek.

'In praktische zin staat ons niets in de weg. Ik ben gescheiden van Jacques.'

'Maar er ís een beletsel,' riep Rosie, met een scherpe blik naar Kyra. 'Dat begrijp ik tenminste uit je opmerking.'

Kyra schudde haar hoofd, alsof ze voor zichzelf iets wilde ontkennen. Toen liep ze opnieuw naar het raam. Ze bleef niet staan om naar buiten te kijken, zoals eerst, maar ze draaide zich om en liep terug naar de haard, en toen weer naar het raam. Zo liep ze een poosje heen en weer, met een onbewogen gezicht, kalm bijna, maar haar grijze ogen stonden gespannen en onrustig.

Tenslotte stond ze stil tegenover Collie en Rosie. Ze haalde diep adem en zei snel, staccato: 'Goed. Goed, ik zal jullie de waarheid vertellen. Ik wil graag trouwen met Henri. Maar ik kan niet. Ik ben bang voor Guy. Hij weet iets van me. Een geheim. Als ik met Henri trouw zal hij het hem vertellen. Om hem te kwetsen. Om hem pijn te doen. Dat zou ik niet kunnen verdragen. Daarom moet ik weg.'

Collie en Rosie, die allebei op het puntje van hun stoel zaten, keken haar aan.

Collie vroeg dringend: 'Wat voor geheim dan? Wat weet Guy van je, Kyra?'

Kyra wilde hen in vertrouwen nemen, maar ze kon niet. Ze was haar zenuwen niet langer de baas.

23

Twee paar ogen, een stel blauwe en een stel groene, waren op Kyra gericht en zij kromp ineen onder die ernstige en kritische blikken.

Een paar seconden keek ze terug naar Collie en Rosie, toen draaide ze zich om bij de haard en staarde in de heldere vlammen, haar hand op de schoorsteenmantel.

Haar gedachten dreven rond; ze begreep absoluut niet waarom ze zo gek geweest was om tegen hen iets te vertellen over haar geheim. Het zou veel beter geweest zijn als ze haar mond had gehouden of als ze een paar leugens had opgedist. Alles zou beter geweest zijn dan te bekennen dat er een beletsel was, zoals Rosie het noemde.

'Jouw geheim kan nooit zó erg zijn,' zei Rosie.

Kyra schrok en het koude zweet brak haar uit. Ze probeerde zich te beheersen, haar gedachten weer op een rij te krijgen.

Na een poosje draaide ze zich om, langzaam, heel langzaam, en keek naar Rosie, die op de bank zat.

De twee vrouwen wisselden een lange, indringende blik. Toen zei Kyra zachtjes: 'Het is héél erg.'

'Vertel ons alsjeblieft wat Guy van je weet, Kyra,' vroeg Collie dringend.

'Wat je ook zegt – mijn gevoelens tegenover jou zullen er niet door veranderen. Rosie en ik vinden je aardig, we geven heel veel om je, en mijn vader hóudt van je.'

Kyra zweeg. De gedachten raasden door haar hoofd, ze wist niet wat ze moest doen en, belangrijker nog, wat ze moest zèggen tegen hen. Líegen, dat was het antwoord. Ze moest hen een paar leugens vertellen – met de waarheid kon ze absoluut niet aankomen.

Rosie leunde naar voren, haar ellebogen op haar knieën. 'Onze hele familie weet dat Guy een vervelende onruststoker is. Niemand trekt zich veel van hem aan, of van wat hij doet en zegt.'

'Ik denk dat Henri zich dit wel degelijk aan zou trekken,' antwoordde Kyra snel.

'Hoe dan ook, hoe weet Gúy iets van jouw geheimen?' Collie schudde haar hoofd. 'Ik bedoel – hoe is hij daarachter gekomen?'

'Hij is er een deel van,' zei Kyra, en op hetzelfde moment had ze haar tong wel willen afbijten. Ze had al veel te veel gezegd en ze kroop tegen de schoorsteenmantel aan in een poging haar lichaam in bedwang te houden, want ze voelde dat ze begon te trillen.

Rosie, die heel goed zag dat Kyra verschrikkelijk in de war was, zei op de allervriendelijkste toon: 'Als ik jou was, zou ik hem voor zijn en het zelf aan Henri vertellen. Waarom doe je dàt niet?'

'Ik zou het niet kùnnen!' riep Kyra, haar grijze ogen groot van angst.

'Waarom probeer je het dan niet met ons? Collie en ik zijn niet hier om over je te oordelen, maar om naar je te luisteren en om je te helpen. En je kunt ons vertrouwen. Waarom vertel je je geheim niet aan òns, Kyra. Kijk wat wij ervan vinden en dan kunnen we sámen besluiten wat we eraan moeten doen. Drie weten meer dan één.'

'Ja, dat is een geweldig idee,' viel Collie haar bij, en ze voegde eraan toe: 'Guy staat bij vader niet erg hoog aangeschreven, al heel lang niet, maar dat zal je zeker zelf ook wel weten. Mijn vader luistert niet meer naar zijn opvattingen. Hij heeft geen respect meer voor Guy, al jaren niet meer.'

Kyra stond bij de haard, zwijgend, haar woorden wikkend.

'Vooruit, we weten dat je nooit iemand hebt vermóórd, dus hoe erg kan het nu helemaal zijn?' riep Rosie bemoedigend. 'Kom op, Kyra – heb een beetje vertrouwen in ons. Misschien kunnen we je helpen. Misschien kunnen we een oplossing vinden voor je probleem.'

Kyra keek van Rosie naar Collie en voor ze het wist flapte ze eruit: 'Het zou voor jou ook pijnlijk kunnen zijn, Rosie. Weet je…' Toen hield ze abrupt op.

Rosie keek haar indringend aan. 'Wat bedoel je?'

Ik heb me te veel blootgegeven, dacht Kyra. Ik had hier nooit aan moeten beginnen. Maar nu moet ik doorgaan, ik kan niet meer terug. En misschien is dat ook maar het beste. Misschien moet het er maar eens uit.

Langzaam, zoekend naar woorden, begon ze: 'Ik kwam hier wonen in 1986, en één van de eerste mensen waar ik kennis mee maakte, Collie, was jouw tante, Sophie Roland. Die heeft me toen een beetje onder haar hoede genomen en in september, zo'n maand of vier nadat ik haar voor het eerst had ontmoet, stelde ze me voor aan Guy. We waren in Monte Carlo allebei uitgenodigd voor hetzelfde feest.'

Kyra voelde hoe haar mond droger werd naarmate ze bij het cruciale punt kwam. Ze keek Rosie in de ogen. 'Hij vertelde me die avond dat hij van jou was vervreemd. In feite zei hij dat jullie gescheiden waren, dat je hem had verlaten en dat je teruggegaan was naar Amerika…'

'Ik werkte toen aan een film in Canada,' viel Rosie haar in de rede.

'Daar ben ik later achtergekomen, ja.' Kyra wist nu helemaal niet meer hoe ze verder moest gaan en ze zei vlug: 'Ik meen het echt… Ik hoop dat mijn verhaal je niet zal schokken, Rosie, maar…'

'Absoluut niet, Kyra, echt niet. In september 1986 wáren Guy en ik van elkaar vervreemd. Dat stuk van zijn verhaal was in ieder geval waar.'

Kyra knikte. 'Om kort te gaan: Guy vroeg me naar mijn telefoonnummer hier en dat heb ik hem gegeven. Een week later, toen we weer terug waren uit het zuiden van Frankrijk, heeft hij me gebeld. Vanaf die tijd zagen we elkaar regelmatig. Het begon allemaal onschuldig genoeg, wat mij betreft tenminste. Ik woonde niet meer bij Jacques, de scheiding was aangevraagd, en ik voelde me alleen. Ik was blij dat ik nieuwe vrienden had gevonden, zoals Sophie en Guy. En Guy legde er ook de nadruk op dat hij een vrij man was, zoals hij het uitdrukte. Ik geloofde hem, natuurlijk. Waarom ook niet? Maar we kwamen de daaropvolgende maanden steeds dichter bij elkaar.'

'Hij heeft je nooit meegenomen naar Montfleurie,' mompelde Collie. 'Dat dorst hij natuurlijk niet.'

Kyra knikte. 'Dat begrijp ik nu, achteraf, nu ik weet hoe geliefd Rosie is bij iedereen. Maar toen vond ik het gek – hij had toch gezegd dat hij een vrij man was, dat zijn vrouw hem had verlaten. Toen ik dat tegen hem zei hing hij een verhaal op over zijn vader, die er nogal ouderwetse denkbeelden op nahield.'

Rosie en Collie wisselden begrijpende blikken, maar ze zeiden niets.

Kyra keek naar hen, draaide toen haar hoofd af en staarde naar de muur. Na een poosje slikte ze en zei: 'We werden verliefd en het werd een beetje ingewikkeld allemaal...'

'Je bent met hem naar bed geweest,' zei Rosie effen. 'Dat is het toch wat je ons probeert te vertellen, Kyra? Je hebt een verhouding gehad met Guy.'

Kyra beet op haar lip. 'Ja. Maar het duurde maar kort. En we zijn maar een paar keer met elkaar naar bed geweest.'

Een vragend fronsje verscheen op Rosies voorhoofd. 'Is dàt nou het grote geheim?'

'Ja.'

Collie begon te grinniken. 'Ik geloof niet dat dat nou zoiets verschrikkelijks is,' zei ze. 'Ik weet zeker dat vader daar niet erg van ondersteboven zal zijn.'

'Dat denk ik wel.'

'Nou, ik in ieder geval niet, en ik ben nog wel de vrouw van Guy. Ik ben met hem getrouwd, al is het alleen maar in naam.' Rosie lachte Kyra bemoedigend toe. 'Hoe lang heeft die verhouding geduurd?' vroeg ze, al was ze niet erg geïnteresseerd in het antwoord.

'Niet lang. Misschien drie maanden, al met al. Guy had al gauw geen belangstelling meer toen we... met elkaar geslapen hadden. Hij is naar India vertrokken, zoals jullie weten.'

'Hij is toen in twee jaar één keer een week thuis geweest,' merkte Collie op. 'En in die tijd heb je mijn vader ontmoet.'

'Ja. We zijn heel goede vrienden geworden, weet je nog, Collie? We hadden veel gemeenschappelijke belangstellingen en we konden het heel goed met elkaar vinden. De vriendschap werd dieper en veranderde – het werd voor ons allebei verschrikkelijk belangrijk, en we realiseerden ons plotseling dat we verliefd waren geworden op elkaar. Ik wist toen dat ik hem meteen over Guy moest vertellen, maar dat heb ik niet gedaan. En toen we eenmaal verliefd waren, had ik er eenvoudig de moed niet meer voor. Ik denk dat ik bang was hem te verliezen.'

'Je kunt het hem nú vertellen, vandaag, en ik garandeer je dat je hem niet zult verliezen, Kyra,' stelde Collie haar gerust. 'Ik ken mijn vader, hij is intelligent, meelevend en begrijpend. Hij is een man van de wereld, hij heeft veel gezien en meegemaakt, en hij is wijs en humaan. Echt, hij zàl het begrijpen. En tenslotte: je kende vader helemaal niet toen je Guy ontmoette.'

'Ik weet niet wat ik moet doen... Ik ben bang...' Hulpeloos keek Kyra naar Collie.

Rosie mompelde bedachtzaam: 'Jij gaat ervan uit dat Guy zijn vader zal vertellen over die oude relatie, als je met Henri trouwt. Maar misschien doet hij dat wel helemaal niet.'

'Ach, schei toch uit, Rosie! Natuurlijk doet hij dat!' riep Collie verhit. 'Ik ken mijn broer toch. Hij doet niets liever dan onrust stoken. Geef hem maar niet het voordeel van de twijfel, alsjeblíeft niet!'

'Collie heeft gelijk, Rosie,' zei Kyra. 'Ik kan je vertellen dat hij weer avances maakte, toen hij uit India terugkwam en merkte dat er iets was tussen zijn vader en mij. En dat terwijl híj me had laten zitten! Zo staan de zaken, en het is goed dat je het weet, want jij bent tenslotte zijn vrouw. Guy wil altijd wat hij niet krijgen kan. Voor hem is het gras altijd groener aan de andere kant van de schutting. Misschien dat hij daarom zo achter de vrouwen aanzit. Alles verveelt hem binnen de kortste keren, en daarom is hij altijd op zoek naar nieuwe prikkels.'

Rosie knikte bevestigend. 'Dat heb ik me ook gerealiseerd. En ik denk dat het met ons huwelijk ook zo gegaan is. Binnen een jaar had hij het wel gezien, wilde hij met andere vrouwen slapen. Ik moest verder bouwen aan mijn carrière, niet alleen omdat ik dol ben op mijn werk, maar ook omdat we het geld nodig hadden. Hoe dan ook, hij kreeg kans genoeg voor slippertjes, omdat ik zo dikwijls van huis was.'

'Dat is maar al te waar.' Kyra schudde haar hoofd. 'Guy is in vele opzichten een vreemde, ondoorgrondelijke man. Maar dit weet ik wel: hij houdt meer van de jacht dan van de buit, en daarom zal hij nooit gelukkig worden met één vrouw.'

'Daar hadden we het niet over,' zei Collie streng. 'Laten we verder gaan. We zijn het er dus over eens dat Guy het zijn vader zal vertellen, alleen maar om hem te kwetsen – dat is nu eenmaal zijn aard. Dus, Kyra: jij moet hem voor zijn.'

'Wat bedoel je?'

'Je moet naar Henri toegaan en het hem zelf vertellen. Wat heb je te verliezen? Je had vader al opgegeven, vanwege je geheim.'

'Dat is waar.'

'Goed. Kom mee dan!' Collie stond op.

'Nú? Jullie willen dat ik het hem nú vertel?'

'Natuurlijk, dan heb je het maar achter de rug. Rosie en ik gaan met je mee, dan heb je wat morele steun,' zei Collie.

'Ik wil Guy niet tegen het lijf lopen,' mompelde Kyra.

'Die is er niet. Vader heeft hem verleden week de waarheid gezegd, en toen is meneer vertrokken naar Parijs,' legde Collie uit.

Ook Rosie stond op. 'Je rijdt met ons mee naar Montfleurie, dan breng ik je ook weer terug. Dus trek je jas aan, voordat je je bedenkt, of voordat je niet meer durft.'

Ze loodsten haar de gang op. Kyra protesteerde, maar haar verzet was zwak…

De drie vrouwen kwamen Henri de Montfleurie tegen in de grote ontvangsthal van het château. Hij was verbaasd Kyra te zien, want hij dacht dat ze nog in Straatsburg was, maar de verraste blik in zijn ogen maakte onmiddellijk plaats voor blijdschap.

'Kyra, lieverd,' zei hij warm, en hij kwam met uitgestrekte armen op haar toe. Hij nam haar handen en kuste haar op beide wangen.

'Hallo, Henri,' zei ze.

'Kyra wil u iets vertellen, vader,' kondigde Collie aan. Ze vatte de koe bij de horens, vastbesloten dit zo spoedig mogelijk af te handelen.

'Ze wil uitleggen waarom ze wèrkelijk naar Straatsburg is gegaan. We laten jullie nu even alleen, dan kunnen we straks misschien samen wat drinken.' Ze richtte haar blik op Kyra. 'En als je wilt kan je blijven eten, Kyra.'

Zonder op het antwoord van Kyra te wachten greep Rosie haar schoonzusje bij de hand en trok haar mee. 'Ik wil het kerstdiner met je bespreken. Ga mee.'

'Ja, dat kunnen we mooi nu even doen,' zei Collie, en ze vluchtten samen weg.

Henri nam Kyra mee naar zijn werkkamer aan de achterkant van het château. Hij wees op een stoel bij de open haard. 'Ga hier maar zitten, lieve Kyra. Je ziet er verkleumd en doodmoe uit.'

Zonder een woord te zeggen zeeg ze dankbaar neer in de zachte kussens. Hij was altijd zo vriendelijk en voorkomend, de aardigste man die ze ooit gekend had. Ze liet hem niet los met haar blik, toen hij tegenover haar ging zitten, achterover leunde en zijn benen over elkaar sloeg.

'Nou, liever, waar gaat het om? Collie en Rosie leken wel een stel samenzweerders, en ze waren in een opgewonden stemming.'

Kyra besefte dat ze de situatie maar op één manier aankon: ze moest het nu zo snel mogelijk zeggen, voordat de moed haar in de schoenen zou zinken. En dat deed ze dan ook. Ze legde alles uit, net zo als ze het aan Collie en Rosie verteld had. Ze sloeg niets over, ze vergat geen enkel detail, al had ze hier en daar moeite de juiste woorden te vinden.

Toen ze eindelijk aan het eind van haar verhaal gekomen was, besloot ze: 'Zie je, daarom ben ik naar Straatsburg gevlucht. Ik heb de ziekte van Anastasia als excuus gebruikt, want ik wist dat Guy alles zou vertellen over onze verhouding, als ik met je zou trouwen. Alleen maar om jou te kwetsen. En dat zou ik niet kunnen verdragen, Henri. Net zomin als ik het idee zou kunnen verdragen dat jij min over me zou denken.'

'Maar dat wist ik allemaal al, wat je me daar opbiecht. Ik heb het altijd al geweten, lieve Kyra,' zei Henri teder. Hij lachte. 'Guy heeft me dat vier jaar geleden al verteld, toen hij even terug was uit India en ontdekte dat wij een warme, liefhebbende relatie hadden. Net voordat hij weer voor een jaar op reis ging heeft hij het me omstandig uit de doeken gedaan. Hij kón het niet voor zich houden.'

Kyra was met stomheid geslagen. 'Maar… maar… daar heb je nooit iets over gezegd,' stamelde ze.

'Waarom zou ik?' vroeg Henri. Hij leunde naar voren en nam haar hand in de zijne. 'Hij vertelde dat jullie een verhouding hadden gehad, en ik merkte dat het me niets deed, dat het absoluut niets uitmaakte. Het enige wat belangrijk was, was jíj. Wíj. Een man voelt het als een vrouw echt van hem houdt, Kyra, en ik wist zonder een spoor van twijfel dat jij echt van me hield. Meer wilde ik niet, meer had ik niet nodig.'

'Ik begrijp Guy niet… Hij is zo… gemeen…' Haar stem stokte.

'Hij kan het niet verdragen als andere mensen gelukkig zijn,' zei Henri. 'Hij is een spelbreker geworden. Ik weet niet waarom ik nu zeg gewòrden. Hij is altijd al zo geweest – jaloers, kwaad, verbitterd, terwijl hij daar toch geen enkele reden voor had. Ik heb de afgelopen week veel over hem nagedacht, en als ik zo terugkijk realiseer ik me dat hij altijd al een slappeling is geweest.' Henri zuchtte en schudde bedroefd zijn hoofd. 'Hij is dan wel van goede komaf, maar hij heeft geen karakter, geen ruggegraat. Hij is altijd jaloers geweest op Collie, en hij was jaloers op mijn verhouding met zijn moeder. Daarom zit die rivaliteit zo diep, die rivaliteit tegenover mij, bedoel ik.'

'Ik denk dat je gelijk hebt, Henri.' Ze zweeg even en zei toen zachtjes: 'Het spijt me dat ik je verdriet heb gedaan. Vergeef me, alsjeblieft.'

'Er valt niets te vergeven. Ik heb nooit slecht over je gedacht.'

Kyra keek Henri lang aan. 'Je kunt zeggen wat je wilt, maar ik had je meteen bij onze eerste ontmoeting van Guy moeten vertellen, nog voordat we vrienden werden. Het was verkeerd van me, het plaatste jou in een verkeerde positie. Dat ik mijn verhouding met jouw zoon voor jou verzweeg was liegen… door de waarheid niet te vertellen.'

Henri de Montfleurie reageerde niet. Hij zat te kijken naar Kyra Arnaud, haar gezicht te bestuderen. Haar ogen weerspiegelden haar liefde voor hem, en hij dacht aan de wanhoop die hij de afgelopen weken had gevoeld omdat ze was weggegaan, en hij wist dat ook zij geleden had. Nu was de tijd gekomen om een einde te maken aan de pijn. Hij hield van deze vrouw; hij wilde haar bij zich hebben voor de rest van zijn leven. Hij stond op en liep naar haar toe.

Hij boog zich over haar stoel en kuste het gezicht, dat zo verlangend naar hem was opgeheven.

'Wil je met me trouwen Kyra? Wil je mijn vrouw worden?'

'Oh, ja, Henri, ja!'

Er trok een lach over zijn gezicht en hij kuste haar nog eens, voordat hij haar uit de stoel omhoog trok. 'Als we die twee fantastische bemoeials eens gaan zoeken, en hen het goede nieuws vertellen?'

Rosie en Collie waren in de kleine zitkamer en ze keken verwachtingsvol op toen Henri en Kyra binnenkwamen. En aan hun lachende gezichten zagen ze meteen dat alles weer goed was tussen hen.

'Het is in orde!' riep Rosie. 'Het stráált gewoon van jullie gezichten af!'

'Jullie gaan trouwen!' juichte Collie. Ze sprong op hen af.

'Ja, we gaan trouwen, godzijdank,' zei Henri lachend. De spanning waarin hij de afgelopen weken had geleefd was volledig verdwenen.

'Hij wist het,' zei Kyra, en ze keek van Collie naar Rosie. 'Guy heeft het hem vier jaar geleden al verteld.'

Rosie en Collie wisten niet wat ze hoorden en hun mond viel open van verbazing. 'Dus al die hartepijn was voor niets,' zei Collie kwaad.

'Sst, lieverd,' suste Henri. 'Laat je nu niet van streek maken door Guy. Dat is hij niet waard. En nu moet ík jou en Rosie iets vertellen. Kleine Alexandre is mijn zoon. Als Kyra en ik eenmaal getrouwd zijn zal ik hem officieel erkennen. Dan krijgt hij mijn naam en dan zitten we weer op het rechte pad.'

Collie liep op haar vader toe en omhelsde hem.

Henri sloeg zijn armen om haar heen. 'Mijn lieve dochter,' mompelde hij, zijn gezicht tegen haar haar. 'Je denkt altijd aan mij, en aan mijn geluk.'

Collie keek hem aan en glimlachte. 'Rosie en ik wisten allang dat Alexandre uw zoon was, vader. Hij is nog maar twee, maar hij lijkt op u als twee druppels water. Hij is door en door een De Montfleurie.'

24

Collie werd door vermoeidheid overmand.

Plotseling voelde ze zich krachteloos en slap. Ze legde haar pen neer op haar bureau en leunde achterover in haar stoel, in de hoop dat die vlaag van vermoeidheid snel zou wegtrekken.

Het was vrijdagmorgen, vijf dagen voor Kerstmis, en ze had nog zoveel te doen voor het *fête de Noël*, die dagen van het jaar die voor iedereen op Montfleurie zoveel betekenden.

Zoals altijd had Annie de zaken volledig onder controle, en Collie werd steeds weggestuurd als ze wilde helpen. Toch kon ze niet werkeloos toezien – wílde ze niet werkeloos toezien – zeker niet nu er zo weinig personeel was. Die mensen waren toch al overbelast, met het vele en moeilijke werk op het grote château. De handen uit de mouwen steken met Kerstmis, dat was een heilige traditie en sinds haar kinderjaren had ze ook altijd met plezier meegeholpen. Maar nu was het lichaam te zwak, al was de geest nog zo gewillig.

Ze wist dat Gaston en zijn broer Marcel, die ook op het kasteel werkte, al uren bezig waren de reusachtige kerstboom in de hal op te richten en vast te zetten. Zondag zou iedereen helpen met het versieren van de boom, de schilderijen en kandelaars, met het vlechten van kransen en het maken van decoraties en kerststukken voor de verschillende kamers.

Collie wou maar dat ze zich beter voelde. Met enorme inspanning hees ze zich omhoog en schuifelde door de kamer naar de bank voor de open haard, die laaide en gloeide.

Onverwacht schoot er een ondraaglijke pijn door haar rug en ze schreeuwde het uit. Ze greep de leuning van de bank en sloeg voorover. Doodstil bleef ze liggen wachten tot de pijn minder zou worden. Die nam tenslotte wat af en ze hees zich omhoog. Ze ging zitten en legde haar hoofd tegen de zachte kussens, snakkend naar adem. Zo'n pijn had ze nog nooit gevoeld in haar rug en het maakte haar bang.

Plotseling sloeg er een golf van paniek door haar heen. Zou dat weer kanker zijn? Nee, dat was niet mogelijk. In augustus hadden de doktoren in Parijs haar bezworen dat ze de situatie in de hand hadden, dat er geen verdere uitzaaiingen waren, dat ze de ziekte een halt hadden toegeroepen. Na de behandeling van haar baarmoederkanker was ze weer volledig gezond verklaard, en ze voelde zich een stuk beter, ze voelde zich weer als vanouds. Maar de laatste tijd wàs ze steeds moe, uitgeput zelfs, alsof alle energie uit haar lichaam werd weggezogen, en ze was zo vermagerd dat ze zich er zelf zorgen om maakte. En nu die plotselinge pijn. Dat verontrustte haar. Wat kon de oorzaak zijn? Ze rilde bij de gedachte alleen al dat ze nog eens chemotherapie zou moeten ondergaan. Dat wil ik niet, dat kan ik niet, dacht ze wanhopig.

Oh ja, je kàn het en je wìl het, fluisterde een stemmetje binnenin haar. Voor Lisette zal je alles kunnen verdragen, voor dat kind zal je alles doen. Je kind heeft je nodig. Ze heeft geen vader.

Collie zocht met haar ogen naar de foto van haar vijfjarig dochtertje op het tafeltje bij de haard. Het was een mooi kind, intelligent en met zoveel lieve, leuke en aardige dingen. Een hele persoonlijkheid, zo klein als ze was. Een oude ziel – zo sprak Annie altijd over haar. Een passende beschrijving, vond Collie.

Wat zal er van haar worden zonder mij? vroeg Collie zich zorgelijk af. Maar meteen schoof ze die beangstigende gedachte ver van zich af. Ze zou niet doodgaan. Ze zou vechten voor haar leven, als de kanker weer had toegeslagen.

Maar àls er iets met haar mocht gebeuren, was Kyra er nu in ieder geval. Zij zou gauw met vader trouwen en een lid van de familie worden. Dat was een troostrijk vooruitzicht.

Collie had verschrikkelijk haar best gedaan om een verzoening tot stand te brengen tussen die twee, en ze was blij en opgelucht dat dat zo goed gelukt was. Maar haar inspanningen, met name afgelopen zaterdag, hadden hun tol geëist. Ze voelde zich uitgeput, verzwakt.

Maar het was het waard, fluisterde Collie tegen zichzelf. Mijn vader is eindelijk gelukkig, Kyra is gelukkig, Alexandre zal geëcht worden en dan heeft hij eindelijk een vader, zijn echte vader.

En mijn vader heeft een erfgenaam, die het geslacht De Montfleurie kan voortzetten, voor het geval Guy iets overkomt. Collie realiseerde zich dat ook dàt een reden was voor haar intense opluchting, verleden week. Ze had het altijd beter gevonden als Lisette het château en de landerijen niet zou erven, de lasten zouden misschien te zwaar voor haar zijn.

Het was logisch dat haar gedachten afdwaalden naar haar broer.

Wat een onmogelijk mens was Guy geworden. Jaren was zij in hem teleurgesteld en had ze zich aan hem geërgerd, maar toch had ze altijd geprobeerd voor hem open te staan en hem niet te veroordelen, en op de een of andere manier had ze toch een zwak plekje voor hem gehouden in haar hart. Maar jammer genoeg was ook dat tenslotte volledig verdwenen, en ze voelde nu niets meer voor hem. Of nee, ze had eigenlijk een hekel aan hem gekregen, en ze hoopte van harte dat hij niet het lef zou hebben om met Kerstmis plotseling weer te verschijnen. Dat zou wel het toppunt zijn, na zijn verwerpelijke gedrag, twee weken geleden. Aan de andere kant – zo bot was hij wel. Je wist het nooit met Guy. Hij was onvoorspelbaar. En hij had een bord voor zijn hoofd. En gek was hij ook.

Mooi en stom, mompelde Collie zachtjes, en ze bedacht dat die kwalificatie zowel op een man als op een vrouw kon slaan.

Guy was een uitgesproken knappe jongen geweest, vroeger, en hij was uitgegroeid tot een buitengewoon aantrekkelijke man. En o, wat hadden de vrouwen hem verwend, vanwege zijn verraderlijk mooie uiterlijk en zijn fatale charme, die hij aan en uit kon draaien alsof er een knop aan zat. En ook de familie had hem verwend, iedereen had altijd excuses voor hem gezocht en hem concessies gedaan. Wij zijn schuldig. Wij hebben meegeholpen aan de creatie van het monster, dat hij uiteindelijk geworden is. Het was niet aardig van haar, maar ze hoopte dat ze hem nooit meer op Montfleurie zou zien.

Collie wou dat Rosie nooit met hem getrouwd was, dan zou ze ook niet door hem gekwetst zijn. Aan de andere kant: als Rosie niet met Guy getrouwd was, dan zou ze ook nooit bij de familie gehoord hebben. En wat had zij en vader niet een plezier gehad van haar aanwezigheid! Ik ben egoïstisch, zei ze tegen zichzelf, dat ik alleen aan mezelf en aan vader denk, en niet aan haar. Laten we God danken voor Rosalind Madigan, die ons zoveel liefde en toewijding en steun gegeven heeft, en die zo trouw is en zo bezorgd voor ons welzijn. Er is niemand zoals Rosie, op de hele wereld niet. Ze is een engel.

En ze zal het grootste deel van haar tijd hier op Montfleurie doorbrengen als ze niet aan een film bezig is, zei Collie tegen zichzelf. Ze zal zich intensief bezighouden met de opvoeding van Lisette, als er iets met mij mocht gebeuren.

Ik zal niet doodgaan.

Ik zal het niet opgeven.

Ik zal beter worden!

Ze ging weer tegen de zachte kussens liggen. Ze sloot haar ogen en liet haar gedachten de vrije loop. Na Kerstmis zou ze naar Parijs gaan, naar de artsen die haar afgelopen zomer behandeld hadden. Die zouden wel weten wat eraan te doen was. Die zouden haar wel helpen. Zij zouden haar beter maken als de kanker weer was teruggekomen.

Na een poosje realiseerde Collie zich dat ze weer wat kracht in haar lichaam voelde. Ze kon zelfs opstaan en moeizaam zette ze de paar stappen naar het tafeltje bij de haard. Ze pakte de foto van Claude in de zilveren lijst en nam die mee terug naar de bank. Lang keek ze naar zijn gezicht – wat hield ze veel van die man. Zij bewaarde hem diep in haar hart, hij was een belangrijk deel van haar bestaan.

Twee jaar geleden was hij verongelukt. Hij was toen net tweeëndertig, precies zo oud als zij nu. Wat een zinloos ongeluk. Hij reed van Parijs naar Montfleurie toen het gebeurde. Het was absoluut zijn fout niet, en toch was hij degene die het niet overleefde. Die de dood vond in de bloei van zijn leven. En wat zo wreed en ironisch was: hij werkte als oorlogscorrespondent voor *Paris Match*, hij had als journalist alle brandhaarden van de wereld van nabij gezien en nooit had hij ook maar een schrammetje opgelopen.

Terwijl ze naar de foto op haar schoot keek, kromp haar hart samen. *Oh, Claude, Claude, ik mis je zo verschrikkelijk. Ik kan niet verder zonder jou. Jij was mijn hele bestaan, jij was het beste deel van mij. Zonder jou is er niets, een restantje leven, meer niet.* De tranen sprongen haar in de ogen en ze kon de vloed niet bedwingen. Maar ze voelde het ook als een opluchting dat ze haar verdriet op die manier kon uiten.

Hij was de enige man van wie ze ooit had gehouden, hij wàs haar hele leven geweest. Ze probeerde uit alle macht haar verdriet te verdringen, ze probeerde zo goed als het kon door te gaan zonder hem, maar ze wist zo langzamerhand dat het haar vaak onmogelijk was. Claude obsedeerde haar. Ze wilde geobsedeerd worden door hem.

Iedereen had haar gezegd dat de tijd alle wonden heelt, maar dat was niet gebeurd en ze wist dat dat ook nooit zou gebeuren, al werd ze honderd. *Maar zo'n leeftijd zal ik nooit bereiken. De ouderdom zal ik nooit leren kennen.*

Collie wist heel goed dat veel mensen kanker overleefd hadden, waarna ze dikwijls nog een lang en vruchtbaar leven konden leiden. En toch had er de laatste tijd diep in haar een nieuw idee postgevat; het afschuwelijke idee dat haar leven ten einde liep. Ze wist niet precies hoe deze wetenschap bezit had genomen van haar gedachten, maar diep in haar hart was ze begonnen het te accepteren. Er waren momenten waarop ze het ontkende, ertegen vocht, zoals nu, maar het idee kwam steeds terug.

Collie begreep niet waarom, maar plotseling werd ze heel kalm, een kalmte die door haar heen trok, en ze ontspande zich, ze kwam weer een beetje tot zichzelf. Het was alsof iemand haar troostte, alsof iemand met grenzeloze liefde door haar haar streek. Ze wilde dat gevoel vasthouden. Ze sloot haar ogen. Ze had rust gevonden.

De goeden gaan het eerst, zeggen ze wel eens, dacht Collie op een gegeven moment. Mijn moeder was jong toen zíj stierf aan kanker; Claude was jong toen hij zo tragisch de dood vond in die vuurbal. Als het mijn lot is dat ik deze aarde eerder moet verlaten dan ik had verwacht, dan zal het wel zo zijn. Ik zal mijn lot accepteren omdat ik weet dat ik het niet kan veranderen. Daaraan bestaat geen enkele twijfel. Ik ben in Gods handen, en Hij is degene die alles geschapen heeft, die alles bestiert.

Ieder schepsel op aarde heeft een bepaalde zin, een taak, en als we onze taak volbracht hebben, de opdracht die Hij ons gegeven heeft, neemt Hij ons tot Zich. Wat er met mij gebeurt, wat er met ons allemaal gebeurt, is Gods wil…

'*Maman*, ga je mee naar beneden, naar de boom kijken?'

Vlug wreef Collie met haar vingers langs haar vochtige wangen en ze toverde een glimlach op haar gezicht toen Lisette de kamer binnenvloog. Toen Collie haar dochter voor zich zag glimlachte ze weer, en dit keer kwam de glimlach recht uit haar hart.

Wat zag Lisette er verrukkelijk uit, met dat gecapitoneerde, doorgestikte sneeuwpak dat Rosie voor haar had meegebracht uit New York. Kanariegeel, afgezet met rood – ze leek wel een plaatje.

'Mijn lieve kanariepiet,' zei Collie, en ze lachte tegen haar. Wat hield ze van dit kind!

'De boom staat rechtop! Hij is zó groot, *maman*! De gróótste boom van de hele wereld, zegt Gaston.' Ze zag de foto van Claude naast Collie op de bank liggen en ze pakte hem op. 'Waarom ligt de foto van vader hier?'

'Omdat ik graag naar hem kijk als ik met hem praat.'

'Zegt hij wel eens iets terug, *maman*?' vroeg Lisette. Ze ging bij Collie op de grond zitten en keek omhoog naar haar moeder.

'Ja, heel vaak, lieverd.'

'Maar papa is niet meer hier. Hij is in de hemel – als engel.'

'Dat is waar, Lisette, maar hij praat echt met me… in het diepst, het aller-diepst van mijn hart.'

'Maar de hemel is heel, heel ver weg. Hoe kan je papa nou horen als hij he-le-maal daarboven is?' Lisette wees op het plafond en ze keek haar moeder vragend aan, met grote, donkere ogen in een smal gezicht.

'Door de liefde. Het is papa's liefde voor jou en voor mij waardoor ik zijn stem hoor in mijn hart, en door mijn liefde en jouw liefde voor hem kan ik hem horen – en hij kan mij ook horen.'

'O.' Lisette hield haar hoofd schuin en dacht diep na. Ze probeerde het te begrijpen.

'Liefde is de grootste kracht op aarde, Lisette, onthou dat goed, lieverd. Je kunt er bergen mee verzetten.'

Het vijf jaar oude kind knikte ernstig en zei: 'Ik wil helemaal niet dat pa-pa in de hemel is. Waarom is hij bij ons weggegaan?'

'Omdat dat Gods wil was,' zei Collie zacht.

Het kind deed haar best om de woorden van haar moeder te bevatten. Na een poosje vroeg ze: 'Was het Gods wil toen het poesje van Annie naar de kattenhemel ging?'

'Ja, dat denk ik wel.'

'Ik hou helemaal niet van Gods wil!' liet Lisette weten. Haar stem klonk schril en haar gezicht stond boos.

'Ik ook niet,' mompelde Collie en ze raakte met een teder gebaar even de wang van haar dochter aan. 'Maar ik ben bang dat het nu eenmaal zo is, mijn lieve kind.'

Even was het stil. Toen, op de onbekommerde, abrupte manier die kinde-ren eigen is, ging Lisette op een ander onderwerp over. 'Ik en Yvonne mogen bruidsmeisje zijn als *grandpapa* gaat trouwen met Kyra. Tante Rosie gaat kersenrode jurkjes voor ons maken van fluweel.'

'O, ja?'

'Ja, maman, en dan krijgen we roodfluwelen kapjes versierd met rode kersen. Tante Rosie heeft het net gezegd, toen we in de keuken waren om bosjes te maken van mistletoe. Die kapjes maakt ze speciaal voor míj. Wat doe jij aan naar de bruiloft van *grandpapa*? Ook een kersenrode jurk?'

'Ik weet het nog niet.' Collie streek het haar van haar dochter uit haar gezicht en zei: 'Laten we naar beneden gaan, dan zullen we het aan Rosie vragen.'

'Ja, da's goed. Maar je moet zelf met haar praten, want ik heb Marcel en Gaston beloofd om hen te helpen met de houtblokken voor de open haard.'

'Kom mee, dan. Wil je iets voor me doen? Zet de foto van vader even terug op het tafeltje, op z'n speciale plaats, wil je?'

'Ja, *maman*,' zei het kind en ze pakte de foto voorzichtig met twee handen op.

Toen Collie probeerde op te staan voelde ze weer die intense, snijdende pijn, die haar verlamde. Ze viel terug op de bank, haar gezicht verwrongen van ellende.

Precies op dat moment draaide Lisette zich om en ze zag het gekwelde gezicht van haar moeder. Haar eigen gezichtje betrok en angstig holde ze naar de bank. 'Moeder! Moeder! Wat is er? Heb je pijn? Wat is er?'

'Niets, lieverd, niets. Ik kreeg even een scheut in mijn rug.' Collie forceerde een lachje. 'Ik word oud, zeker... Een beetje reumatiek, denk ik.'

Lisette klemde zich vast aan haar moeder en begroef haar gezicht in Collies trui. 'Ik wil niet dat je pijn hebt, *maman*. Ik wil niet dat je pijn hebt,' riep ze, en het huilen stond haar na.

'De pijn gaat wel weer over, lieverd. Dadelijk is het weg,' zei Collie. Ze deed haar ogen dicht en hield haar kind in haar armen, zachtjes wiegend om het te troosten. En ze bad in stilte: *Alsjeblieft, God, neem me nog niet van haar weg. Laat me alstublieft nog een poosje bij haar blijven.*

Rosie stond op een trapleer voor de haard in de zitkamer. Ze was al tien minuten bezig met twee grote bossen hulst, die ze probeerde vast te maken boven de spiegel op de schoorsteenmantel.

Ze had ze van tevoren samengebonden met groen ijzerdraad en ze versierd met een grote strik van rood lint. Nu probeerde ze de takken op een artistieke manier te schikken, maar het wilde niet zoals ze het zich gedacht had. Toen ze wat terugleunde om het resultaat van een afstand te bekijken ging de telefoon. Hij bleef rinkelen en rinkelen en omdat niemand opnam kwam ze vlug van de ladder en griste de hoorn van de haak.

'*Château de Montfleurie – allô*,' hijgde ze.

Er klonk een hoop geknister en gekraak, en heel in de verte zei een mannenstem: 'Juffrouw Rosalind Madigan, alstublieft.'

'Daar spreekt u mee.' Ze herkende de stem niet.

'Rosie! Hallo! Ik ben het, Johnny. Johnny Fortune.'

'Mijn hemel, Johnny! Hoe gaat het?' riep ze, verwonderd dat hij het was.

'Met mij gaat het prima! En met jou?'

'Goed, goed. We zijn bezig met de voorbereidingen voor Kerstmis. Waar bel je vandaan? Je klink alsof je op een andere planeet zit.'

'Zo zou je het kunnen zeggen, ja. Ik zit in Vegas.'

'Maar daar moet het midden in de nacht zijn.'

'Dat klopt, schat. Het is drie uur. Ik ben net klaar met mijn laatste show. Ik dacht: ik bel je even voor ik naar bed ga. Ik wou je even prettig kerstfeest wensen, en zeggen dat ik naar Europa kom. In januari. Denk je dat we elkaar kunnen ontmoeten? Dat we samen kunnen eten of iets?'

Ze aarzelde, en ze vroeg zich meteen af waarom. Ze ging scheiden van Guy, dus er waren geen beletselen meer. Die waren er eigenlijk nooit geweest. 'Dat zou ik leuk vinden, Johnny,' zei ze tenslotte. 'Ik zou je graag weer eens ontmoeten.'

'Hé, geweldig! Dat vind ik gewèldig! Ik kom naar Parijs. Ben jij daar dan ook? Waar ben je nu?'

'Ik kom naar Parijs.'

'Mag ik je nummer daar?'

'Natuurlijk. Hoe heb je me hier gevonden? Ik bedoel – hoe ben je aan mijn nummer gekomen, hier?'

'Dat was niet makkelijk, neem dat maar van mij aan.' Hij grinnikte. 'Gisteren zei Nell dat je in Londen was en ze heeft me het nummer van de studio gegeven. Voor de zóveelste keer. Maar goed, ik heb daar met een aardige juffrouw gesproken, Aida Young. Ze zei dat je niet in Londen was. En niet in Parijs ook. Toen ik een beetje aandrong zei ze dat je naar Montfleurie was, maar ik wist niet hoe ik je daar moest bereiken. Om je de waarheid te zeggen: ik had het gevoel dat ze me probeerden af te poeieren, Nell en zij. Maar toen ik eenmaal een naam had, heb ik Francis Raeymaekers gebeld in zijn winkel in Londen – je weet wel, die man van dat zilver. Ik vroeg hem of hij ooit gehoord had van Montfleurie, en wat het dan wel was, een plaats? Een hotel? Of wat? Hij wist het meteen en hij vertelde me dat het een van de grote kastelen aan de Loire is. Hij heeft het nummer voor me opgezocht en daar ben ik dan, eindelijk.'

'Het spijt me dat je zoveel moeite hebt moeten doen. Echt.'

'Waarom probeerden Nell en Aida de boot af te houden, Rosie?'

'Ik denk niet dat ze dat bewust hebben gedaan.'

'Ben je getrouwd of zo?' vroeg Johnny scherp.

Rosie haalde diep adem. 'Ik wàs getrouwd. Ik woon niet meer samen met mijn man. We gaan scheiden.'

'Aha. Wat is je nummer in Parijs?'

Rosie gaf het hem en zei: 'Wanneer precíes denk je in Parijs te zijn?'

'Ik weet het niet zeker. Ongeveer half januari, denk ik. Hoop ik. Ik bel je nog wel. Heb een fijne Kerstmis, schatje – ik ben blij dat ik je gevonden heb.'

'Jij ook een fijn kerstfeest. Lief dat je gebeld hebt, Johnny.'

Rosie legde de hoorn neer. Haar hand bleef even op de telefoon liggen en ze keek bedachtzaam.

Vanuit de deuropening zei Collie: 'Ik was je niet aan het afluisteren, Rosie, maar ik hoorde net wat je zei. Is dat waar? Gá je scheiden van Guy?'

Rosie draaide zich om en keek Collie lang aan. Toen knikte ze. 'Je vader en ik hebben het erover gehad op de dag van mijn aankomst. Hij begon erover, en terwijl hij zo zat te praten bedacht ik me dat er veel voor te zeggen was.'

'Ik kan alleen maar zeggen: godzijdank!' Collie liep door de kamer en omhelsde Rosie. 'Het wordt tijd dat je je vrijheid terugkrijgt. Ik ben blij dat je eindelijk die stap neemt. Dat had je al veel eerder moeten doen.'

'Denk jij dat Guy nog komt met Kerstmis?' vroeg Rosie bezorgd.

Collie schudde heftig haar hoofd. 'Ik betwijfel het. Ik denk niet dat hij zó bot zou zijn, echt niet. En hij moet weten dat hij het voor eeuwig en altijd verbruid heeft, dat hij niet welkom meer is.'

'Misschien heb je gelijk. Ik hoop het.' Rosie twijfelde nog.

'Hij komt niet,' stelde Collie haar gerust.

'Ik denk dat ik toch met Guy zal moeten praten, om hem te vertellen dat ik van hem wil scheiden,' mompelde Rosie, terwijl ze weer naar de ladder liep.

'Ik zou niet weten waarom. Mijn broer heeft een dergelijke nette behandeling helemaal niet verdiend. Hij heeft met jou ook nooit enige consideratie gehad. Nooit.'

'Dat is waar. Nou, misschien zeg ik het hem dan niet persoonlijk. Maar ik zet wel de scheidingsprocedure in gang.'

Collie keek Rosie eens indringend aan en er trok een glimlachje rond haar mondhoeken toen ze zei: 'Was dat Johnny de beroemde zanger, die je daar aan de telefoon had?'

'Ja, hij komt volgende maand naar Parijs. Hij wil dat ik met hem ga eten.'

'Wat heerlijk voor je, lieve Rosie. *Toujours l'amour… toujours l'amour.*'

Rosie ontweek de blik van haar schoonzusje niet en ze voelde dat ze begon te blozen. Ze wilde iets terugzeggen, maar op dat moment stormde Annie de kamer binnen.

'Madame de Montfleurie, dit pakje is net voor u gebracht. Door een speciale koerier. Uit Californië. Ik heb ervoor getekend.'

'Dank je, Annie,' mompelde Rosie en ze nam het pakje aan.

Annie wilde weer weggaan, maar ze bleef staan toen ze Collie zag. 'U ziet er bleek uit, moe. Dominique heeft een heerlijke soep gemaakt voor de lunch – *une excellente soupe de poulet et légumes.*' Met die woorden verdween Annie.

Toen ze het pakje openmaakte riep Rosie tegen Collie: 'Het is van Gavin uit Los Angeles! O, geweldig – het script van *Napoleon en Josephine*! En er is nog wat.' Rosie legde het draaiboek op de trapleer en bekeek het doosje, dat ook uit het pakje kwam. Het was duidelijk een cadeautje, prachtig verpakt in zwaar blauw papier en dichtgebonden met een gouden lint. Er zat een kleine envelop bij. Rosie haalde het kaartje eruit en las hardop: '*Dank je, Rosie, voor de kostuums, die mooier waren dan ik had kunnen dromen, voor je medewerking en voor je vriendschap. Gelukkig kerstfeest en alle liefs, Gavin.*'

'Wat aardig van hem,' zei Collie. 'Maak eens open.'

'Is het niet beter om te wachten? Om het onder de boom te leggen en het met Kerstmis open te maken, als iedereen cadeautjes krijgt?'

'Doe niet zo gek. Ik brand van nieuwsgierigheid om te zien wat hij gestuurd heeft. Laat nou zien.'

Rosie trok het lint los en maakte het papier open. Ze hield een blauwe doos in haar hand, met rechtsonder op het deksel in goud de initialen HW. 'Het is van Harry Winston,' zei Rosie met ontzag, en ze opende de doos. Ze hield haar adem in toen ze zag wat erin zat. 'O, Collie! Kijk eens! De mooiste Zuidzee-parels die ik ooit gezien heb.' De beide vrouwen keken bewonderend naar het schitterende snoer.

'Ze zijn ècht,' riep Collie. 'Ze moeten wel echt zijn, als ze van Harry Winston komen.'

Rosie knikte. 'Gavin geeft me altijd iets heel bijzonders aan het eind van een opname-periode, maar zoiets als deze parels heb ik nog nooit van hem gekregen. Kijk eens hoe ze glanzen in het licht.' Ze hield het snoer op voor het raam en gaf het toen aan Collie.

'Ze zijn fantastisch,' mompelde Collie met eerbied in haar stem. 'Die zijn heel waardevol, dat zie je zo.'

'Ja, dat moet wel. Ik moet Gavin strakjes bellen om hem te bedanken. In Los Angeles is het nu midden in de nacht – drie uur, om precies te zijn. Ik zal het vanavond proberen om een uur of zes. Dan is het daar negen uur 's morgens.'

'Alsjeblieft,' zei Collie, en ze gaf het collier terug aan Rosie. 'Nou, als je even tijd hebt, dan kunnen we misschien overleggen wat ik aan moet voor de bruiloft van vader. Ik heb van Lisette begrepen dat zij en Yvonne rood-fluwelen jurkjes krijgen. Maar ik toch niet – hoop ik.'

Rosie lachte. 'Nee, twee bruidsmeisjes is genoeg. En geen eredames, heb ik gisteravond met Kyra besproken. Ik dacht dat jij en ik iets zouden kunnen aantrekken wat we al hebben. Om je de waarheid te zeggen: het zal al moeite genoeg kosten om de jurken van de meisjes op tijd klaar te krijgen.'

'Misschien kan Yvonne je helpen.'

'Dat heeft ze al aangeboden. Ze kan misschien de kalotjes maken. Ik heb de stof al besteld bij Madame Solange in Parijs, die zou het direct per koerier sturen. Dat moet er morgen zijn, en dan kunnen we meteen beginnen.'

'Je zult er je handen vol aan hebben,' mompelde Collie. Ze ging op de bank zitten en keek hoe Rosie weer op de trap klom. 'Het huwelijk is al over tien dagen.'

'Ik weet het.' Rosie schikte de hulsttakken opnieuw en tevreden zag ze dat het zo goed was. Over haar schouder zei ze tegen Collie: 'Die jurkjes komen af, al moet ik er een nacht, alle nachten, voor opblijven.'

'Ik weet het, Rosie. Er is niemand zoals jij. Jij bent een wonder.'

25

De hemel boven Parijs zag eruit als een grisaille, een monochroom van somber grijs. De laaghangende wolken dreigden met regen.

Gavin Ambrose stond voor het raam van zijn suite in het Ritz Hotel en keek chagrijnig naar buiten. De lucht voorspelde niet veel goeds voor deze zondagmorgen.

Hij had nog een hele dag en een avond voor de boeg, voordat hij maandagochtend de Concorde zou nemen naar New York. Het leek hem een eindeloze zee van tijd; hij wist niet wat hij ermee aan moest.

Jammer genoeg was Rosie niet in de stad – ze was naar het Loire-dal vertrokken om daar Kerstmis te vieren. Hij miste haar node. Behalve haar kende hij niemand in Parijs, buiten een paar mensen van de studio's in Billancourt. Die had hij vrijdag en zaterdag uitvoerig gesproken, vandaag was hij op zichzelf aangewezen.

Het vooruitzicht een hele dag alleen te moeten doorbrengen bedrukte Gavin. Dat verbaasde hem. Hij stond bekend als een in zichzelf gekeerd mens, als iemand die graag zijn eigen weg ging, en vroeger had hij het ook nooit erg gevonden om alleen te zijn. Maar de laatste tijd was hij bang geworden voor de eenzaamheid. Als hij alleen was, had hij tijd om na te denken, en de laatste maanden maakten zijn gedachten hem onrustig.

Zijn leven was een mislukking. Zijn huwelijk lag in duigen. Zijn werk – dat was zijn enige houvast. In ieder geval hield hij van zijn werk. Het was zijn alles, zijn reden van bestaan. Hij maakte de ene film na de andere, liefst zo snel mogelijk achter elkaar, zodat hij bezig kon blijven. Op die manier kon hij het oplossen van zijn persoonlijke problemen uitstellen, werd hij niet geconfronteerd met de duiveltjes die zijn privé-bestaan bedreigden.

Hij moest erkennen, al was het alleen maar tegenover zichzelf, dat zijn huwelijk op een totale mislukking was uitgelopen. Er was niets meer van over. Een zwart gat. Gapend. Bodemloos. Er was geen enkel gevoel. Zelfs geen wrok. Alleen onverschilligheid. Er was niets meer tussen hem en Louise, zelfs geen schijn van een relatie. Hij vroeg zich nu af òf ze ooit iets voor elkaar gevoeld hadden.

Louise was een hersenloos klein kreng – ze was altijd met zichzelf bezig en ze plaatste zichzelf graag op de voorgrond. Ze had geen enkel begrip voor hem, voor zijn werk, voor zijn veeleisende carrière of voor zijn wensen en verlangens. Ze had in het algemeen weinig begrip voor anderen, dat kon ze eenvoudig niet opbrengen.

Dat hij beroemd was deed hem niet zoveel – het was gewoon een bijprodukt van zijn werk – acteren. Maar zijn roem was háár naar het hoofd gestegen. Belangstelling voor hem als man had ze ook al jaren niet meer. Ze graasde in groener weiden. Niet dat het hem veel kon schelen. Hij had daar zelf schuld aan, want hij had ook niet veel belangstelling voor háár.

Al honderd keer had hij zichzelf afgevraagd waarom hij ooit met Louise getrouwd was. Domme vraag, want hij kende het antwoord maar al te goed. Hij was met haar getrouwd omdat ze zwanger was. Haar zwangerschap was uitgelopen op een afschuwelijke ellende. Het was een verschrikkelijke, hartverscheurende tragedie geworden.

Daarom was hij bij Louise gebleven. Om haar bij te staan, om haar te helpen de fysieke pijn en de psychische klap te boven te komen. Hij wilde haar eerlijk en oprecht helpen er weer bovenop te komen, maar tegelijkertijd had hij zich gerealiseerd dat hij het zelf kon verwerken door *haar* te helpen.

Onvermijdelijk was ze weer zwanger geworden, en toen was hun zoon David geboren, nu bijna acht jaar geleden, en hij had direct liefde opgevat voor zijn zoon. Om zijn kind had hij een slecht huwelijk op de koop toegenomen.

David was nog maar een kleuter toen Louise het huwelijk had stukgemaakt door haar ontrouw. Hij had nooit geprobeerd er een stokje voor te steken, omdat het hem niet meer interesseerde wat ze deed. Ze deelden toch het bed al niet meer.

Hij vroeg zich plotseling af wat er met David zou gebeuren als ze gingen scheiden. Zou het kind het slachtoffer worden van een verbeten strijd? Gavin moest er niet aan denken. Hij kon die gedachte eenvoudig niet verdragen. Nu niet. Vandaag niet. Nooit niet.

Wacht je tijd maar af, zei hij tegen zichzelf. Natuurlijk, als hij maar lang genoeg wachtte, moest Louise wel om een scheiding vragen. Ze was er niet ver vanaf. Hij wist maar al te goed hoe zwaar ze het te pakken had van die senator in Washington. Senator de weduwnaar. Senator de rijkaard. Senator de populaire man in de hogere kringen. Allen Turner was de ideale partner voor Louise.

Ja, hij zóu zijn tijd afwachten. Dan zou hij in ieder geval de gelegenheid krijgen om zijn eisen te stellen. Hij wilde het kind niet van haar wegnemen, dat zou onredelijk zijn. Vrije omgang met David, en een gedeelde voogdij – dat wilde hij, en dat zou hij krijgen.

Gavin vloekte zachtjes en liep weg van het raam, de slaapkamer in. Hij keek op zijn horloge. Het was bijna elf uur.

Hij moest eruit, even frisse lucht halen, even lopen om die wanhopige gedachten te verdrijven. Maar de straat opgaan was ook weer niet zo makkelijk. Eén van de nadelen van het beroemd zijn was de grote herkenbaarheid, zeker met zo'n karakteristiek gezicht.

Hij deed een sjaal om, trok een kasjmier overjas aan en zette een gleufhoed op. Hij completeerde zijn uitrusting met een donkere bril en hij keek in de spiegel. Hij grinnikte. Hij herkende zichzelf niet eens. En niemand herkende hem, toen hij door de hal van het hotel naar buiten liep, de Place Vendôme op.

Gavin was niet erg thuis in Parijs, maar omdat hij altijd in de Ritz woonde kende hij min of meer de omgeving van het hotel. Hij liep in de richting van de Place de la Concorde. Nu hij eenmaal buiten was en hij er stevig de pas inzette, smolten zijn duistere gedachten, zijn ontevredenheid met zichzelf, weg als sneeuw voor de zon. Hij concentreerde zich op *Napoleon en Josephine*. Hij zag Parijs door de ogen van een filmer, en ook een beetje door de ogen van Napoleon, die zoveel gedaan had om het gezicht van Parijs te veranderen, de stad te maken zoals die nu was.

Gavin wist uit zijn voorstudies dat Napoleon van plan was de Franse architectuur tien jaar lang te subsidiëren, en de Franse beeldhouwkunst twintig jaar. Hij wilde in die tijd opdracht geven tot de bouw van vier triomfbogen: een voor vrede en een voor vroomheid, de beide andere om de slagen bij Marengo en Austerlitz te gedenken.

Het waren er maar twee geworden, een kleine ter meerdere glorie van de slag bij Austerlitz, de grote ter ere van de *Grande Armée*, 'het leger waarvan ik de eer heb het te mogen commanderen,' zoals hij tegen zijn architect zei.

Nu, aan het begin van de Champs-Élysées, keek Gavin langs de lange, elegante boulevard, zijn oog gericht op die reusachtige triomfboog die Napoleon had laten oprichten en die hij had opgedragen aan zijn geliefde leger. De Arc de Triomphe op de Place de l'Étoile zag er precies zo uit als Napoleon het had gewild. Had de keizer niet gezegd: 'Een monument voor de *Grande Armée* moet groot, eenvoudig en majestueus zijn, zonder verwijzingen naar de antieke wereld.'

En dat was precies wat architect Chalgrin had ontworpen, dacht Gavin, toen hij de Champs-Élysées opliep in de richting van de Arc, terwijl hij terloops keek naar de kerstversiering langs de brede boulevard.

Voor Gavin was deze film de vervulling van een jongensdroom. Ook als adolescent was hij altijd geïntrigeerd door daadkrachtige mannen, die veel hadden bereikt, en met name door Napoleon.

Zijn jeugd had hij doorgebracht in New York en al vroeg las hij in geschiedenisboeken over grote mannen, die hun persoonlijk en onuitwisbaar stempel hadden gedrukt op het wereldgebeuren. Dat fascineerde hem mateloos. Wat waren hun drijfveren? Waarom waren ze anders dan anderen? Hoe hadden ze het emotioneel aangekund? Waarom hielden ze nu net van díe vrouw, en niet van een andere? Welke vrienden en bondgenoten hadden ze, en waarom? Waardoor werden zij gemotiveerd, wat dreef hen tot zulke hoogten? Wat was het wonderlijke element in hun persoonlijkheid waardoor ze boven de massa uitrezen? Om het eenvoudig te zeggen: waarom waren zíj groter dan hun tijdgenoten?

Een ding dat hij, tot zijn grote verbazing, had ontdekt was dat de mannen, die in hun tijd tot de machthebbers behoorden en die na hun dood onsterfelijk geworden waren, maar doodgewone mensen waren, met alle zwakheden van dien.

Maar intussen werden het zijn helden, deze historische figuren. Hij moest niets hebben van voetballers, baseballspelers en popsterren, die door zijn vriendjes op een voetstuk gezet werden. Hij had natuurlijk ook bewondering voor een paar acteurs, omdat hij zelf ambities koesterde in die richting. Paul Newman en Spencer Tracy bijvoorbeeld waren voor hem van topklasse.

Tracy in *Bad Day at Black Rock* was niet te overtreffen, net zomin als Paul Newman in *Fort Apache, the Bronx*. Die was in 1981 uitgekomen en hij had hem in vier dagen vier keer gezien, zo was hij gegrepen door het spel van Newman. De film, over een politiepost in de Bronx en de agenten die er werken, had een enorme invloed op hem, wat acteren betrof.

De Bronx. Wat een herinneringen kwamen er boven bij die naam. Hij was er opgegroeid, in Belmont, een buurt waar het niet half zo agressief en ruig toeging als in de South Bronx, waar de film speelde.

Maar wat een wereld van verschil tussen Belmont en Párijs, tussen zijn jeugdjaren en zijn leven van tegenwoordig, met al z'n beroemdheid.

Soms vroeg hij zich wel eens af hoe het allemaal zo gekomen was.

Het ene ogenblik was hij een onbekend acteur, die blij was als hij ergens een rolletje kon krijgen in het 'kleine circuit' of bij de televisie. Even later, op zijn vijfentwintigste, was hij een Broadway-ster, die werd toegejuicht als het grootste talent na Brando, die de rol van Stanley Kowalski in *A Streetcar Named Desire* in 1947 voor het eerst gestalte had gegeven. Hij had die vergelijking altijd in twijfel getrokken. Die rol was ook zíjn debuut op Broadway, en voor de critici lag een dergelijke vergelijking natuurlijk voor de hand. Maar had hij het ook verdiend?

Het was in 1983 geweest. Een veelbewogen jaar. Zijn zoon werd toen geboren, Hollywood had hem benaderd en hij had zijn eerste filmrol gespeeld. De jaren daarna had hij tussen de oost- en de westkust gependeld,
tot hij zich tenslotte in Hollywood had gevestigd. Maar hij stond nog altijd te boek als een acteur uit de Newyorkse school, samen met Al Pacino,
Robert de Niro, Dustin Hoffman en Armand Assante. Geen slecht gezelschap, deze groten van het witte doek, hoewel hij tegenwoordig de meeste bewondering had voor Al Pacino. Die was briljant, fascinerend, de vol-
maakte acteur en daarbij een ster van de eerste orde.

Gavin Ambrose had, gek genoeg, altijd gedacht dat hij op een heel andere
manier zou doorbreken. Niet zo plotseling, zo zonder waarschuwing. Hij
had er een tijdlang aan moeten wennen. Het was alsof hij was gelanceerd
als een raket, die hoger en hoger de hemel in schoot, en godzijdank was
hij nooit naar beneden gekomen, nooit met een klap teruggevallen op aarde. Tot nu toe niet, tenminste. Er verscheen een wrang lachje op zijn gezicht bij die gedachte. Succes viel voor hem in zekere zin in de categorie
'voorbijgaand'. In filmkringen werd altijd gezegd: 'Je bent zo goed als je
laatste film', en dat was maar al te waar.

Gavin was blij met zijn succes. Hij hield van zijn werk, hij deed het met
overgave en het nam hem volkomen in beslag – het zou onnatuurlijk zijn
als hij daar geen erkenning voor vroeg, geen applaus voor wilde. Het enige wat hem speet was dat zijn moeder en zijn grootvader niet lang genoeg
geleefd hadden om samen met hem van zijn succes te genieten. Toen hij
zijn grote doorbraak kreeg met *Streetcar*, waardoor hij plotseling een ster
werd, waren zij er allang niet meer. Ze waren allebei overleden in 1976,
toen hij achttien jaar was.

Tony Ambrosini, zijn vader, was gestorven aan een hartaanval toen Gavin
negen was, en zijn moeder, Adelia, was bij haar schoonouders gaan wonen. Ze kon het in haar eentje financieel eenvoudig niet bolwerken.

De oude Ambrosinis hadden hen liefderijk opgenomen, maar verdrietig
genoeg stierf grootmoeder Graziella een half jaar na haar zoon. Zijn
grootvader en zijn moeder hadden elkaar getroost en opgevangen in hun
verlies, en ze hadden elkaar morele en financiële steun gegeven. Gavin
was de spil van hun leven geworden, alles draaide om hem.

Zijn moeder werkte op de sieraden-afdeling van Macy's, zijn grootvader
was meubelmaker; ze legden hun verdiensten bij elkaar en deelden de
verantwoordelijkheid voor zijn opvoeding. Ze hadden het niet breed,
maar echt arm waren ze ook niet, en op een of andere manier was het al-

lemaal gelukt. Gavin dacht altijd met plezier terug aan zijn jeugd.

Zijn moeder en grootvader hadden hem veel liefde gegeven en ze hadden hem enorm gestimuleerd. Het was thuis niet luxueus, maar het was altijd gezellig, en zijn grootvader Giovanni had hem graag verwend. 's Zaterdags mocht hij altijd mee naar de enorme Italiaanse markt op Arthur Avenue in de Bronx, waar Giovanni dan allerlei specialiteiten kocht uit zijn vroegere vaderland, om zijn kleinzoon en Adelia een plezier te doen.

Maar het was zijn moeder die hem van jongsaf aan had meegenomen naar de bioscoop. Tweemaal per week tracteerde ze zichzelf daarop, en dan mocht haar zoon mee. Van kijken naar films had hij veel geleerd over acteren, hij zag hoe die mannen daar, op het witte doek, hun werk deden. Later was hij een aanhanger van Lee Strasberg geworden en hij had bij hem gestudeerd tot zijn dood in 1982. Maar het idee om acteur te worden was duidelijk ontstaan door dat bioscoopbezoek in zijn jeugd.

Zijn moeder was zijn coach, zijn critica en zijn publiek, en ze moedigde hem aan in zijn ambities. Ze zei altijd dat hij knap genoeg was om filmster te worden. Maar dat had hij eigenlijk nooit van haar willen aannemen. In die tijd dacht hij dat hij te klein was. Ze had hem uitgelachen en gezegd dat het 'm niet zat in de lengte, maar in het talent, en dat hij vanzelf groter zou worden, als hij ouder werd. Dat laatste – daar had ze gelijk in gekregen. Al was hij niet zo lang geworden als hij had gehoopt.

Niet lang na de dood van zijn moeder en zijn grootvader had Gavin kennis gemaakt met Kevin, Rosie en Nell, en door hen ook met Mikey en Sunny. Het werd een hechte groep vrienden, en ze hadden elkaar gezworen dat ze één familie zouden blijven, dat ze altijd voor elkaar klaar zouden staan, wat er ook zou gebeuren.

Hij woonde in die tijd bij een verre nicht en haar man. Daar had hij voor praktisch niets een kamertje gekregen, en hij werkte in het weekeinde in een supermarkt, om de huur te kunnen betalen. Maar hij was daar zo gauw mogelijk weggegaan en hij had een kamer genomen in een pension in Greenwich Village, waar hij de eindjes aan elkaar knoopte door allerlei baantjes aan te nemen. Zo was hij onder andere kelner geweest in het plaatselijke café. En daarnaast had hij gespeeld, zoveel mogelijk gespeeld, alle rollen die hij maar kon krijgen, meestal in achteraf-theatertjes in de Village.

Zijn moeder en grootvader hadden hem niet helemaal onbedeeld achtergelaten. Er stond een klein beetje geld op de bank voor hem, maar daar wilde hij liever niet aankomen. Van de rente kon hij zijn lessen aan de

Actors Studio betalen, waar hij werd gevormd door de hand van de meester, Lee Strasberg. Hij was een kind van de 'method', een bepaalde manier van acteren die school maakte in die tijd.

In die jaren waarin hij had moeten vechten voor het bestaan was de groep zijn houvast geweest, de vriendschap die hij daar ondervond was van cruciaal belang. Het was Gavin die, in het eerste jaar dat de groep bij elkaar was, iedereen een bijnaam had gegeven. Rosie kreeg de naam Engelensmoeltje, omdat ze zo engelachtig en aanbiddelijk was. Nell werd Kleine Nell, naar een van zijn liefste figuren uit de romans van Charles Dickens. Kevin werd Stille, een uitstekende naam voor een toekomstig politieman. Mikey werd omgedoopt tot De Professor, want hij had nog nooit zo'n studiehoofd meegemaakt als Mikey. Sunny werd de Golden Girl, een exacte omschrijving van dat gouden, glanzende meisje vol vrolijkheid en levenslust. Voorgoed voorbij, dacht hij met spijt. Voorgoed voorbij.

Het was Rosie geweest die vond dat hij zelf ook een bijnaam moest hebben. Zonder met de anderen te overleggen had ze op een dag aangekondigd dat hij voortaan Acteur zou heten. 'Je bent een kameleon, Gavin,' had ze gezegd. 'Jij kunt iedere figuur spelen die je wilt, jij kunt alle rollen aan. Je bent een echte actéur. Dat bèn je gewoon. Daarmee ben je volledig gekenschetst.'

Rosie en hij hadden zich altijd tot elkaar aangetrokken gevoeld, vanaf die eerste avond dat hij haar en haar broer ontmoet had. En een jaar later waren ze een stel geworden, toen zij achttien en hij twintig was. Rosie was toen net voor kostuumontwerpster gaan studeren aan het Fashion Institute of Technology in New York.

Een jeugdige romance, een bevlieging, meer was het niet geweest. Drie jaar later waren ze uit elkaar gegaan, na een domme ruzie – hij wist niet eens meer waarover. Maar het was hoogstwaarschijnlijk zijn schuld geweest. Hij was egoïstisch, hij ging volkomen op in zijn werk. Dat wist hij. En hij wàs altijd met zichzelf bezig. Welke acteur niet, vroeg hij zich af. Acteurs zijn onmogelijke mensen om mee om te gaan.

Hij had Louise ontmoet toen het uit was met Rosie, en hij was prompt met haar het bed ingedoken. Hij stond in vuur en vlam en voor hij het wist had hij haar zwanger gemaakt. Ze waren vlug getrouwd: Louise was doodsbang voor de reactie van haar ouders, die hoog op de sociale ladder stonden, en híj voelde zich schuldig en volledig verantwoordelijk voor haar toestand. Hij ging er altijd prat op dat hij een man van eer was. Iemand op wie je kon vertrouwen.

Rosie, die een jaar later, op haar tweeëntwintigste, haar F.I.T-studie had afgesloten, was meteen naar Parijs vertrokken. Daar had ze de broer van haar vriendin Colette leren kennen – Guy de Montfleurie. Bijna direct werden ze verliefd en nog geen jaar later trouwden ze.

En dat was dat.

In de loop van de tijd waren Gavin en Rosie weer goede vrienden geworden en zij was voor hem gaan werken. Zij konden het in, maar ook buiten het werk goed met elkaar vinden en ze voelden zich prettig in elkaars gezelschap. Door haar werd het leven met Louise op een of andere manier weer een beetje draaglijk.

Gavin zuchtte in zichzelf. Er was al heel wat water door de zee gestroomd sinds die dagen in New York, toen ze nog tieners waren. Jong, onschuldig, vol idealen, met een overmaat aan dadendrang, moedig en optimistisch en nog een heleboel positieve dingen meer. Veertien jaar geleden. Het leek veel langer. Eeuwen geleden.

Louise had laatst gesuggereerd dat hij nog veel voor Rosie voelde. Dat was waar. Hij vóelde veel voor haar. Ze was tenslotte zijn beste vriendin, hij kon op haar vertrouwen, en bij al zijn films hadden ze samengewerkt. Hij zou het niet anders gewild hebben. En ja, hij híeld van Rosalind Madigan. Maar dan wel platonisch. Hun romantische gevoelens voor elkaar waren verleden tijd – die waren al voorbij nog voor hij Louise had ontmoet.

Gavin zette huiverend van kou de kraag van zijn jas op, toen hij eindelijk voor de Arc de Triomphe stond.

Het was niet zo'n goed idee om terug te kijken op zijn leven – je had er niets aan, het deed alleen maar pijn. Het is beter om vooruit te kijken, dat was zijn motto. Vooruit en omhoog, dacht hij, toen hij opkeek naar de imposante triomfboog, met daaronder de driekleur, majestueus wapperend in de wind. De vlag van Frankrijk. De vlag van Napoleon.

Het zou een heidens werk worden, deze film, realiseerde hij zich. De rol van Napoleon was de grootste uitdaging in zijn leven. Maar ik heb een schitterend produktieteam, dacht hij. Nu moeten we er alleen nog voor zorgen dat de rolbezetting net zo goed wordt.

De opnamen gingen zoveel vlotter als je mensen had die begrepen wat je wilde.

26

Toen Gavin weer terugkwam in zijn suite in de Ritz bestelde hij een kip sandwich en thee met citroen, en hij ging op de bank zitten met het script van *Napoleon en Josephine* op zijn schoot.

Binnen de kortste keren verscheen een kelner met het gevraagde, en toen Gavin klaar was met zijn lunch pakte hij de telefoon en draaide het nummer van Rosie op het château.

'*Château de Montfleurie, allô,*' klonk een vrouwenstem aan de andere kant van de lijn, en hij wist meteen wie het was.

'Hallo, Rosie, met mij.'

'Gavin! Ik heb al dagen geprobeerd je te bereiken in L.A. Sinds vrijdag al, om precies te zijn! Toen je script hier aankwam, en je pakje. Dank je wel voor die prachtige parels, Gavin. Ze zijn schitterend, heel bijzonder. Een veel te groot cadeau.'

'Niets is te veel voor jou, Engelensmoeltje. Je hebt het verdiend, na al dat werk dat je verzet hebt voor die film, en voor je goede zorgen toen ik dat ongelukje had. Ik sta bij je in het krijt, schat.'

'Gavin, doe niet zo mal! We kennen elkaar toch?' riep Rosie. Toen vroeg ze: 'Waar zit je?'

'In Parijs, in de Ritz. Ik was een paar dagen in Londen, voor nasynchronisatie. Je weet hoe moeilijk het is om het geluid goed te krijgen bij de opnamen. Soms wordt de dialoog door andere geluiden overstemd, daarom hebben we de tekst van een paar gevechtsscènes opnieuw opgenomen, de dialogen tussen Warwick en Edward.'

'Had ik maar geweten dat je in Europa was. Dan had je het weekeind hier kunnen komen. Nu zit je alleen in Parijs. Ik bedoel – ik neem aan dat je alleen bent,' voegde ze er vlug aan toe. Het laatste deel van de zin klonk meer als een vraag.

'Ik ben alleen.'

Even was het stil aan zijn kant en hij schraapte zijn keel. 'Het was nogal dom van me om je niet te bellen, maar om je de waarheid te zeggen: ik wist niet precies hoe lang die nasynchronisatie zou duren. Daarbij had ik afspraken gemaakt met die lui van de studio's in Billancourt.'

'Hoe ging dat?'

'Uitstekend, Rosie, echt perfect! Vanaf begin februari krijgen we de beschikking over alle faciliteiten. We kunnen daar ons hoofdkwartier inrichten. Aida doet de produktie weer en ik denk dat ik Michael Roddings kan strikken voor de regie. Wat zeg je daarvan, meid?'

'Mooi, zeg ik daarvan,' lachte Rosie. 'Het klinkt allemaal voortreffelijk. Vooral dat Aida weer meedoet. Wat Michael betreft – ik ben een groot bewonderaar van hem, ik denk dat hij een van de beste regisseurs is van deze tijd.'

'Ik wist dat je het met me eens zou zijn, lieverd.' Gavin leunde achterover in de kussens, legde zijn voeten op het koffietafeltje en vroeg: 'Heb je al tijd gehad om het script door te kijken?'

'Door te kijken?! Ik heb het in een adem uitgelezen. Ik vind het geweldig, Gavin. Het is heel gevoelig, vaak ontroerend zelfs, en dramatisch heel geladen. Er zit een enorm tempo in. Maar je hebt altijd al goed kunnen samenwerken met Vivienne. Je leest het weg alsof het de definitieve versie is.'

'Yep. Het is niet slecht. Het moet hier en daar nog een beetje worden bijgevijld, maar meer ook niet. Hoe gaat het bij jou daar op het kasteel? Hoe is het met Collie? Je maakte je ongerust over haar, begreep ik.'

'Met Collie gaat het godzijdank een stuk beter. Ze is zo mager als een lat, maar verder is ze gezonder dan ik dacht. Met alle anderen gaat het trouwens ook goed. Alles loopt hier prima.'

'En Guy? Hoe is het daarmee?'

Rosie, aan de andere kant van de lijn, dacht een licht sarcasme in zijn stem te horen. Ze liet het voor wat het was en zei luchtig: 'O, hij is er niet. Een paar weken geleden heeft Henri hem de waarheid gezegd en de dag daarop is hij vertrokken. Sinds die tijd hebben we niets van hem gehoord of gezien. Eerlijk gezegd hopen we hier allemaal dat hij niet terugkomt.'

'Zoals mijn Schotse grootmoeder altijd zei: ''Die ben ik liever kwijt dan rijk''. Klopt?'

'Als een bus! O, Gavin – ik heb een fantastisch nieuwtje voor je. Henri en Kyra gaan trouwen!'

'Je meent het! Hoe komt dat zo opeens?'

Rosie vertelde hem het hele verhaal en eindigde met: 'En een paar dagen na Kerstmis gaan ze trouwen. Hier, op Montfleurie, in de kapel van het château. De pastoor van het dorp zal 's middags het huwelijk inzegenen en daarna is er een tea-party op het kasteel. Wil je ook komen?'

'Ik zou het best willen, maar ik kan niet. Ik ben blij dat het voor Kyra zo goed is uitgepakt. Het is een aardige vrouw.'

'Ja, zeker. En – wanneer ga je terug naar L.A.?'

'Morgen. Of liever: morgen neem ik de Concorde naar New York en daar blijf ik overnachten. Dan ga ik de dag daarop door naar de kust. Om kerst te vieren met David... en Louise.'

'Het zal je goed doen, eens even in de huiselijke kring. Dan kan je wat uitrusten en een beetje tot jezelf komen.'

'Wat je zegt,' zei hij losjes.

'Ik ga meteen na het huwelijk naar Parijs, begin januari,' zei Rosie. 'Ik ga vast beginnen aan de kostuums. Henri heeft hier op het kasteel een paar prachtige boeken gevonden over de Empire, daar heb ik een hoop inspiratie uit opgedaan.'

'Wanneer ben jij ooit níet geïnspireerd, Rosie?' vroeg Gavin, en hij meende het oprecht. Voor hem was ze de meest begaafde kostuumontwerpster ter wereld.

Rosie lachte alleen maar. Zonder te reageren op zijn compliment zei ze snel: 'Wanneer ben je terug in Parijs?'

'Ik ga eerst naar Londen, dat zal de tweede week van januari worden, om daar de definitieve versie van de film te bekijken, en te luisteren naar de muziek. Dan neem ik het vliegtuig naar *gay Paris*, om alles in gang te zetten voor *Napoleon en Josephine*. Wat denk je van dat schema?'

'Ik kan niet wachten om aan de film te beginnen!'

'Ik ook niet. Maar hoe dan ook – ik wilde je even een goede kerst wensen, Engelensmoeltje.'

'Gelukkig kerstfeest, lieve Gavin. En God zegene je.'

'Pas goed op jezelf, Rosie.' Hij legde de hoorn op de haak, pakte het script op en begon te lezen. Hij wilde zichzelf niet bekennen dat hij haar miste. En er was nog veel meer dat hij zichzelf niet wilde bekennen.

27

Een man die een vrouw zulke kostbare parels geeft, moet wel een heel bijzondere band met haar hebben,' mompelde Henri de Montfleurie zachtjes, en hij keek schuin naar Kyra.

Kyra fronste haar voorhoofd. 'Emotioneel, bedoel je?'

'In ieder opzicht.'

'Wil jij suggereren dat Gavin Ambrose verliefd is op Rosie?'

'Dat lijkt me meer dan waarschijnlijk.'

Kyra gaf niet direct antwoord.

Ze draaide zich wat af en ze keek naar de overkant van de grote entreehal, waar Rosie bezig was foto's te maken van Lisette, Collie en Yvonne. Die stonden met z'n drieën voor de gigantische kerstboom, die volgehangen was met allerlei bijzondere kerstversieringen en blikkerende lichtjes. De twee meisjes lachten en babbelden, Collie probeerde hen zover te krijgen dat ze even stilstonden en Rosie was in de weer met haar fototoestel.

Kyra zag hoeveel plezier ze hadden op deze kerstavond, zeker Collie, en dat deed haar immens goed. Net als Rosie maakte ze zich zorgen om Colette, die er pijnlijk mager en afgetrokken uitzag. Het leek wel een zwerverskind, al had ze zich die avond nog zoveel moeite gegeven om zich mooi te maken voor het kerstfeest. De donkergroene zijden jurk die ze had uitgekozen nam het laatste zweempje kleur weg uit haar gezicht, en ze zag bleker dan ooit, dacht Kyra. Misschien wàs het alleen de jurk die haar huid zo wit en dof maakte. Ze hoopte het maar.

Er kwam een nadenkende uitdrukking op haar gezicht, toen Kyra weer naar Rosie keek. Ook Rosie had zich mooi gemaakt voor het feest. Ze droeg een oogverblindend zwartfluwelen mantelpakje, de schuin weglopende zakken overdadig versierd met borduursels. En om haar hals had ze de buitengewoon mooie Zuidzee-parels. Wat een pracht tegen dat zwarte fluweel. Die moeten een fortuin gekost hebben, dacht Kyra. Misschien vijfenzeventigduizend dollar, misschien nog wel meer. Henri had gelijk. Dergelijke kostbare parels gaf je niet alleen uit waardering voor een serie geslaagde ontwerpen voor een kostuumfilm. En zeker niet parels van Harry Winston, de beste juwelier van New York.

Kyra bedacht zich nog iets. Ze boog zich over naar Henri en fluisterde: 'We moeten bedenken dat ze heel, heel oude vrienden zijn, lieverd. Ze kenden elkaar al als tieners, en ze hebben altijd samengewerkt aan zijn films. Het kan heel goed zijn dat hij haar die parelketting gegeven heeft voor al die jaren van vriendschap en samenwerking.'

'Dat betwijfel ik.' Henri nam een slok van zijn champagne. 'Ik heb die twee samen meegemaakt, ik heb heel wat tijd met ze doorgebracht, zoals je weet. Die twee hebben een heel bijzondere band, neem dat nu maar van mij aan. Of ze het zich realiseren…' Hij zweeg en haalde zijn schouders op. 'Dat is een heel andere zaak.'

'Maar Gavin is getrouwd,' mompelde Kyra, en ze kroop dichter tegen hem aan.

'Als je het zo mag noemen,' gaf Henri haar lik op stuk. 'Ik denk niet dat Gavin veel om zijn vrouw geeft – hij lijkt me nogal afstandelijk. Nou is

Louise een beetje een vreemde vrouw, dus ik begrijp het best. Ze is koel, neurotisch, gespannen en niet bijzonder intelligent. En er zit geen spat vlees aan dat uitgemergelde lijf.' Hij rilde onwillekeurig en hij trok een gezicht. 'Is het jou nooit opgevallen dat haar hoofd eigenlijk veel te groot is voor dat spichtige vogelkarkas van haar? Waarom zijn sommige vrouwen toch zo bezeten van afslanken? Waarom willen ze er met alle geweld uitzien als concentratiekampslachtoffers?' Hij schudde afkeurend zijn hoofd. 'Er is niets vrouwelijks of geraffineerds of seksueel begeerlijks aan ragdunne vrouwen als Louise, vrouwen die op jongetjes lijken. Voor mij althans niet. Ik vind ze bespottelijk.'

Kyra schonk hem een brede glimlach. 'Ik ben blij dat jij van wat meer vlees houdt. Anders kon ik wel inpakken.' Ze lachte, pakte haar glas en klonk ermee tegen het zijne. 'Proost. Ik hou van je, Henri de Montfleurie.'

'Die gevoelens zijn wederzijds, mijn liefste,' zei hij met heel veel warmte in zijn stem.

'Louise Ambrose ís een beetje wonderlijk, daar heb je gelijk in,' mompelde Kyra, en ze moest onwillekeurig weer naar Rosie kijken. 'Zij en Rosie zijn zo verschillend als stenen en brood. Kijk eens hoe mooi Rosie is vanavond. Een raspaard – een volbloed.'

Henri moest lachen om die vergelijking, maar hij gaf geen commentaar.

Kyra ging bedachtzaam verder: 'Wat zonde dat Gavin getrouwd is.'

'Wat heeft dat er nu mee te maken,' viel Henri haar snel in de rede. Hij trok op een veelzeggende manier zijn wenkbrauwen op. 'Wanneer heeft de huwelijkse staat ooit iemand van iets afgehouden? Je weet net zo goed als ik dat de meeste mensen, wat de liefde betreft, doen wat hun hart hen ingeeft. Of hun hormonen. En zeker als ze geobsedeerd zijn. En dat ongeacht de gevoelens van anderen, mag ik wel zeggen. Maar toch geloof ik heilig dat Gavin en Rosie niet begrijpen hoeveel ze eigenlijk om elkaar geven.'

Kyra staarde hem aan. 'Ik kan het maar moeilijk geloven.'

'Laat ik het anders zeggen. Ik denk niet dat Rosie weet hoe ze betrokken is bij Gavin op het persoonlijk vlak. Ze is nog veel te veel bezig met Guy en hun problemen en hun mislukte huwelijk. En bezig met ons allemaal, nu ik het er toch over heb. Al jaren. Maar dat zal nu natuurlijk allemaal anders worden.'

'Wat bedoel je?'

'Nu ze besloten heeft van Guy te scheiden, zal haar leven veranderen. Radicaal veranderen.'

'Ze hebben jarenlang niet als man en vrouw samengeleefd, en Guy is hier bijna nooit. Ze heeft hem nauwelijks gezien, al die jaren. Denk je echt dat een scheiding zoveel zal uitmaken voor haar?'

'Ja, dat denk ik. Rosie is heel eerlijk en integer. Zolang ze voor de wet getrouwd was met Guy, voelde ze zich ook aan hem gebonden. Voelde ze zich niet vrij om te doen en te laten wat ze wilde. Dat wil zeggen – zo heb ik haar houding voor mezelf uitgelegd. Alleen al door de beslissing de scheiding te gaan aanvragen heeft zich een fundamentele verandering in haar voltrokken.'

'Wat voor verandering?'

Henri dacht even na voordat hij zei: 'Ze is eindelijk los van Guy. In haar gedàchten. En dat geeft haar een gevoel van bevrijding. Ze zal zich nog beter voelen op het moment dat de scheiding ook daadwerkelijk wordt uitgesproken.'

'O, dat hoop ik van harte, Henri! Ik hou van Rosie, en ik wil dat ze gelukkig wordt...' Kyra hield even op en zei toen aarzelend: 'Ik wilde niet over Guy beginnen, maar... heb je nog iets van hem gehoord?'

Henri knikte. 'Ik heb nog geen gelegenheid gehad om het je te vertellen, en ik wilde je er ook niet mee belasten, maar hij heeft me gisteravond opgebeld. Vanuit Parijs. Om zijn excuses te maken, nota bene. Ik heb zijn verontschuldigingen aanvaard, natuurlijk. Dat is maar het beste, denk ik. Ik heb hem ook gezegd dat wij gaan trouwen en dat ik mijn zoon zal echten.'

'Wat zei hij, toen hij dat hoorde?'

'Hij feliciteerde me. Hij zei dat hij blij was voor ons en voor Alexandre.'

'Ik kan dit bijna niet geloven, Henri.'

'Ik ook niet, al heb ik het met mijn eigen oren gehoord.' Henri kneep haar in haar arm. 'Maar gek genoeg had ik het idee dat hij meende wat hij zei. Het is een vreemde vogel, die zoon van mij. Hij stelt me altijd weer voor raadsels.'

'En alle anderen ook. Het verwondert me nog dat hij niet vroeg of hij met Kerstmis naar Montfleurie mocht komen.'

'Daar heeft hij de kans niet voor gekregen, Kyra. Toen ik zijn excuses aanvaard had heb ik meteen gezegd dat ik er nog niet aan toe was hem weer in genade aan te nemen. Niet op dit moment, onder deze omstandigheden. Maar ik heb erbij gezegd dat het volgend jaar waarschijnlijk heel anders ligt.'

'Hoe nam hij het op?'

'Redelijk goed, zou ik zeggen. Aan het eind van het gesprek vroeg hij of hij Rosie kon spreken. Ik ben haar gaan halen en onderweg heb ik haar aangeraden: zeg nu direct en zonder er omheen te draaien dat je begin volgend jaar de scheidingsprocedure in gang wilt zetten.'

'En heeft ze dat gedaan?'

'Zeker wel! Ze was heel direct, heel vastbesloten. Ze had de tegenwoordigheid van geest om hem te vragen hoe lang hij in Parijs zou blijven, zodat ze hem de papieren kon sturen. Guy zei dat hij tot maart in de stad zou zijn, daarna zou hij naar Hong Kong gaan en verder door naar Indonesië en andere landen in het Verre Oosten.'

'Was hij niet verrast?'

Henri schudde zijn hoofd. 'Nee, ik geloof het niet. Volgens Rosie nam hij het als een man, en hij scheen er niet van ondersteboven te zijn. In feite was hij bijna hartelijk, veel aardiger dan hij jaren tegen haar geweest was, vertelde ze me toen ze had opgehangen.'

Kyra's gezicht verduisterde. 'Henri, dit bevalt me absoluut niet! Ik maak me zorgen over zijn houding. Hij verontschuldigt zich tegenover jou, hij feliciteert je met ons aanstaande huwelijk en hij accepteert zonder meer Rosies plannen om te scheiden. Hij heeft vast een of andere streek achter de hand.'

Henri keek haar nadenkend aan met half dichtgeknepen ogen. 'Wat zou hij dan wel achter de hand kunnen hebben, zoals jij dat noemt?'

'Ik weet het niet. Ik weet alleen dat het me niet bevalt… dat hij alles zomaar accepteert en zo…' Haar stem stierf weg. Ze kon er niet precies de vinger op leggen, ze kon niet precies uitdrukken wat ze bedoelde, maar ze maakte zich ongerust. Ze keek bezorgd.

Henri zag het onmiddellijk en hij pakte haar met een geruststellend gebaar bij haar arm. 'Laat je nu niet leiden door je fantasie, liefste. Zet Guy nu uit je hoofd. Hij zal geen moeilijkheden maken. Kom, het is niet erg beleefd van ons als we hier blijven staan praten. Laten we naar de meisjes gaan.'

Ze liepen naar de anderen toe en Henri keek naar de kerstboom, die bijna tot aan de zoldering van de hal reikte. 'Het is dat ik het zelf zeg, maar ik geloof dat we onszelf dit jaar hebben overtroffen. Zo'n luisterrijke boom hebben we nog nooit gehad. Hij is absoluut groots.'

'Dat komt door de lichtjes die tante Rosie uit New York heeft meegebracht, grootvader,' riep Lisette. 'Het is of de boom vol lichtende sterretjes hangt, net zoveel als er 's avonds aan de hemel staan.'

'Wat een mooie vergelijking, Lisette,' zei Henri, en hij lachte haar harte-lijk toe.

'Kom er even bij staan, Henri. Dan kan ik een foto maken van de hele fa-milie,' zei Rosie. 'En jij ook, Kyra, jij hoort er ook bij.'

Henri zei: 'Maar zonder jou is het nog steeds geen familieportret, Rosie.' En tegen Yvonne: 'Wil jij Gaston even halen, alsjeblieft. Vraag hem of hij een foto van ons wil maken.'

'Ja, oom Henri.' Yvonne fladderde weg.

'En ga jij dan vlug naar boven, Lisette, en vraag aan Eliane of ze even naar beneden wil komen met de kleine Alexandre, want die moet natuur-lijk ook op de foto.'

'Laat mij maar,' zei Kyra en ze liep snel de trap op. 'Ik haal Alexandre zelf wel.'

'Natuurlijk,' zei Henri, en hij schonk zich een nieuw glas champagne in.

Rosie zette haar toestel op een van de wandtafels in de hal en pakte haar glas. Ze liep ermee naar Henri en bekende: 'Het water loopt me in mijn mond als ik al die verrukkelijke geuren ruik die uit de keuken komen. Ik moet zeggen: ik verga van de honger.'

'Ik ook,' zei Henri. Hij nam haar bij haar elleboog en leidde haar terug naar de boom. 'Ik heb van Annie begrepen dat Dominique een lekkere, vette gans heeft gebraden, met een vulling van kastanjes en verder met al-les erop en eraan, en ik kan je wel vertellen dat ik die graag zou willen proeven.'

'En vergeet de *paté de foie gras* niet, waar we mee beginnen, en de *bûche de Noël* met al die chocolade als nagerecht,' zei Collie, en ze ging zitten op een bank, bekleed met gobelin. 'Er staat ons een heel kerstmenu te wachten.'

'We gaan aan tafel zodra Gaston een familieportret gemaakt heeft,' zei Henri. 'Hoe staat het met de jurkjes voor de bruidsmeisjes?' vroeg hij aan Rosie.

'Goed. Ik heb ze al bijna af. Ze hangen in mijn werkkamer. Als je mor-genochtend even langskomt kan je ze zien.'

Henri lachte en schudde zijn hoofd. 'Nee, nee, voor mij moet alles wat met mijn huwelijk te maken heeft een verrassing blijven.'

Collie zei: 'De japon van Kyra is prachtig, vader, heel eenvoudig. Meer zeg ik er niet over. Maar ik denk dat u haar moeders antieke diamanten broche moet geven, de Montfleurie-broche bedoel ik. Die zou prachtig staan op haar bruidstoilet.'

Lang keek Henri zijn dochter aan, toen ging hij naast haar op de bank zitten. Hij legde zijn arm om haar magere schouders en hij kuste haar op haar wang, terwijl hij werd overspoeld door een golf van liefde. Hij was zo aangedaan dat hij even geen woord kon uitbrengen. Hij kuchte een paar keer en zei toen: 'Wat een ontzettend lieve gedachte, mijn liefste Collie. Alleen jij kan zo grootmoedig zijn. Heel lief van je, zo'n liefderijk gebaar. En misschien gééf ik haar die broche ook wel, als een huwelijksgeschenk van ons beiden.'

28

Collie was verschrikkelijk ziek en Henri had Rosies hulp nodig. Dat was alles waar Rosie aan dacht op die ijskoude Parijse morgen, terwijl ze door de slaapkamer vloog en een paar noodzakelijke dingen in een koffer gooide.

Het was midden januari en de afgelopen twee weken had ze hard gewerkt aan de schetsontwerpen van de kostuums voor *Napoleon en Josephine*. Ze had niemand gezien vanaf het moment dat ze, begin van de maand, uit het Loire-dal was gekomen en ze had in vele opzichten van haar eenzaamheid genoten. Ze vond het heerlijk dat ze zich op haar werk kon concentreren, zonder dat ze door iets werd afgeleid.

Gavin zat in Londen, waar hij de supervisie had over de afwerking van *Kingmaker*, en hij belde dagelijks. Soms hadden ze het over de film die net af was, soms praatten ze over de nieuwe film, waar ze allebei hard mee bezig waren. Ze zaten uren aan de telefoon, meestal 's avonds, als hij na een dag in de studio terug was in zijn hotel, en zij na honderden schetsen eindelijk haar potlood had weggelegd en haar tekenblok had dichtgeklapt.

Rosie dacht aan Gavin toen ze de koffer dichtklikte en op de grond zette. Ze ging naar de telefoon en draaide zijn privé-nummer in de Shepperton Studio's in Londen.

Hij pakte al op na de eerste rinkel. 'Hallo?'

'Gavin, met mij. Stoor ik? Kan ik je even spreken?'

'Wat is er aan de hand? Ik weet dat er iets aan de hand is, Rosie. Ik hoor het aan je stem.'

'Het gaat over Collie,' begon Rosie, maar ze moest ophouden, want ze kreeg meteen een brok in haar keel.

'O, Rosie, het spijt me. Wat vreselijk. Is ze erg ziek?'

Rosie slikte en zei moeilijk: 'Henri heeft me net gebeld, een paar minuten geleden. Ze voelde zich de laatste week niet goed, zei hij. Maar ik denk dat ze al weken niet in orde is – vanaf de bruiloft al niet. Hij wou me niet ongerust maken, daarom heeft hij niet eerder gebeld. Vannacht is ze in een crisis geraakt. Hij wil dat ik naar Montfleurie kom. Nu. Direct. Hij zei dat er geen tijd te verliezen was.'

'Is het zo ernstig? Je denkt toch niet dat ze…' Gavin slikte de woorden in die bij hem opkwamen. Hij wist hoeveel Colette voor Rosie betekende. Zijn hart ging naar haar uit.

Met een korte snik zei Rosie: 'Ik weet het niet… Ik zou het niet weten…' Ze probeerde zich te beheersen en ging verder: 'Ik wou je alleen even waarschuwen dat ik er niet ben, de komende dagen. Voor het geval je me nodig mocht hebben.'

'Ik ben blij dat je gebeld hebt. Kan ik iets doen om je te helpen?'

'Nee, dank je. Heel lief van je.'

'Hoe ga je naar Montfleurie? Met de trein?'

'Nee, nee, met de auto. Dat is makkelijker, sneller. Ik moet er zo snel mogelijk naartoe.'

'Eén ding, Rosie: rij voorzíchtig. Neem alsjeblieft geen risico's onderweg. Beloof je me dat?'

'Ik beloof het je, Gavin.'

'Goed. En hou contact. Laat het me weten als je iets nodig hebt. Wat dan ook.'

'Dat zal ik zeker doen. Dank je wel.'

'Wees voorzichtig, Engel.'

'Ja,' zei ze, en ze hing op.

Het was nog geen drie uur later toen Rosie over de ophaalbrug de binnenplaats van château de Montfleurie opreed. Zoals gewoonlijk kwam Gaston al de stenen buitentrap af, nog voordat ze de motor had afgezet. Even later hielp hij haar uit de wagen. Zijn sombere blik sprak boekdelen.

'De graaf wacht op u in zijn studeerkamer, Madame de Montfleurie,' zei Gaston, na zijn begroeting, die minder uitbundig was dan ze van hem gewend was.

'Dank je, Gaston. Ik heb maar een koffer, achterin,' mompelde Rosie en zonder verder nog iets te zeggen liep ze snel naar binnen.

Het was die kille middag eng stil in de grote hal, waar met Kerstmis hun vrolijke lach had geklonken, en ze kreeg een angstig voorgevoel toen ze snel door de lege ruimte liep naar Henri's kamer aan de achterkant van het kasteel.

De deur stond op een kier en ze klopte zachtjes voordat ze hem openduwde en naar binnen ging.

Henri zat op de bank voor de open haard. Hij keek op toen hij de deur hoorde opengaan en hij liep naar haar toe zodra hij haar zag.

'Rosie!' riep hij. 'Godzijdank, je bent er. Collie vraagt al uren naar je.'

Hij sloot haar in zijn armen en ze omhelsden elkaar, in een poging elkaars pijn te verzachten.

Er hing een groot verdriet in de kamer en Rosie wist dat voor haar geliefde vriendin het einde nabij was, hoe ze onderweg ook voor Collie had gebeden.

Rosie keek Henri aan en ze zag in zijn donkere ogen hoe hij leed. Hij zag er afgetobt uit en het leek of hij nachten niet geslapen had, met die rode, opgezwollen oogleden en die wallen onder zijn ogen.

'Hoe… Hoe is het met Collie?' vroeg Rosie tenslotte met schorre stem, bang voor wat ze te horen zou krijgen, ook al wist ze eigenlijk het antwoord al.

Hij schudde zijn hoofd. 'Niet goed, vrees ik.'

'Ik weet dat ze zich met Kerstmis al niet honderd procent voelde,' zei Rosie, en ze probeerde de onzekerheid in haar stem te maskeren. 'Maar dit is wel erg plotseling – of niet?'

'Eigenlijk niet, nee. Collie had vlak voor Kerstmis last van ondraaglijke pijn in haar rug, maar dat heeft ze aan niemand verteld. Ze heeft niemand van ons in vertrouwen genomen.' Verdrietig schudde hij zijn hoofd. 'Die pijnen kwamen begin dit jaar terug, net nadat je weg was. Ze is toen naar dokter Junot in Tours gegaan. Die heeft haar direct verwezen naar Parijs, naar de artsen die haar deze zomer behandeld hebben. Hij was evan overtuigd dat er uitzaaiingen waren. Collie heeft meteen een afspraak gemaakt en alles was al klaar voor de reis toen ze… instortte…' Henri's stem brak en hij draaide zich af, zoekend naar een zakdoek. Nadat hij zijn neus had gesnoten en weer een beetje tot zichzelf was gekomen, keek hij weer naar Rosie. Hij mompelde: 'Maar Collie wil je zien, Rosie. Laten we geen tijd verdoen hier beneden.'

'Ik heb op je gewacht, Rosie. Ik heb gewacht tot je er zou zijn,' zei Collie met een nauwelijks hoorbare stem, haar ogen strak gericht op Rosie.

'Ik ben bij je, lieve Collie.'

'Ik ga een lange, lange reis maken, ik ga ver weg.'

Rosie, die op een stoel naast het bed zat, kon alleen maar knikken. Ze pakte Collies magere, koude hand in de hare, hield die stevig vast en streelde nu en dan de vingers. Ze wilde Collie zo graag troosten.

'Er komt nu op een bepaalde manier een grote afstand tussen ons, maar toch zal ik altijd bij je zijn, Rosie. In je hart. En ik zal leven zolang als jij leeft, omdat jij de herinnering aan mij met je meedraagt tot de dag dat je sterft.'

'O, Collie, ik kan het niet verdragen. Ik kan je niet laten gaan. Je moet vechten voor je leven, vechten om weer beter te worden.' Tranen liepen Rosie over de wangen en ze veegde ze vlug weg met haar vrije hand. 'Alsjeblieft, laat ons niet in de steek.'

'Het is een bevrijding voor me, Rosie. Eindelijk zonder pijn. Zonder verdriet. Ik zal weer bij Claude zijn. Hij wacht op me…' Haar ogen, die altijd zo blauw waren, werden helderder, ze schitterden bijna. Ze waren strak gericht op Rosies gezicht en ze bleven oplichten met een wonderlijke, stralende glans. 'Ik geloof dat er een leven is na de dood. Jij niet, Rosie?'

'Ja, ik ook.'

'De geest leeft verder, nietwaar?'

'O, zeker, schat.'

Er verscheen een glimlach om Collies dunne lippen. 'Heel lang geleden heeft mijn moeder me eens iets gezegd dat ik nooit vergeten ben. Iets wat goed is sterft niet, zei ze, dat zal altijd leven. Mijn liefde voor Lisette en vader en jou is goed, nietwaar, Rosie?'

'O, ja, dat is het zeker.' Rosie kon de woorden nauwelijks over haar lippen krijgen, zo was ze overmand door smart en emotie.

'Dan zal mijn liefde dus voortleven, nietwaar?'

'Ja.'

'Wil je me iets beloven?'

'Alles wat je wilt, Collie.'

'Zorg dat Lisette me niet vergeet, wil je?'

'Natuurlijk.'

'Ik wil dat ze aan me blijft denken, en dat ze aan Claude blijft denken. Ze moet haar vader niet vergeten. Alsjeblieft, Rosie, hou de herinnering aan ons levend voor haar.'

'Ik beloof je dat ze jullie geen van beide ooit zal vergeten,' zei Rosie, haar gezicht vertrokken van verdriet. Weer veegde ze haar tranen weg. Ze probeerde zich uit alle macht te beheersen voor Collie, die zo dapper was in het gezicht van de naderende dood.

'Mijn kleine meid zal het goed hebben bij vader en Kyra, maar jij houdt haar toch ook een beetje in de gaten, hoop ik?'

'Dat weet je toch. Je weet hoeveel ik van haar hou en ik zal veel met haar optrekken.'

'Dank je, Rosie, voor alles wat je altijd voor ons hebt gedaan.'

'Zeg dat niet, alsjeblieft... Ik heb niets gedaan...'

'Jawel, je hebt heel veel gedaan. Te veel. Ik ben blij dat je weggaat van Guy. Je moet een nieuw leven beginnen. Op een dag zal je een goede man tegenkomen, Rosie. Ooit zal je het geluk vinden dat Claude en ik hebben gekend. Echt, dat is het enige wat het leven draaglijk maakt... een diepe en blijvende liefde.'

Rosie knikte.

Collie lachte plotseling tegen haar en haar ogen werden groter. 'Ik ben zo blíj dat wij elkaar zijn tegengekomen, jij en ik, al die jaren geleden in Parijs, toen we nog meisjes waren... Blij dat je bij de familie hoort.' Collie sloot haar ogen en haar adem ging plotseling sneller. Haar hijgen klonk hol en moeizaam.

Rosie boog zich voorover en keek naar Collie met een dwingende blik. Toen, alsof ze zich realiseerde dat Rosie haar bang aanstaarde, deed Collie haar ogen weer open.

'Het is goed zo,' fluisterde ze. 'Laat de anderen maar binnenkomen... mijn vader, Lisette, Yvonne en Kyra. En vader Longueville. Die zit al eeuwen te wachten.'

Weer kon Rosie niets anders dan knikken.

Collie kneep in Rosies hand.

Rosie leunde naar voren, met haar gezicht vlakbij dat van Collie.

Met zwakke stem zei Collie: 'Kus me, Rosie. Geef me een afscheidskus.'

Rosie kon haar tranen niet meer bedwingen en haar gezicht was nat toen zij haar lippen op Collies wang drukte. Ze kuste haar een paar keer en sloeg zacht, met een troostend gebaar, haar arm om haar schoonzusje heen. Ze hield haar dicht tegen zich aan en fluisterde zachtjes in haar haar: 'Ik heb altijd van je gehouden, Collie, en ik zal altijd van je blijven houden. Ik zal je nooit vergeten. Nóóit. En ik zàl je meedragen in mijn hart, lieverd. Altijd.'

'Je moet niet huilen, lieve Rosie. Ik ga naar een veilig oord. Ik zal weer bij Claude zijn. En bij moeder,' zei Collie met een brede, blijde lach.

Rosie maakte zich los en stond op. Ze liep naar de deur van de slaapkamer.

De anderen stonden buiten op de gang te wachten om voor het laatst met Collie te praten. Rosie wenkte hen naar binnen.

Langzaam liepen ze naar het bed. Lisette, bang en ongerust, klampte zich vast aan haar grootvader – ze was nog maar zo'n kleine meid. De jonge priester, die de maand daarvoor Henri en Kyra in de echt had verbonden, sloot de rij. Hij bleef staan bij de deur, een beetje afzijdig van de familie. Als Collie afscheid had genomen van haar gelieven zou hij haar het sacrament der stervenden toedienen. Het laatste oliesel.

En dan zou Collie eindelijk vrede hebben, dacht Rosie. En wij zullen altijd om haar treuren. Ze is veel te jong om te sterven. Nog maar tweeëndertig. Maar een jaar ouder dan ik.

Deel Drie

Gevaarlijke Verhoudingen

29

Je maakt vorderingen, je gaat echt lekker, Kevin,' zei Neil. ''t Is alleen
nog effe volhouwen. Als je je kop d'r maar bij houdt, in jezusnaam. Geen
ondoordachte stappen.'
Kevin knikte. 'Maak je maar niet bezorgd, ik ben zo voorzichtig als de
hel. En weet wat ik doe. Ik zit alleen in over Tony. Zijn kop staat op het
spel. Jezus – als mol in het hartje van de mafia, dat kost 'm z'n zenuwen.
Wie niet, trouwens. Hij zit er tot z'n nek toe in, ik ben blij dat ik het niet
ben. Ik sta nog min of meer aan de zijlijn.'
'Voor je het weet sta je midden in het veld.'
Kevin glimlachte wat. 'Ik hoop niet dat 't nodig is, *compadre*.'
'Nee, ik ook niet. Maar wat Tony betreft, Kev: die is oké. Als je een der-
de-generatie Italo-Amerikaan bent dan weet je hoe je het spel moet spelen, dan ken je hun lingo. Hij voelt ze aan. Vergeet niet dat hij in East
New York is opgegroeid, daar heeft-ie heel wat geleerd op straat. Dat is
een verdomd ruige buurt, daar ben je je leven niet zeker. De thuisbasis
van Murder Incorporated in de dagen van Albert Anastasia, en in de jaren
dat Tony daar opgroeide was de mafia er heer en meester.'
Neil knikte, alsof hij iets wilde bevestigen voor zichzelf, en hij zei rustig:
'Tony is een ijskouwe, net als jij. Hij moet wel, net als jij, anders zit-ie
straks op de blaren – net als jij. Je hoeft maar een voet verkeerd te zetten…' Neil nam een forse slok bier. 'Zal ik je eens wat zeggen? Geen
kans dat mijn ouwe gabber Anthony Rigante betrapt wordt als infiltrant.
Hij heeft altijd als stille gewerkt, vanaf het moment dat-ie bij de politie
kwam, nu zes jaar geleden. Bij hem is het een tweede natuur geworden,
jongen.'
'Tja, je zal wel gelijk hebben. Maar als je er eenmaal middenin zit, ziet
het er toch weer heel anders uit. Rondhangen met gangsters, hun spelletjes meespelen…'
Neil keek Kevin begrijpend aan, maar hij zei niets.
De twee politiemannen zaten samen aan een tafeltje in een kleine bar in
de 30th Street, vlak om de hoek van First Avenue. Het was vol in de kleine ruimte, al was het pas vijf uur in de middag, en door de kakofonie van
geluiden, van schrille stemmen en bulderend gelach, gerinkel van glazen
en jengelende muziek van de jukebox op de achtergrond, was dit een
ideale plaats voor een gesprek onder vier ogen. Niemand kon een woord
verstaan van wat ze tegen elkaar zeiden.

Toch schoof Kevin dichter naar Neil toe en hij liet zijn stem nog meer zakken toen hij zei: 'Het heeft een paar maanden geduurd, maar nu zijn er toch eindelijk perspectieven. Tony heeft me binnengeloodst in de lagere echalons van de Rudolfo-familie. Ik ben op jij en jou met een paar soldaten, en met een *caporegime*. En ik kan je dit zeggen, Neil: je had gelijk, wat de Rudolfo's betreft. Ze zitten tot hun nek in de drugshandel, de straatverkoop van die vuiligheid brengt iedere week miljoenen dollars in het laatje. Ze doen in alle klerezooi, van smack tot crack, net wat je zei.'

'En dan hebben ze ook nog vingers in de pap bij de vakbonden en ze lenen geld uit tegen woekerrente. En verder nog prostitutie, gokken, bankfraude en alle andere zwendelpraktijken die ooit bedacht zijn. Daar zijn die rotzakken al jarenlang mee weggekomen. We moeten ze grijpen, Kevin, en meteen goed grijpen. Alle beschuldigingen die we tegen hen inbrengen moeten onweerlegbaar bewezen kunnen worden. Het bewijs moet rondkomen.' Neil voegde daar, met een zelfingenomen glimlach, aan toe: 'Zoals het bewijs in de zaak tegen Gotti rondgekomen is.'

'Ik weet dat we sluitende bewijzen moeten hebben, Neil, en je krijgt ze. Tot nog toe gaat alles volgens plan, dus maak je maar niet ongerust. We hebben alleen een beetje meer tijd nodig. We moeten ons nu niet overhaasten, niet in dit stadium.'

'Oké, oké, je krijgt de tijd. Maar niet te lang. Hoe langer je dit rekt, hoe groter de kans dat je je blootgeeft. Dan ga je teveel risico lopen.'

'Je hoeft je over mij geen zorgen te maken. Net als Tony speel ik dit spelletje al te lang om nog fouten te maken.'

'Ik weet het, ik weet het. Maar kijk uit, wil je?'

Kevin knikte. Hij dronk zijn glas leeg, schoof zijn stoel achteruit en stond op. 'Nog eentje? Op een been kan je niet lopen. Of wil je iets sterkers?'

'Een biertje is prima, jongen. Dank je.'

Neil drukte zijn sigaret uit en stak bijna onmiddellijk een nieuwe tussen zijn lippen. Hij zou ermee willen ophouden, maar dat kon hij niet. Als-ie niet voortijdig tegen een kogel opliep, zou hij wel doodgaan aan longkanker of aan een hartaanval. Maar wat zou het – leven is nou eenmaal riskant, wat je ook doet, dacht hij. Dus stak hij een lucifer aan en hield het vlammetje bij de sigaret. Dan kan ik net zo goed in vlammen opgaan, dacht hij met een geluidloos, cynisch lachje.

Kevin kwam terug bij hun tafeltje met in iedere hand een vol glas bier. Hij ging zitten. 'Proost,' zei hij en hapte in het schuim, dat een vaag, wit randje achterliet op zijn bovenlip. Hij veegde het weg met zijn hand en hij grinnikte tegen Neil: 'Zo, dus Gotti heeft zich flink in de nesten gewerkt... Ja!'

Neil moest onwillekeurig lachen. 'Verdomd, dat heeft-ie. Heb je de *Daily News* gelezen, gisteren? Ze noemen hem de Al Capone van de jaren negentig. Dat zal 'm naar z'n grote kop stijgen!'

'Ik heb dat artikel gelezen, ja. Leuk hè – hij staat terecht in Brooklyn, en dat was vroeger het werkterrein van Capone.'

'En van Gotti, vergeet dat niet,' antwoordde Neil, en hij boog zich over de tafel. 'Ik krijg allerlei signalen uit de onderwereld. Ze denken dat hij het deze keer niet zal redden, dat justitie hem eindelijk te pakken heeft. Ja, het ziet ernaar uit dat de Teflon Don flink voor schut gaat. Heb jíj dat soort verhalen ook gehoord om je heen?'

'Jazeker. En ons bureau heeft daar behoorlijk de hand in gehad, we hebben heel wat bewijsmateriaal tegen hem verzameld. Ik kan het nog niet geloven dat Gotti zo stom is geweest om op die manier zijn mond voorbij te praten.'

'Ja, hoor es – volgens mij is die vent volslagen maf. Aan de andere kant, hoe kon hij weten dat we afluisterapparatuur geplaatst hadden in de Ravenite Social Club? En hij had toch niet kunnen dromen dat zijn advocaat de rechtszaal uitgegooid zou worden. Laten we eerlijk zijn: Bruce Butler was zo'n beetje zijn amulet, z'n gelukspoppetje. Maar een hoop mensen die het weten kunnen zeggen dat hij het allemaal aan zichzelf te wijten heeft, dat hij gepraat heeft over dingen waar een Baas zijn mond over hoort te houden – moorden, Cosa Nostra – en hij had zeker niet zulke gesprekken moeten voeren in de club. Zijn hóófdkwartier, nota bene! Als je wilt praten ga je toch een eindje wandelen, op straat.'

'Hij schijnt ook ergens gezegd te hebben dat hij iemand heeft laten afranselen. Staat dat ook op de band?'

Neil knikte. 'Ja. Ik ben er haast zeker van dat-ie voor schut gaat, dat-ie er voor jaren achter gaat. 't Zou me niks verwonderen als-ie levenslang krijgt met zo'n serie aanklachten, die stuk voor stuk bewezen kunnen worden. Dan zijn we Gotti en z'n maatje Gravano tenminste kwijt. En in de Colombo-familie is ook al de pleuris uitgebroken. Een van hun mannen is neergeschoten, en dat zou best eens kunnen uitlopen op een totale oorlog, waarbij leden van de familie tegenover elkaar komen te staan.'

'Een paar kiezen de kant van Persico, de anderen staan achter Little Vic Orena, die zich opwerpt als de baas. Er wordt gefluisterd dat Orena zijn macht definitief wil vestigen als Persico in de nor zit.'

'Klotige bendes! Er zal weer bloed vloeien in de straten, dat zal je zien!'

'In de straten van Little Italy dan, en een paar andere besmette plaatsen in de stad,' zei Kevin, terwijl hij Neil tegen zijn arm stompte. 'Kijk niet zo besodemieterd. We zijn aan de winnende hand. Verleden week hoorde ik dat de broertjes Gambino zitten op te hikken tegen een nieuw mafia-proces. Onze goedgebekte Gravano heeft weer eens een nieuw liedje gezongen bij de rechter-commissaris. Deze keer ging het over de Gambino's. Die schijnen een aantal transportbedrijven voor de textielbranche in hun macht te hebben.'

'Dat heb ik gehoord,' zei Neil. Hij keek op zijn horloge. 'Ik moet er vandoor, jongen. Blij dat we even bijgepraat hebben. Volgende week, zelfde tijd?'

'Volgende week, zelfde tijd. Laat me alleen even weten waar.'

Ze pakten hun jassen en liepen naar buiten. 'Ik moet die kant op.' Kevin wees met zijn hoofd in de richting van de 40th Street.

'Ah, jij moet naar je chique vriendinnetje. Veel plezier!' gniffelde Neil en er verscheen een veelbetekenend lachje om zijn mond.

'Nee. Ze is er niet. Ik ga een oude vriend opzoeken, die eindelijk weer eens in New York is. We gaan wat eten, samen.'

'Doe kalm aan, Kev, en denk eraan wat ik gezegd heb: hou je gedekt. Altijd.'

'Afgesproken, Neil. En jij ook, hè. *Kijk uit.*'

'Jazeker, jongen.'

Kevin hield een taxi aan en zei tegen de chauffeur dat hij naar de kruising van Lexington en de 54th Street moest. Daar stapte hij uit en nam aan de overkant van de straat direct een volgende taxi, ditmaal naar de kruising van Sixth Avenue en de 58th Street. Daarna liep hij een stukje, tot hij bij het Wyndham Hotel kwam, waar hij naar binnen ging. Hij liep door de lobby naar Jonathan's, het restaurant van het hotel, keek rond, ging weer terug naar de hal en verdween daar in de herentoiletten.

Vijf minuten later hield hij zijn derde taxi aan voor het populaire showbusiness hotel, en hij liet zich naar Park Avenue, hoek 52nd Street brengen. De rit duurde maar een paar minuten en even later stond hij weer op straat. Hij nam de 52nd Street, richting Fifth Avenue, waar hij afsloeg naar de 56th Street. Hij zette er flink de pas in en zo nu en dan keek hij achterom. Hij was er nu zeker van dat hij niet gevolgd werd.

Aangekomen in de 56th Street liep hij meteen naar binnen in de Trump Tower, duwde de zware glazen deur open en liep de hal door naar de portiersloge.

'Voor de heer Gavin Ambrose, alstublieft.'

'En uw naam is…?'

'Kevin Madigan.'

De portier draaide een nummer, zei iets in de telefoon en legde de hoorn weer op de haak. 'U wordt verwacht. De zestigste verdieping, meneer.'

'Dank u,' zei Kevin en hij liep naar de liften.

'Wat een fantastisch uitzicht!' riep Kevin, toen hij door de grote zitkamer liep in het appartement dat Gavin had gehuurd. 'Jezus! New York is fantàstisch op deze hoogte. Wat een panorama! Die zee van licht tegen de donkere hemel, en al die gebouwen die de lucht in schieten. Je zou er duizelig van worden. Ik ben van m'n leven nog nooit zo hoog geweest.'

'Jazeker wel. We zijn samen eens bovenop het Empire State Building geweest.' Gavin lachte en bracht hem een glas wijn. 'Jij bent niet van de ramen weg te slaan! Kom op, kom eens even zitten, dan kunnen we bijpraten.'

'Dank je,' zei Kevin, en hij nam het glas aan. Hij volgde Gavin door de kamer naar een witte zithoek met banken en fauteuils. Die stonden gegroepeerd rond een grote, antieke Chinese koffietafel waarvan het lakwerk was ingelegd met parelmoeren bloemen.

Hij liet zich zakken op een van de banken. 'Nou, vertel me eens, wat doe jíj in een flat als deze? Het ziet eruit als het optrekje van een dure callgirl.'

'God, meneer is goed op de hoogte!' riep Gavin. 'Ik zou niet weten hoe het optrekje van een dure callgirl eruit ziet.'

'Pluche wat de klok slaat, overdadig en stinkend naar poen. Hopen poen. Van wie ís deze flat, Gav?'

'Ik zou het echt niet weten. Een makelaar heeft 'm voor me gevonden. Maar ik geloof dat-ie van een of andere schathemelrijke Europese tycoon is, die kennelijk liever in Europa woont. Ik heb de flat een paar maanden gehuurd.'

'O.' Kevin keek hem aan met een doordringende blik en vragend opgetrokken wenkbrauwen. 'Foute boel in het goeie, ouwe L.A.?'

Gavin lachte. 'Niet fout, niet goed. Niks. Zo staan de zaken tussen Louise en mij. Van dàt front geen nieuws. Nee, ik verlangde een beetje naar de oostkust, de laatste tijd. Ik heb tenslotte nog steeds de naam een acteur te zijn die geboren en getogen is aan de oostkust, dus ik dacht: waarom zal ik die naam niet eens eer aandoen, een poosje?'

'Da's geweldig, Gav, ik ben blij dat je hier bent. Dan is het weer een beetje net als vroeger. Maar hoe zit het met Parijs? Rosie zei dat je gauw zou beginnen aan *Napoleon en Josephine*, en dat zij de kostuums weer doet.'

'Klopt. We beginnen ook binnenkort. Eerst moet ik nog de laatste hand leggen aan *Kingmaker*. Er moeten nog een paar scènes nagesynchroniseerd worden. We hebben de acteurs hiernaartoe laten komen, en een deel van mijn produktieteam, die kunnen dat karwei snel klaren. Het is nog twee of drie weken werk, schat ik. Dan ga ik als een haas terug naar Europa, waar ik zo'n maand of zes in Parijs ga wonen. Misschien langer.'

'En deze flat?'

'Jij mag erin, als je wilt, Kev.'

'Je meent het!'

'Jawel.'

'Wat moet ik met een appartement als dit?'

'Erin wonen, lijkt me.' Gavin kon nauwelijks z'n lachen houden. 'Ik bedoel – het is toch beter dan wat je hebt in de 59th Street, dacht je niet?'

'Dat wel,' antwoordde Kevin. 'Maar ik woon niet thuis, op het ogenblik. Ik ben neergestreken in de Village, een kamertje in een huis op East 10th Street. Met een nieuwe identiteit, natuurlijk. Ik werk als infiltrant.'

'Wanneer niet?'

Kevin dacht een kleine, bijna onmerkbare verandering in Gavins toon te horen. Heel in de verte klonk er iets van afkeuring in door; en was er misschien misprijzen te zien in de koele, grijze ogen van Gavin? Gavin had de eerlijkste ogen die hij ooit had gezien. Kevin gaf geen antwoord, hij nipte aan zijn glas, hij leunde achterover in de te weelderige kussens van de witte bank en sloeg zijn lange benen over elkaar.

'Je gaat eraan onderdoor, Kev,' zei Gavin na een poosje. 'Ik begin het aan je te zien, jochie.'

Als er zo over zijn werk gepraat werd, ging Kevin altijd onmiddellijk in de verdediging. Ook nu al had hij bijna gezegd: waar bemoei je je mee, maar hij kon het nog net binnenhouden. Waarom zou hij stomme spelletjes spelen met een vent die hij vertrouwde, die een broer voor hem was, en die altijd voor hem klaarstond, wat er ook gebeurde. Die altijd voor hem had klaargestaan.

Langzaam knikte hij. 'Het werk *ís* behoorlijk zwaar, de laatste tijd,' bekende hij en hij trok een gezicht. 'Werken als infiltrant vergt soms heel wat van je zenuwen.'

'Dat verwondert me niets. En gevaarlijk is het ook.'

'De hele wereld is gevaarlijk, tegenwoordig, Gav.'

'Ik weet het. Maar jij zit er middenin. Jij neemt het op tegen een stelletje criminelen, op hun eigen terrein. En als die gaan schieten kan iedereen die niet uitkijkt geraakt worden. Zolang jij bij de Afdeling Misdaadonderzoek werkt, zal je altijd in het centrum van de gevarenzone zitten. Je zult altijd doelwit zijn. Kanonnenvoer, zoals ze vroeger zeiden.'

Kevin haalde zijn schouders op. 'In ieder geval: de verdiensten zijn goed,' merkte hij op, en begon meteen te lachen om zijn eigen idiote opmerking. Maar als je er grapjes over maakte was het gevaar soms makkelijker te verdragen.

'Dat zal wel!' spotte Gavin. Hij pakte zijn glas van de tafel, nam een slok en ging snel verder. 'Rosie maakt zich zorgen over je. Nell maakt zich zorgen over je. En ondergetekende maakt zich zorgen over je. Waarom hou je er niet eens mee op, Kevin?'

'Zou jij kunnen ophouden met acteren?'

'Nee.'

'Nou – daar heb je je antwoord.'

'Maar ík heb niet iedere dag de dood voor ogen…'

'Dat dacht je maar. Eén mislukte film en je weet niet waar je blijft. Er lopen altijd een paar idioten rond die je graag een kopje kleiner willen maken.'

Gavin schudde zijn hoofd. 'Jij bent onverbeterlijk. Maar ik denk dat jij moet doen wat je vindt dat je moet doen.'

'Zo is dat, kerel.'

Gavin zette een stapel witte, wollen kussens in zijn rug en mompelde: 'Vooruit, Kevin, schei er nou mee uit. Ik heb een goeie baan voor je.'

'Wat voor baan?'

'Je kunt mijn assistent worden.'

'Dat is verdomme een aalmoes, Gavin!' riep Kevin in een vlaag van woede. 'Ik heb jouw verdomde aalmoezen niet nodig!'

'Het is geen aalmoes, Kev. Absoluut niet. Ik heb iemand nodig die me een hoop werk uit handen kan nemen.'

'Waarom neem je geen secretaresse? Dat doen toch de meeste mensen in jouw positie?'

'Ik heb een secretaresse. Ik heb een assistent nodig, iemand die een oogje houdt op bepaalde zaken, op financieel gebied, onder andere. Iemand die ik kan vertrouwen. En laten we wel zijn, jij bent zo'n beetje familie. We zíjn familie, Kevin, na al die jaren dat wij samen geweest zijn.'

'Heeft Nell je gestuurd met die boodschap?'

'Absoluut niet, jochie, absoluut niet. Al zou ze dolgelukkig zijn als jij je eens een keer zou bedenken.'

'Het is niks voor mij. Dank je, Gav, ik weet dat je het goed bedoelt, maar zo'n baantje als dat is niet mijn pakkie-an.'

'Het aanbod blijft. Die baan wacht op je.'

Kevin zuchtte. 'Dank je. Het spijt me dat ik daarnet zo grof deed en zo ondankbaar. Het is een prachtig aanbod, heus, dat meen ik. Maar ik ben een politieman, net als mijn vader en mijn grootvader en zijn vader voor hem, enzovoort en zo verder. Ik denk niet dat ik gelukkig zou zijn met een andere baan, echt niet.'

'Ik denk dat ik je in mijn hart best begrijp… Ik denk dat ik het altijd heb geweten. Maar goed – hoe staat het tussen Nell en jou? Wordt het een vaste relatie of niet?'

Kevins donkere ogen keken recht in de grijze ogen van Gavin. Ze begrepen elkaar, als ze elkaar zo aankeken. Ze begrepen elkaar zoals alleen heel oude, heel goede vrienden elkaar kunnen begrijpen.

Tenslotte antwoordde Kevin: 'Ik heb er de laatste tijd veel over nagedacht. Ik heb haar zelfs ten huwelijk gevraagd. Ze zou erover denken. Maar ze heeft nooit ja gezegd.'

'Jammer. Jullie zijn geschapen voor elkaar.'

'Zeg dat maar tegen Nell.'

'Dat zal ik zeker, als je het niet erg vindt.'

'Natuurlijk niet, ga je gang. Trouwens – jij gaf ook geen rechtstreeks antwoord, daarstraks. Hoe gaat het werkelijk met jou en Louise?'

'Tja, het gaat eigenlijk niet. Ze woont in mijn huis, ze geeft mijn geld uit, en ze neukt met een senator uit Washington.' Gavin haalde zijn schouders op. 'Als mijn grootvader nog leefde zou hij me een duf konijn noemen.'

'Die van mij zou zeggen: een verdomde Paap.'

Ze moesten allebei lachen en Kevin zei: 'Maar blijf je bij Louise? Serieus – wat ga je doen?'

'Ik ga op het ogenblik niets doen waar herrie van kan komen…'

'Denk je niet dat er herrie van komt, als je zomaar naar de oostkust verhuist?'

'Ik heb me hier niet gevestigd. Ik heb alleen een appartement gehuurd in New York, mijn geboortestad, terwijl ik bezig ben aan de afwerking van mijn film. Dan ga ik naar Frankrijk om een nieuwe film te maken. Op die manier hou ik haar aan het lijntje, een lijntje waar ze zich tenslotte aan zal ophangen. Ik kan wachten. Ik heb geen haast.'

'Dus je hebt geen lieve vriendin, ergens?'
Gavin schudde zijn hoofd. 'Geen aanminnige schoonheid om mijn leven te verlichten. Ik heb mijn werk, en dat is me genoeg.'
'Je zult ooit nog wel eens iemand tegenkomen.'
'Misschien.'
Kevin vroeg: 'Heb je een kok hier, of hoe doe je dat?'
'Hoe doe je wat?'
'Ik vroeg me af hoe je dacht te gaan eten. Jij haat het om naar een restaurant te gaan – die beroemde sexy grijns van je brengt je in moeilijkheden.'
'Jij vindt het net zo min prettig om buiten de deur te eten, Kevin. Schuif het nou niet helemaal op mij af.'
Kevin zei: 'Had je ooit gedacht dat je nog eens zo beroemd zou worden dat je niet eens meer in een restaurant kunt gaan eten, omdat je dan belaagd wordt door hysterische vrouwen? Of dat ik niet graag met je mee zou gaan uit angst dat ik – en jij erbij – zou worden neergemaaid door gangsters die het op mij voorzien hadden?'
'Nee, dat had ik nooit gedacht,' antwoordde Gavin, en er flitste een glimlach over zijn gezicht. 'Maar zoals we net al hebben geconstateerd: we zijn een verdomd stel duffe Paapse konijnen.'
Gavin stond op, liep door de kamer en draaide zich om naar Kevin. 'Als je het weten wilt: we gáán vanavond uit.'
'O. Waarheen?'
'De stad in. Naar Bobby De Niro's Tribeca huisbioscoop. Die heb ik afgehuurd, vanavond. Alleen voor ons tweeën. Ik ga *Kingmaker* voor je draaien, en daarna gaan we eten in Bobby's Tribeca restaurant.'
'Dat klinkt goed, en ik veronderstel dat we daar veilig zijn?'
'Reken maar! Dat kan ik je garanderen, Kevin!'

30

Het was ijskoud, en de druilerige regen veranderde al gauw in sneeuw, die een donzig wit laagje legde over de voorruit van de auto.
'Slecht weer om te rijden, Vito,' zei de chauffeur, en hij drukte de schakelaar van de ruitewissers in. 'Een slechte avond om nu helemaal naar Staten Island te gaan.'
'We zitten hier droog, Carlo,' antwoordde Vito met zijn rauwe stem.

'Droog en warm. Dus ik zie het probleem niet. Waarom gooi je er niet een bandje in? Johnny's bandje. Dat nieuwe, je weet wel, *Fortune's Child*.'

'Zoals je wilt, Vito,' mompelde Carlo, en hij deed wat hem gevraagd werd.

Even later klonk Johnny's gouden stem in de kleine ruimte van de auto en Vito ging er eens goed voor zitten in de hoek van de achterbank. Hij lachte stilletjes en hij vond het heerlijk om te luisteren naar Johnny's versie van 'You and Me, We Wanted It All.'

Hij was bijzonder trots op zijn neef. De grote ster. Op dit moment was Johnny groter dan wie ook. Vroeger waren er anderen geweest die minstens even groot waren, maar die hadden hun tijd gehad. Nu was de beurt aan Johnny. Op zijn achtendertigste had Johnny het gemaakt, hij stond bovenaan alle hitlijsten en hij was de lieveling van heel Amerika. Niet alleen van heel Amerika – van heel de wereld.

Hij zuchtte van plezier en hij sloot even de ogen, in slaap gewiegd door het geluid van die fluwelen stem. Vito zuchtte nog eens en dacht: Hij zingt als een engel, mijn Johnny.

Het was 23 januari 1992, een donderdag, en zoals altijd op donderdag was Vito op weg naar Salvatore voor het wekelijkse familiediner. Zestig jaar lang hadden ze iedere donderdag met de familie gedineerd; een ritueel dat begonnen was toen ze allebei negentien waren en pas getrouwd, hij met Angelina, God hebbe haar ziel, en Salvatore met Theresa.

Zestig jaar – een lange tijd. Hij vroeg zich af hoeveel donderdagse diners ze nog zouden meemaken. Ze waren allebei oud. Negenenzeventig jaar. Hij voelde er niet veel van, alleen zo nu en dan wat pijn in de heup, en hij had wat overgewicht. Hij zag er al helemaal niet uit als negenenzeventig, en dat wist hij. Salvatore trouwens ook niet. Goed, ze hadden grijze haren, en diepe groeven in hun gezicht, maar ze waren allebei goed in vorm voor hun leeftijd. En ze waren nog goed bij hun positieven ook, godzijdank.

Zijn oude *goombah* was een wonder van energie, hij had de zaken nog stevig in de hand, hij regeerde nog steeds over alle families aan de oostkust. *Capo di tutti capi.* Wat was hij trots op Salvatore, net zo trots als op Johnny.

Dat liedje wat Johnny daar zong – dat vond hij mooi.

'You and Me, We Wanted It All.'

Ging het daar niet om in de wereld? Hij en Salvatore, ze wilden alles, en ze hadden het genomen. Met geweld, als dat nodig was. Er werd gezegd dat hij en Salvatore gevaarlijke, meedogenloze, wrede mannen waren. Maar dat waren ze helemaal niet. Ze hadden alleen geprobeerd zichzelf uit de goot te trekken, uit de bittere armoede van de Lower East Side waar ze als immigrantenkinderen gewoond hadden. Ze spraken toen nog geen woord Engels en het grootste deel van de tijd gingen ze half dood van de honger. Ze hadden gedaan wat ze gedaan hadden, alleen om te overleven.

Vito lachte in zichzelf. Hij had onder een goed gesternte geopereerd. Zo nu en dan een paar moeilijkheden, een paar technische probleempjes, maar niets wat hij niet had kunnen oplossen. En de meeste tijd hadden ze moeilijkheden met de wet kunnen voorkomen – en dat zestig jaar lang. Misschien hadden ze geluk gehad. Maar wat smeergeld hier en daar deed wonderen. Salvatore schoof iedere week, maar geld was nooit een probleem. Wat betekende een paar envelopjes met bankbiljetten voor Salvatore en Vito? Ze konden het zich permitteren. Dus betaalden zij. Op die manier waren ze voor eeuwig beschermd.

Niemand heeft schone handen, dacht Vito, en hij lachte hardop, een vette, rauwe lach die door de kleine ruimte knalde en die zijn dikke lijf deed schudden. Iedereen is te koop. Het enige verschil is de prijs. Soms willen ze geld, soms macht, soms 'speciale diensten', meestal in de vorm van een stel hoeren. Het is alleen de prijs waar je over moet onderhandelen.

Mensen stinken. De wereld is vol smeerlappen. Hij had geen hoge pet op van het menselijk ras. De *amici*, de 'mannen van eer', kregen altijd de schuld van alles wat er mis was in de wereld. Daar begrijp ik geen donder van, dacht Vito. We doen niks anders dan alle anderen. Oplichting, diefstal, misdaden in alle soorten en maten, en zelfs moord is gemeengoed, is in de zakenwereld algemeen geaccepteerd, net als in iedere andere wereld, en in de politiek. Politici zijn walgelijk tuig, voegde hij er voor zichzelf aan toe. Die zijn alleen maar uit op eigen gewin, net als de politie en justitie en iedereen… Iedereen, behalve zijn Johnny. 'Ik en Salvatore, wij hebben het op onze manier gedaan,' mompelde hij voor zich uit. 'Wij hebben onze eigen regels gemaakt. Wij hebben de code van de Broederschap gerespecteerd, maar we hebben het op ònze manier gedaan, o, ja – dat hebben we.' Inwendig moest hij lachen. Hij had een paar goede herinneringen.

Johnny Fortune.

Grote ster.

Zijn trots en glorie.

Zijn neef.

Meer zijn zoon dan zijn neef.

Johnny was deze week in New York. Hij zou vanavond ook naar het familiediner komen. Hij zou vanuit Manhattan met een limo gebracht worden. Salvatore was blij; Vito was blij. Het zou een heerlijke avond worden.

Het huis van Salvatore Rudolfo stond een eindje van de weg af. Het was omgeven door een hoge, stenen muur, met aan de straatkant een zwaar smeedijzeren hek, dat onder stroom stond. Het huis was zwaarder bewaakt dan Fort Knox.

Vito wist dat er overal wachtposten waren, mannen die de klappen moesten opvangen, maar die waren verdekt opgesteld. Behalve dan die twee aan het hek, die opdoken uit het niets op het moment dat de wagen stopte bij de oprit.

Langzaam ging het hek open, nadat de wachtposten de auto hadden gecontroleerd en hadden gekeken wie erin zaten. Carlo, Vito's chauffeur en lijfwacht, reed de zwarte Cadillac sedan de korte, ronde oprijlaan op, tot voor de voordeur. Daar remde hij en stapte snel uit om het portier te openen voor Vito. Daarna reed hij de wagen naar de parkeerplaats, terwijl Vito de trap naar de voordeur op liep.

Toen hij eenmaal binnen was en zijn jas had afgegeven, realiseerde Vito zich dat er iets aan de hand moest zijn, vanavond. Meestal waren er op donderdagavond alleen de naaste familie van Salvatore en een paar intieme vrienden. Nu hingen er overal *capos* rond in de hal, en twee stonden er op wacht bij de deur van Salvatores kamer.

Die deur ging plotseling open en Anthony Rudolfo, neef van Salvatore en zijn *consigliere*, kwam naar buiten. Hij liep op Vito af, kuste hem op beide wangen en zei: 'De grote baas wil graag een woordje met je wisselen voor het diner, Vito.'

Vito knikte en haastte zich naar binnen in het privé-heiligdom van de Don. Zijn gezicht stond bezorgd, plotseling was hij bang dat er iets mis was.

Salvatore zat in een stoel bij het vuur. Toen hij Vito zag stond hij op om hem te begroeten. De beide mannen, die al sinds hun jeugd in Palermo met elkaar bevriend waren, omhelsden elkaar en kusten elkaar op de Siciliaanse manier op de wangen.

Vito keek zijn vriend goedkeurend aan. 'Je ziet er prima uit, vanavond, Salvatore. Voor een oude man.'

Salvatore lachte. 'Jij ook, mijn ouwe *goombah*.' Hij rilde even. 'Het is koud vanavond, Vito. De tieten van een heks zouden nog bevriezen tot ijspegels.' Hij lachte weer, een lach die diep uit zijn buik kwam. 'Weet je nog toen we als kind liepen te bibberen in die koude winters, in onze dunne jasjes? Weet je nog hoe we probeerden elkaar warm te houden in die ratteholen van huizen in Lower Manhattan?' Hij schudde zijn hoofd. 'Ik moet er niet aan denken, aan die tijden.'

'Ja, ik weet het nog. Zoiets vergeet je niet, Salvatore.'

De Don legde zijn arm op Vito's schouder en leidde hem naar de open haard. 'Dat is al heel lang verleden tijd. Alleen maar herinnering. Maar we worden oud, jij en ik, en de kou is niet goed voor onze ouwe botten. Daar gaan ze van kraken. Dus kom eens even hier zitten, bij het vuur, om te ontdooien.'

Al pratend pakte de Don een fles rode wijn van een tafeltje dat tussen de stoelen stond en hij schonk twee glazen tot de rand toe vol. 'Het vuur warmt het vlees, de *vino* het bloed.'

De mannen klonken en zeiden zachtjes, haast als uit een mond: 'Op de Broederschap.' Ze namen allebei een diepe teug uit hun glas, rolden de wijn rond in de mond, proevend en keurend. Het was een van de weinige pleziertjes die hen in het leven gebleven was. Toen leunden ze achterover en keken elkaar lange tijd zwijgend aan – uit hun oude ogen straalde kennis, wijsheid en macht. Een vriendschap voor de eeuwigheid.

Tenslotte zei Vito: 'Vanwaar al die extra capos vanavond? Verwacht je rottigheid of zo?'

Salvatore Rudolfo schudde zijn hoofd en mompelde: 'Voorzorg, anders niet. Ik heb geen zin in vervelende verrassingen. Altijd op je hoede zijn, Vito, dat is onze oude stelregel. Waarom zullen we dat veranderen?'

'Waar gaat het om?' vroeg Vito, zijn donkere ogen tot spleetjes geknepen.

'De andere families zitten in de problemen. De Gambino's verzuipen in de moeilijkheden, Sammy de Stier heeft uit de school geklapt.' Hij staarde naar Vito en siste: '*Shirru*, de rotzak. Hij zingt als een kanarie!

Dan hebben we de familie Colombo. Die zijn gek geworden – die vliegen elkaar naar de keel, die maken elkaar af. Ik hoop niet dat dat uitloopt op een oorlog tussen de families. Zoals in het verleden.'

'Ik denk niet dat het geweld om zich heen zal grijpen.'

'Wie weet wat er nog allemaal gebeurt.' Salvatore maakte een hulpeloos gebaar met zijn handen en haalde zijn schouders op. 'Een van de andere families in New York zou van de gelegenheid gebruik kunnen maken en proberen het terrein van Gambino of Colombo over te nemen. Dat zóu wel eens oorlog kunnen betekenen. Ja, we kunnen maar beter op alles voorbereid zijn, dan zijn wij tenminste beschermd als de hel losbreekt.'

'Je hebt gelijk, Salvatore. Het kan geen kwaad om de moeilijkheden vóór te zijn.'

Salvatore leunde naar voren en zijn ogen, de laatste jaren een beetje flets en ontstoken, waren plotseling helder blauw en ze straalden weer als in zijn jeugd, toen hij zijn oudste vriend en vertrouweling strak aankeek. 'Misschien ga ik alle families bij elkaar roepen, een vergadering van alle bazen organiseren…'

'Je bedoelt net als in Apalachin in 1957?' riep Vito.

'Ja, een conferentie. Om het beleid te bepalen. We lopen te veel in de kijkert, Vito, onze Broederschap. De politie, de justitie, de belasting, de pers – iedereen ademt in onze nek. Dat moet niet.' Hij zuchtte. 'Plotseling staan we in de schijnwerpers, en dat is slecht voor de handel, *capisce*?'

'Ja, ik begrijp precies wat je bedoelt.'

'En dan Joey Fingers,' ging Salvatore door.

'Wat is daarmee?'

'Hij heeft het te hoog in zijn bol, tegenwoordig. En zijn handen zitten een beetje te los. Schietgraag is-ie ook nog. En omdat-ie bij ons hoort vormt hij voor ons een bedreiging. 'Eérzucht, Vito, daar heb ik altijd de pest aan gehad. Te veel eerzucht is niet goed voor onze zaak.' De Don zweeg even en ook al was hij in zijn eigen huis, al was hij er zeker van dat hij niet kon worden afgeluisterd, fluisterde hij met hese stem: 'Het is niet goed voor Cosa Nostra.'

Vito knikte. Hij strekte zijn arm uit en raakte even Salvatores hand aan, om zijn begrip te tonen.

Een poosje was het stil, toen vroeg Vito: 'Wie zorgt er voor Joey Fingers?'

'Niemand. Nog niet. We wachten af. Eens kijken wat zijn volgende stap zal zijn.' De Don zuchtte diep en schudde bedroefd zijn hoofd. 'Het is niet meer zoals vroeger, mijn ouwe *goombah*, de tijden zijn veranderd.'

Vito zei niets. Hij was verzonken in zijn eigen gedachten. Salvatore was niet voor niets de *capo di tutti*. Hij was een wijs man; hij sprak de waarheid en niets dan de waarheid. Vito bestudeerde hem eens goed.

Salvatore had een atletisch figuur, groot, breed in de schouders en zonder een spoortje vet. Zijn gezicht was getekend en doorgroefd met rimpels, en toch was het niet het gezicht van een oude man. De neus was Romeins, met een lichte knik; de zware wenkbrauwen, met wit doorweven, welfden zich boven die bijzondere ogen. Zuiver blauw. Zoals de Middellandse Zee rond Sicilië. Daarin weerspiegelde het ene moment het zonlicht en de warmte van het Oude Land, het volgende moment de ijzige koude van de noordpool.

Vito's gedachten werden onderbroken door Salvatore, die vroeg: 'Waar is Johnny?'

'Die komt. Hij zal zo wel hier zijn, Salvatore. Maak je maar niet ongerust.' Vito stond op en liep op z'n gemak naar het raam. Hij keek naar buiten en even later riep hij: 'Kijk, daar is hij. Fijne knul.' Vito keek op zijn horloge. 'En precies op tijd.'

Theresa Rudolfo, de vrouw van Salvatore, zat aan het hoofd van de tafel. Ze was groot en mager, een statige vrouw van diep in de zeventig, met zuiver wit haar en ogen als gitten kralen. Ze droeg, zoals altijd, een zwarte japon met daarop een halssnoer van drie rijen parels – echte parels. Ze was een gastvrouw met trots en waardigheid.

De tafel was gedekt met een gesteven wit kleed, schitterend geborduurd, met daarop het mooiste porselein, kristal en zilver dat er voor geld te koop was. In het midden een zilveren bokaal met bloemen, geflankeerd door zilveren kandelaars, en verder kreunde het tafelblad onder een veelheid aan schalen en schotels.

Rond deze imposante tafel in de officiële eetkamer van huize Rudolfo zaten Theresa en Salvatores vier kinderen, allemaal getrouwd: Maria, Sophia, Frankie en Alfredo, en hun respectievelijke wederhelften. Verder was er nog Salvatores broer Charlie, de tweede man in de organisatie, en hun neef Anthony, de *consigliere*, en hun vrouwen.

Vito zat naast Theresa, aan haar rechterhand.

Johnny zat rechts van Salvatore, zijn vaste plaats.

Het was het gebruikelijke donderdagavond-diner – een rijke salade met groene sla, tomaten, olijven en uienringen; rode pepers gesauteerd in olijfolie; een salade van zeevruchten; gebakken vis; *tagliatelli* met tomatensaus, en gebraden en gegrillde kip. Alfredo schonk de rode wijn in, anderen deelden het zelfgebakken brood rond, er werden grappen gemaakt en er werd veel gelachen.

Alleen Theresa deed niet mee, ze zat daar zo stil als het graf gespannen te luisteren en ze hield haar gasten nauwlettend in de gaten.

Zo nu en dan mompelde ze een paar woorden tegen haar dochters, die haar hielpen de schalen met eten door te geven, en die zo nu en dan naar de keuken gingen om terug te komen met volle schalen dampende pasta en rijke sausen.

Johnny zat haar over tafel aan te kijken en plotseling ging hem een licht op. Hij dacht: ze heeft er de schurft in omdat ik er ben, vanavond. Ze heeft een hekel aan me. Toen brak opeens, als een bliksemschicht, het besef door: ze heeft altijd al een hekel aan me gehad. Zijn tante Theresa, die hij al zijn hele leven kende, had altijd een hekel aan hem gehad. Plotseling wist hij, heel stellig en zeker, dat ze de pest aan hem had, dat ze niets van hem moest hebben. Hij vroeg zich af waarom. Er was maar een antwoord mogelijk: omdat oom Salvatore hem graag mocht. Jaloezíe. Ze was jaloers omdat hij het zo goed kon vinden met haar man, en omdat ze zo op elkaar gesteld waren.

Aan de andere kant van de tafel zat Vito aan hetzelfde te denken. Maar de oude man verwierp die gedachte onmiddellijk. Theresa was nu een oude vrouw. Ze was niet meer zo venijnig als vroeger, daarvoor had ze op haar leeftijd de kracht niet meer. Niemand lette meer op haar. En zeker niet Salvatore, die nooit van haar gehouden had.

Salvatore nam na het diner Johnny en Vito mee naar zijn privé-heiligdom, en sloot de deur achter zich.

'Neem een Strega, Johnny,' zei de Don, en hij schonk de goudkleurige Italiaanse likeur in de slanke, kristallen glazen. 'Jij ook, Vito?' vroeg hij, een wenkbrauw opgetrokken. Vito knikte.

'Dank u,' zei Johnny, en hij nam het glas aan.

Salvatore gaf ook Vito een glas en het kristal tinkelde toen de drie mannen met elkaar proostten. Ze gingen zitten bij het gloeiende haardvuur.

'Gefeliciteerd, Johnny,' zei Salvatore stralend tegen de jongere man. 'Dat was een geweldig concert in Madison Square Garden, afgelopen zaterdag. Sensationeel. We hebben er allemaal van genoten.'

'Tot de laatste plaats uitverkocht!' vertelde Johnny. 'Het was tot nu toe mijn beste concert.'

'We zijn trots op je, Johnny. Je bent een grote ster. De grootste. En je hebt het helemaal zelf voor elkaar gekregen.'

'Ach, kòm nou, oom Salvatore! Ik weet heel goed hoe u en oom Vito me altijd geholpen hebben.'

'We hebben helemaal niets gedaan.'

Johnny keek van de een naar de ander, met stomheid geslagen. Vito boog zijn hoofd, om te bevestigen dat de Don de waarheid had gesproken.

Salvatore zei: 'We hebben een paar deuren voor je geopend, dat is alles. We hebben een aantal nachtclubs in het land gevraagd je te boeken. We hebben de jongens in Vegas op het idee gebracht je een kans te geven. We wilden dat je het zou doen op de moeilijke manier, dat je moest knokken, net als alle anderen.'

Johnny's ogen werden groot van verbazing en hij vroeg: 'Maar waarom?'

'We wilden dat je schone handen zou hebben. Dat je niet met ons geassocieerd zou worden,' legde Salvatore met zachte stem uit.

'Als we te veel hadden gedaan was je besmet geraakt, Johnny,' voegde Vito er aan toe. 'We wilden je niet meesleuren. We wilden niet dat jij in verband zou worden gebracht met de *amici*' – Vito lachte naar hem – 'met de Broederschap. We hebben alleen hier en daar wat gedaan achter de schermen, zoals Salvatore al zei.'

'Nou, in ieder geval bedankt,' antwoordde Johnny. Hij lachte tegen de twee oude mannen. 'En ik dacht nog wel dat ik onder jullie bescherming stond.'

'Dat stond je ook,' mompelde Salvatore. 'Altijd. Maar we hebben je je eigen weg laten zoeken in je vak. En ik denk dat we daar goed aan hebben gedaan. En jij…' Hij lachte tegen Johnny. 'Jij hebt ons nooit teleurgesteld. Op één ding na.'

Johnny keek hem onzeker aan. 'En wat is dat dan?'

'Je bent niet getrouwd, Johnny. Het zou beter zijn als je een lieve Italiaanse vrouw had.' Salvatore knikte ernstig. 'Een man heeft een vrouw nodig.'

'Ik ben het helemaal met u eens, oom Salvatore, maar ik heb de ware nog niet ontmoet.'

'Jammer,' zei de Don. 'Maar je bent nog jong – je hebt nog tijd.' Hij nam een slokje van zijn Strega en zweeg een poosje. Toen sneed hij een nieuw onderwerp aan. 'Zo, Johnny – jij gaat een tournee maken door Europa. Vertel eens: waar ga je allemaal heen?'

Johnny begon te vertellen over zijn reisschema en zijn engagementen in de eerste maanden van het nieuwe jaar en Salvatore luisterde aandachtig. Hij knikte van tijd tot tijd en hij stelde zo nu en dan een scherpe vraag.

Vito had minder belangstelling, en zijn gedachten dwaalden af.

Hij maakte een sprong van tientallen jaren.

Hij haalde de tijd weer voor zijn geest dat Salvatore Rudolfo een jongeman was van in de dertig, zo oud als Johnny nu. Het was toen zo'n knappe man, net zo knap als Johnny nu. Vrouwen gooiden zich aan zijn voeten, maar hij was niet geïnteresseerd. Salvatore was nooit vreemd gegaan – bijna nooit.

Vito zuchtte. Gek was het leven eigenlijk, overal losse draden, nooit keurig afgewerkt, nooit netjes. Hij hield ervan als de dingen netjes waren afgewerkt. Hij wou dat Salvatore daar net zo over dacht. Vito deed zijn ogen dicht en dreef weg op zijn gedachten, genietend van het warme vuur en van de zoete smaak van de Strega die zijn verhemelte streelde, van zijn volle maag, die hem een bevredigend gevoel gaf, en van de band die hij voelde met zijn familie. Tevreden doezelde hij weg.

'Ik bel u vanuit Londen, oom Salvatore,' beloofde Johnny, en Vito kwam met een schok overeind.

'Wat? Wat zei je?' vroeg hij. Hij keek naar Johnny en knipperde met zijn ogen.

Diep uit de buik van Salvatore borrelde een lach op. 'Je hebt zitten slapen, ouwetje.'

Vito lachte een beetje schuldig. Hij bedacht dat het weinig zin had om er tegenin te gaan, dus hield hij wijselijk zijn mond.

Johnny kwam op hem toe, hielp hem overeind uit zijn stoel, en kuste hem op beide wangen, waarna ze elkaar omhelsden.

Snel en vitaal liep Johnny naar de Don, omhelsde ook hem en verdween toen, de deur zachtjes achter zich dichttrekkend.

Toen ze alleen waren gingen de mannen weer zitten en ze keken elkaar een hele tijd aan. Ze voelden zich op hun gemak in elkaars bijzijn, zij begrepen elkaar ook zonder woorden.

Tenslotte zei Vito: 'Ik sliep niet.'

Salvatore grinnikte.

'Ik droomde wat.'

'Waarover, *goombah*?'

'Over het verleden, mijn vriend.' Vito slaakte een lange zucht en toen verscheen er langzaam een glimlach op zijn gezicht. 'Ik herinner me jou nog toen je zo oud was als Johnny nu, Salvatore. Een knappe man was je, net als hij. Zelfde haar, zelfde ogen, zelfde gezicht.'

Salvatore ging een beetje rechtop zitten in zijn stoel, maar hij zei niets. Hij nam alleen een slokje van zijn Strega.

Vito ging door: 'Ik heb een foto. Thuis, in het album van Angelina. Een foto uit 1946. Jij, ik, Theresa en zij. Jij was toen achtendertig. Het had Johnny kunnen zijn op die foto.'

Salvatore zei nog steeds niets.

'Ik begrijp niet waarom het nooit iemand is opgevallen – die gelijkenis.'

Salvatore gromde wat.

Vito haalde diep adem. 'Alleen Theresa is het opgevallen.' Er viel een stilte, en Vito voegde er zachtjes aan toe: 'Ze heeft het altijd al geweten.'

'Kan zijn.' Eindelijk gaf Salvatore een reactie.

'Waarom heb je het nooit aan Johnny verteld?'

'Zo is het beter.'

'Misschien niet. Mijn zuster Gina hield van je, Salvatore. Jij was haar hele leven, na de dood van Roberto. Zij wilde dat Johnny zou weten dat jij zijn vader bent; zijn moeder wilde dat hij de waarheid zou weten.'

'Néé,' zei Salvatore. Zijn stem klonk laag maar fel, en hij zette met een klap zijn glas op tafel. Hij boog zich over naar Vito, keek hem strak aan en siste: '*Hij mag het nooit weten. Niemand mag weten dat het mijn zoon is.*'

'Waarom niet?'

'Da's een stomme vraag, Vito.' Salvatore schudde zijn hoofd. 'Het zal de leeftijd wel zijn.'

Vito negeerde die steek onder water. 'Wat zou het voor kwaad kunnen als híj het weet?'

'Néé,' zei Salvatore weer. 'Ik denk dat het beter is van niet.' Nauwelijks hoorbaar voegde hij er nog aan toe: 'Ik wil dat hij schone handen heeft. Mijn zoon Johnny moet altijd schone handen hebben.' Hij keek Vito aan met een dwingende blik. '*Capisce?*'

31

Rosie had ongewoon lange werktijden gemaakt sinds ze in Parijs was teruggekomen na het onverwachte overlijden van Collie, half januari.

Ze had zich op haar werk gestort omdat ze behoefte had aan afleiding – lang geleden had ze bij zichzelf ontdekt dat ze met hard werken haar pijn kon verzachten.

In dit geval hielp het haar om over het verdriet van het afscheid heen te komen. Want ze hàd ontzettend veel verdriet van de dood van haar beminde Collie, met wie ze vanaf de eerste dag een speciale band had, vanaf die eerste kennismaking in 1982.

Collie had die ontmoeting vaak beschreven als 'liefde op het eerste ge- zicht', en Rosie voelde precies hetzelfde voor de vrouw, die haar eerste vriendin werd in Parijs en die tenslotte haar schoonzusje geworden was. Ze waren erg aan elkaar gehecht. Collie had meteen haar kant gekozen toen de strubbelingen met Guy begonnen; die problemen hadden hen zelfs dichter bij elkaar gebracht. Collie was in die moeilijke tijd een bron van troost en vriendschap geweest. Het was niet meer dan logisch dat Ro- sie haar vriendin ontzettend miste, en ze wist dat ze haar altijd zou blijven missen.

Het was dan ook een geschenk uit de hemel dat ze deze weken veel werk moest verzetten. Daardoor kon ze het verlies beter verwerken. Daarnaast deed het Rosie plezier dat ze zo goed opschoot met de kostuumontwer- pen, weken voordat de voorbereidingen van de film zouden beginnen. Ze had een geweldige voorsprong gekregen, en dat kwam haar bijzonder goed uit.

Gavin was opgehouden in New York. Er was van alles misgegaan bij de afwerking van *Kingmaker*. Hij had de hulp van Aida ingeroepen en haar naar New York laten komen; en hij had de datum waarop ze zouden be- ginnen in Billancourt naar voren geschoven. Aida en het produktieteam zou niet voor maart naar Parijs komen, en ook Gavin had zijn komst moe- ten uitstellen.

Maar Rosie wist dat er nog een berg werk op haar lag te wachten, on- danks de voorsprong die ze had. Het zou een gigantische klus worden omdat het hier, net als de vorige keer, ging om historische kostuums, die veel moeilijker en bewerkelijker waren dan moderne kleding.

Nu, op deze heldere, zonnige morgen in het begin van februari, stond Ro- sie midden in haar studio een serie schetsen te bekijken. Het was een gro- te, lichte ruimte met een dakraam en glazen deuren van de vloer tot het plafond, achter haar appartement aan de Rue de l'Université in het zeven- de arrondissement.

Er stonden zes ontwerpen naast elkaar op een plank die ze jaren geleden, speciaal voor dit doel, langs de lange wand van haar atelier had gemaakt. Het was de eerste groep tekeningen die ze tot in alle details had uitge- werkt. Ze waren meer dan een meter hoog, in kleuren geschilderd op wit karton. Drie kostuums voor Napoleon, de rol van Gavin Ambrose, en drie voor Josephine, actrice voorlopig onbekend.

Rosie had zich eerst geworpen op de kleding van Napoleon op het mo- ment dat hij tot keizer gekroond werd, omdat dat zo bewerkelijk en zo moeilijk te reproduceren was. Een onderkleed van witte zijde met zware sierranden en met goudborduursel bestikt, met daaroverheen gedrapeerd een mantel van rood fluweel en een hermelijnen schoudercape. Zijn kroon was een massief-gouden krans van laurierbladeren. Rosie wilde van alles een exacte kopie maken. Zoals gewoonlijk hechtte ze veel waarde aan authenticiteit.

Haar tweede ontwerp voor Gavin was een van de uniformen van Napoleon. Een nauwsluitende, witte rijbroek, zwarte laarzen, een zwarte, met goud geborduurde rokjas, en een driekantige steek. De derde tekening was een kostuum voor Napoleon in burger: een kniebroek met witte, zijden kousen en zwarte schoenen met gouden gespen, het geheel gecompleteerd met een jas van rood laken.

Nadat ze een paar minuten naar die ontwerpen gekeken had, richtte ze haar aandacht op de tekeningen van Josephines kostuums. Net als het kroningsgewaad van Napoleon was ook de ceremoniële kleding van Josephine uitzonderlijk overdadig en bewerkelijk. Haar robe was gemaakt van meters en meters witte zijde, geborduurd met gouddraad; daarbij droeg ze kostbare juwelen en een diamanten tiara. Maar Rosie was op dat moment meer geïnteresseerd in een avondjapon die al bijna af was, omdat die moest dienen als prototype voor de naaisters. De japon was gedrapeerd op een paspop, die bij het raam stond, en Rosie begon de stof opnieuw te schikken. Josephine had de Empire-stijl populair gemaakt – de hoge taille, de laag uitgesneden hals en de pofmouwen. De jurk was van zilverkleurige zijde, met een ragfijne bovenrok, afgezet met dezelfde stof. Daaroverheen een overkleed van lichtblauwe chiffon. De chiffon was vastgezet op het zijden lijfje en viel over de rok heen, met een opening van voren, als bij een mantel. Ook de mouwen waren van chiffon.

Rosie haalde een paar spelden los en stak die op het speldenkussen, dat ze op haar arm had vastgegespt. Met sterke, zekere vingers greep ze in de stof. Ze probeerde de plooival te verbeteren en geconcentreerd was ze een minuut of tien bezig, voordat het resultaat haar echt beviel.

Draperen was een manier van mode ontwerpen die Rosie net zo goed afging als tekenen. Ze had de kunst geleerd in de ateliers van Trigère, de in Frankrijk geboren Amerikaanse couturière, dankzij de invloed van de zuster van haar vader, tante Kathleen, die twee jaar geleden gestorven was. Kathleen Madigan was inkoopster voor mode bij Bergdorf Goodman, en ze had gedaan gekregen dat Rosie, in haar vakanties van de mode-academie, ervaring kon opdoen bij Trigère.

Rosie zei altijd dat ze had leren draperen aan de knie van de meester, want Pauline Trigère was met die techniek groot geworden. Trigère ging met stof om als een beeldhouwer met zijn klei – ze ontwierp meer kleding op de paspop dan op papier.

Rosie maakte de plooien op de rug wat ruimer, met vakkundige gebaren stak ze de spelden in de stof en ze stapte achteruit, om het resultaat vanaf een afstand te bekijken, haar hoofd een beetje schuin. Het was nog steeds niet zoals ze het hebben wilde en, om haar geheugen wat op te frissen, sloeg ze het boek open waarin een afbeelding stond van een dergelijke japon. Van dat prachtige kunstboek, dat Henri de Montfleurie voor haar had gekocht, had ze al ontzettend veel plezier gehad. De geschiedenis van Napoleon werd verteld aan de hand van tekeningen en reprodukties van de keizer, zijn vrouw, zijn gevolg, zijn veldslagen en de tijd waarin hij leefde. Rosie sloeg het boek open bij de bladzijde waar de japon te zien was op een schitterend schilderij van Josephine. Ze bestudeerde de afbeelding nog eens nauwkeurig – alles moest bij haar altijd zo echt mogelijk zijn. Na een poosje begon ze de stof opnieuw te spelden.

Een half uurtje later werd ze in haar concentratie gestoord door de bel van de voordeur. Ze schrok op, keek op de klok op haar bureau, en zag tot haar verbazing dat het al bijna een uur was. Ze gespte het speldenkussen aan haar pols los, trok haar witte stofjas uit en ging naar de hal. Ze verwachtte Nell, die in Parijs was en die ze had uitgenodigd voor de lunch. Ze deed de deur open en ze vielen in elkaars armen in een liefderijke omhelzing, terwijl ze om het hardst riepen hoe heerlijk het was om elkaar weer te zien.

Rosie trok Nell naar binnen en ze sloot de deur. Ze bleef staan tegenover haar oudste vriendin en nam haar eens goed op. 'Je ziet er fantastisch uit, Nell. Ik denk dat mijn broer het wel met me eens zal zijn.'

Nell lachte en knikte. Toen zei ze: 'Ja, meestal wel.'

Rosie ging er niet op in. Ze hielp Nell uit haar donkere nertsmantel en nam haar mee naar de bibliotheek. Dat was een kleine, gezellig ingerichte kamer in de stijl van de Belle Époque, waar het vuur brandde in de haard en waar een zware, haast overweldigende geur hing van mimosa en andere lentebloemen.

'Mijn hemel!' riep Nell. 'Waar haal je in deze tijd van het jaar mimosa vandaan?'

'Die haal je niet, die krijg je,' antwoordde Rosie. 'Johnny Fortune heeft ze me gestuurd. Ze komen van Lachaume. Dat is de duurste bloemist in

Parijs, speciaal voor kasbloemen en allerlei bloemen en planten buiten het seizoen.'

'Wel, heb je ooit…' zei Nell en ze grinnikte: 'En dan te denken dat ík hem verteld heb dat je houdt van roze rozen en viooltjes.'

'O, maar die heeft hij ook gestuurd – die staan in de zitkamer.'

'Hij doet de dingen niet half, hè?' zei Nell. Ze boog zich over een vaas en verstopte haar neus in de mimosa. 'Ze ruiken goddelijk.' Ze liep naar de haard en keek hoe Rosie een fles witte wijn openmaakte, die ze uit een koelemmer met ijs gehaald had die op een bijzettafeltje stond. 'Ik mag wel zeggen dat het overduidelijk is dat hij achter je aan zit, Rosie. Hij doet alles om je te verleiden, wees maar niet bang.'

Rosie lachte een beetje en ze trok de kurk uit de hals van de fles. 'Dat had ik zelf ook al bedacht, lieve Nell. Ik heb je weken geleden verteld dat hij me met Kerstmis opbelde op Montfleurie. Verleden week belde hij hiernaartoe, om te zeggen dat hij vanuit Londen naar Parijs zou komen.'

'Mmmmm…' Nell viel neer in een stoel, leunde achterover en sloeg haar benen over elkaar. 'Daar is niets tegen, mijn Rosie. Integendeel – ik denk dat het heel goed is als je eens wat liefde en romantiek zou toelaten in je leven. Waarom niet? Na al die jaren dat Guy je op dat gebied op een droogje heeft gezet. Tussen haakjes: hoe gaat het met je scheiding?'

'Daar wordt aan gewerkt. Guy legt me niets in de weg. Hij heeft alle papieren getekend.'

'En hoeveel heeft je dat gekost?'

Rosie keek haar met stomheid geslagen aan. 'Hoe weet je dat het me iets gekost heeft?'

Nell schudde haar hoofd. 'O, Roosje, mijn Roosje, het was maar een gok. Maar ik heb goed gegokt, nietwaar? Ik kèn mensen als Guy de Montfleurie maar al te goed. Gigolo's, om het maar eens keurig te zeggen. Ik dacht wel dat hij je nog wat geld zou afpersen. Hoeveel heb je hem gegeven?'

'Ik heb zijn ticket betaald naar het Verre Oosten en ik heb hem tweeduizend dollar gegeven. Hij wilde meer, maar dat heb ik geweigerd. Om je de waarheid te zeggen: ik hèb niet meer, op dit moment. Hij heeft eieren voor zijn geld gekozen en genomen wat hij krijgen kon.'

'Waarom heb je hem ook maar één cent gegeven?' riep Nell boos.

'Het was een koopje, geloof me. Ik wilde dat hij vertrok, ook voor Henri. Ik vertrouw hem niet, en ik was bang dat hij op Montfleurie roet in het eten zou gaan gooien. Of waar dan ook. Dus heb ik hem, op het moment dat hij getekend had, afgevoerd naar Hong Kong. Op die manier ben ik tenminste zeker dat hij hier níemand het leven zuur zal maken.'

Nell knikte en nam het glas wijn, dat Rosie haar aanbood. De twee oude vriendinnen klonken en Rosie zei: 'Als je het niet erg vindt, Nell, dan eten we hier. Dat is voor mij makkelijker dan de stad in gaan. Ik heb karrevrachten werk.'

'Prima! Hoe gaat het met de ontwerpen?'

'Heel goed. Het zijn gecompliceerde kostuums, dat snap je natuurlijk wel. Maar ik ben er heel geconcentreerd aan bezig, en het werk heeft me geholpen de dood van Collie een beetje te verwerken.'

'Ik begrijp wat je hebt doorgemaakt. Arme Collie – ze was nog zo jong.' Nell schudde haar hoofd.

'Dank je dat je me zo vaak hebt gebeld, Nell. Dat heeft me erg geholpen – heel erg.'

'Ik weet wat Collie voor je betekende.'

Rosie lachte dankbaar. Toen sneed ze gauw een ander onderwerp aan. 'Hoe is het met Kevin?'

'Hij is mooi, hij is de liefste man die ik ken, hij is opwindend – en ik word gèk van hem.'

'Dat klinkt goed, behalve dat laatste dan.'

Nell staarde in het vuur. Haar gezicht was plotseling betrokken. Ze keek op en met een ernstige blik in haar ogen zei ze zachtjes: 'Ik aanbid Kev, dat weet je. Maar ik kan niet tegen dat verdomde beroep van hem, Rosie. Je weet net zo goed als ik dat hij ieder moment van de dag in gevaar verkeert. En ik vóel het letterlijk aan den lijve, ik leef dag en nacht in angst. Mijn zenuwen zijn tot het uiterste gespannen.'

'Dat komt omdat je zoveel van hem houdt, Nell.'

'Denk je?'

'Natuurlijk. Als dat niet zo was, zou je ook niet voortdurend over hem inzitten.'

'Misschien heb je gelijk,' gaf Nell toe.

'Waarom gaan jullie niet trouwen?'

Nell gaf geen antwoord, ze keek Rosie alleen maar aan.

Rosie zei: 'Ik weet dat hij je ten huwelijk gevraagd heeft, dat heeft hij me zelf gezegd, verleden week, toen hij belde.'

'O, ja? Ja – dat is waar. Maar ik... tja... ik geloof niet dat ik me op dit moment wil vastleggen. Nog niet, tenminste. Ik vind het goed zoals het is.'

'Kevin houdt heel, heel erg veel van je, Nell. Gavin zei dat ook al, laatst.'

'Mijn hemel! Al die transatlantische gesprekken! Het lijkt wel of jij en die ouwe Acteur een samenzwering tegen mij op touw hebben gezet! En je hebt nog wel beloofd dat je me niet onder druk zou zetten. Dat kan ik op het ogenblik gewoon niet hebben. Ik heb al spanningen genoeg te verwerken van allerlei andere dingen. En van cliënten. Over cliënten gesproken: ik ben hier met Johnny om het contract voor zijn Parijse concert, deze zomer, af te ronden, en dan moet ik direct weer terug naar Londen. Daar zijn een paar problemen gerezen bij mijn Londense kantoor, en die moet ik zo snel mogelijk zien op te lossen. Maar Johnny blijft in Parijs. Je zult hem niet van je af kunnen slaan – ik waarschuw je.'

Rosie moest lachen. 'Wat klinkt dat negatief. Een paar minuten geleden vond je het nog prachtig dat hij achter me aan zat.'

'Dat vind ik nog steeds. Ik maak je alleen even opmerkzaam op het feit dat Johnny morgen niet met me mee teruggaat naar Londen en...'

'Maar ik wist allang dat Johnny zou blijven. Hij heeft me iedere dag gebeld, nadat jullie in Londen waren aangekomen vanuit New York. Ik ga morgen met hem dineren. Dat wéét je.'

'Ja, híj heeft het me gezegd en jíj hebt het me gezegd. Maar ik wist niet zeker of je je realiseerde dat Johnny een paar dagen langer in Parijs wil blijven, misschien wel een week.'

'Dat realiseer ik me wel degelijk.'

Nell keek haar aan en grinnikte. 'Zoals mijn tante Phyllis altijd zei: je zit te spinnen als een poes, die net de kanarie heeft opgegeten.'

'Nee, dat is niet waar!' protesteerde Rosie blozend.

'Ja, dat is wel waar, Rosalind Mary Francis Madigan!' repliceerde Nell en ze barstte in lachen uit toen ze zag hoe beteuterd Rosie zat te kijken. 'Het geeft niet, hoor, mijn Roosje – zit jij maar lekker tevreden te spinnen. Tenslotte is Johnny Fortune niet de eerste de beste. Ik heb de indruk dat-ie helemaal wèg is van je, volkomen van de kaart. Ik heb het je verleden jaar november in Californië al gezegd: je zou slechter af kunnen zijn. Hij is intelligent, knap, sexy, rijk, beroemd, het idool van miljoenen vrouwen, en hij is nog aardig en vriendelijk ook. Ik persoonlijk denk dat hij een ideale man voor je zou zijn.'

'Héhé, jij loopt wel erg hard van stapel, Nellie!' riep Rosie. 'Ik heb hem pas één keer ontmoet, en nu praat jij al over trouwen!'

'Dat is helemaal niet zo'n slecht idee. Dan ben ik bruidsmeisje.'

'En wat denk jíj te gaan doen met Kevin? Vooruit, Nell, draai er nou niet omheen en hou op met die malle opmerkingen als: ik wil me op dit moment niet vastleggen.'

Nell beet op haar lip en na even nadenken keek ze Rosie aan met een open blik. Haar stem klonk laag en effen, toen ze zei: 'Als je de waarheid wilt weten, ik heb een plan gemaakt... min of meer.'

'Vertel.'

'Goed, ik zal het je vertellen. Je weet – Kevin werkt op dit moment aan een speciale opdracht. Daar heeft hij je waarschijnlijk over verteld?'

Rosie knikte. 'Ja. De Afdeling Misdaadonderzoek concentreert zich op de mafia. Op een bepaalde familie. Kevin zit er middenin.'

'Precíes. Kevin verwacht dat het onderzoek binnenkort kan worden afgesloten. Dat zei hij laatst toen hij langskwam, vlak voordat ik uit New York vertrok. Hij denkt dat de zaak binnen een paar maanden rond kan zijn – behalve de papierwinkel dan, zoals hij het noemt. Ik heb hem laten beloven dat hij dan met mij op vakantie gaat. En als we dan op vakantie zijn zal ik hem een voorstel doen.'

Nell wilde kennelijk niet verder gaan en Rosie drong aan: 'Wat voor voorstel?'

'Ik zal hem een voorstel doen dat hij niet kan weigeren, om het zo maar eens te zeggen.' Nell lachte. 'Ik zal hem voorstellen dat ik mijn bedrijf verkoop, dat hij ontslag neemt bij de politie, en dat we samen een of andere zaak beginnen.'

'Zou je dat echt doen – je bedrijf verkopen?' riep Rosie verrast.

'Ja,' zei Nell met zekere stem.

Rosie dacht even na. Ze was er haast zeker van dat haar broer nooit ontslag zou nemen, dat hij nooit weg zou gaan bij de politie. Na een paar seconden zei ze: 'O, Nell – ik weet het niet.' Bezorgd schudde ze haar hoofd. 'Ik denk niet dat Kevin zich zo makkelijk gewonnen zal geven. Eerlijk, ik weet het niet. Hij is een politieman van de vierde generatie. Hij houdt van zijn werk.'

'Ik hoop dat hij meer van mij houdt. En als ik een offer breng voor hem, door Jeffrey Associates te verkopen, dan zou hij toch grootmoedig genoeg moeten zijn om ook een offer te brengen voor mij.'

Rosie zei: 'Maar Nell, laten we niet uit het oog verliezen dat jij geld hebt van jezelf, dat je geërfd hebt van je grootvader en van je moeder. Misschien denkt Kevin wel dat het verkopen van je bedrijf niet zo'n erg groot offer is, omdat jij helemaal niet hóeft te werken, als je niet wilt.'

'Ach, schei toch uit, Rosie! Ik hou van mijn werk, en ik heb mijn zaak van onder af aan opgebouwd. Ik ben met níets begonnen. Het zou een bijzonder groot offer zijn voor mij.'

'Dat hoef je míj niet te vertellen.'

'Dat hoef ik Kevin ook niet te vertellen.'

'Hij is erg trots,' merkte Rosie op.

Nell stond op en begon heen en weer te lopen door de bibliotheek. Tenslotte riep ze uit: 'Ik weet niet wat ik anders moet doen, Rosie! Ik dacht dat dit een goed plan was – nu brand jij het weer af. Ach, verdomme, waarom moet ik dan ook net verliefd worden op een stille!'

'Hij is niet zómaar een stille. Hij is Kevin Madigan.'

'Ik weet het. Dat is nu juist de moeilijkheid. Hij is zo geweldig, haast te mooi om waar te zijn.'

'Je hebt een troost, in ieder geval,' mompelde Rosie.

'Wat dan wel?'

'Er kòmt een dag dat hij weg moet bij de politie.'

'Ik weet niet of ik wel zo lang kan wachten,' zei Nell.

32

Johnny Fortune stond voor de spiegel in zijn slaapkamer in het Plaza-Athénée Hotel en keek met een kritische blik naar zichzelf. Zijn smalle, gebruinde gezicht stond ernstig. Plotseling draaide hij zich om en liep de kamer in.

Het was de derde keer dat hij iets anders had aangetrokken, en zo wilde hij het houden. Hij had besloten dat hij zo, met een donkergrijze pantalon, een zwart kasjmier jasje, een witzijden overhemd en een zwarte das met witte stippen, op de juiste manier gekleed was was voor een diner bij Le Voltaire.

Dat was de keus van Rosie: een toonaangevend restaurant op de Quai Voltaire op de Linkeroever, zonder pretenties, waar je heerlijk kan eten, had ze door de telefoon gezegd. Hij had meteen ingestemd en zij had aangeboden daar een tafel te reserveren.

Zijn zwarte kasjmier overjas lag op een stoel in de zitkamer. Hij trok hem aan en liep de gang op in de richting van de liften. Een paar minuten later zat hij in de wagen die voor het hotel, in de Avenue Montaigne, op hem stond te wachten.

Toen de chauffeur optrok en de richting van de linker Seine-oever insloeg, trok er een lachje over Johnny's gezicht. Geamuseerd bedacht hij dat hij in jaren niet zoveel aandacht had besteed aan de kleren die hij droeg; hij kon zich tenminste niet herinneren dat hij zich voor een bepaalde gelegenheid zó vaak had omgekleed. Misschien ooit eens voor een show, een persconferentie of een foto-sessie. Nooit voor een vrouw. Maar er was ook nog nooit een vrouw zoals Rosie in zijn leven geweest.

En hij was nog nooit eerder verliefd geweest. En op Rosie was hij stapelverliefd – geen twijfel mogelijk. Hij was voor haar gevallen die avond dat Nell haar had meegenomen naar zijn huis in Benedict Canyon voor het diner.

Telkens als hij dacht aan de hekel die hij aan haar had in het begin, moest hij in zichzelf grinniken. Dàt had niet erg lang geduurd. En sinds die eerste ontmoeting had hij constant aan haar gedacht. Sterker nog: ze was geen seconde uit zijn gedachten geweest. Twee maanden lang had haar gezicht hem dag en nacht achtervolgd. Maar nu hij door Parijs reed om haar dan éindelijk weer te ontmoeten – nu was hij plotseling zenuwachtig. En erg ongeduldig. Het scheelde niet veel of hij had tegen Alain, zijn chauffeur, gezegd dat hij plankgas moest geven, maar Johnny kon zich nog net inhouden en hij leunde achterover op de achterbank.

O, ja, hij was verliefd op haar.

En o, ja, hij zou graag met haar naar bed willen.

En heel zeker, ja, zou hij met haar willen trouwen.

Rosalind Madigan was de juiste vrouw voor hem, de enige vrouw. Ze was in ieder geval de enige vrouw die hij ooit gezien had als mogelijke echtgenote.

Een week geleden, die avond op Staten Island, had hij zich echt moeten bedwingen. Toen oom Salvatore gesproken had over trouwen en een vrouw nemen had hij het wel uit willen schreeuwen, had hij alles willen vertellen over Rosie. Hij wist nog steeds niet hoe hij het voor elkaar gekregen had om nergens op in te gaan, maar op een of andere manier was het hem gelukt.

Rosie zou een verrassing zijn voor zijn ooms, een heerlijke verrassing. Als hij weer in New York zou zijn, begin april, zou hij ze uitnodigen voor het diner in een goed restaurant in Manhattan. En dan zou hij hen aan Rosie voorstellen. Ze zouden op slag verliefd worden op haar, net als hijzelf, daaraan twijfelde hij geen moment.

Hij bedwong het lachje dat opkwam in zijn keel als hij dacht aan hun reactie bij die eerste ontmoeting. Ze zouden Rosie niet kunnen weerstaan.

Zijn Rosalind. Hij herhaalde die naam zachtjes voor zichzelf. Rosalind Madigan. *Rosalind Fortune*. Klonk niet gek, vond hij.

Onverwacht kwam er een vreemde angst over hem. Omdat hij toch al zo gespannen was, werd hij plotseling panisch. Hij schrok terug van het idee dat hij haar weer zou zien. Als het eens een teleurstelling werd? Als ze niet voldeed aan zijn verwachtingen? Twee maanden lang was ze de vrouw van zijn dromen geweest. Hij had zijn fantasie de vrije loop gelaten, hij had zich voorgesteld hoe ze in bed zou zijn, door haar had hij andere vrouwen links laten liggen. Had hij er niet zelf om gevraagd teleurgesteld te worden?

Dit was voor hem een heel nieuwe ervaring: verliefd zijn op een vrouw, echt om een vrouw geven. Behalve oom Vito en oom Salvatore had hij nooit om iemand gegeven. Zelfs niet om tante Angelina, de vrouw van oom Vito, die altijd goed en aardig voor hem was geweest. Hij had van zijn moeder gehouden, dat wel. Maar die was gestorven toen hij nog een kleine jongen was en hij kon haar zich niet meer voor de geest halen.

Ja, die twee ouwe kerels waren de enige menselijke wezens waar hij ooit om gegeven had – tot hij Rosie ontmoette. Wat andere vrouwen betreft: die had hij alleen maar lekker gevonden.

Hij fronste zijn wenkbrauwen, keek uit het raam en vroeg zich af wanneer ze eindelijk in de Rue de l'Université zouden zijn. Hij barstte bijna uit zijn vel, zo bang was hij voor het weerzien.

Een paar seconden later, net toen hij Alain wilde vragen waar ze nu eigenlijk waren, hield de wagen stil.

'We zijn er, monsieur,' zei Alain en keek glimlachend over zijn schouder. De jongeman was al uitgestapt en hij opende het achterportier, nog voordat Johnny antwoord kon geven.

'Dank je, Alain,' zei Johnny. Hij haalde diep adem en liep naar het huis waar zij woonde.

Op het moment dat ze de deur opendeed en tegen hem lachte voelde Johnny zijn paniek wegebben.

Hij lachte terug, een brede, blijde lach.

Ze stak haar hand uit, nam hem bij de arm en trok hem naar binnen. In de hal stonden ze tegenover elkaar en ze keken elkaar aan. Geen van beiden zei iets.

Eindelijk deed Johnny een stap naar voren en kuste haar – eerst op de ene en toen op de andere wang.

'Geweldig om je weer te zien, Rosie,' zei Johnny.

'Dat wou ik net tegen jou zeggen,' antwoordde Rosie lachend.

Zijn heldere blauwe ogen waren strak op haar gericht. Allerlei emoties schoten door hem heen. Hij wilde haar gezicht kussen, haar kleren uittrekken, haar hartstochtelijk beminnen, heel teder en heel, heel lang.

Hij wilde haar alles vertellen wat hij over haar gedacht had sinds hun eerste ontmoeting, haar zijn seksuele fantasieën bekennen, haar zeggen dat hij van haar hield, haar vragen met hem te trouwen, zo gauw mogelijk. Hij wilde dat nú zeggen. Hij wilde alles tegelijk. Meteen. Hij wilde haar hebben, met alles erop en eraan. Hij wilde nooit meer zonder haar zijn. En dat was precies zoals het zou worden. Ze zouden de rest van hun leven bij elkaar blijven.

Maar hij wist dat hij op dat moment niets van dat alles kon doen, dat hij er niet over zou kunnen spreken, dat hij haar nu niet alles uit kon leggen. Langzaam, doe het langzaam aan, waarschuwde hij zichzelf, en hij probeerde zijn heftige emoties onder controle te krijgen.

Hij had het grootste gedeelte van zijn volwassen leven gewacht om haar te vinden, om deze vrouw van zijn dromen te ontmoeten, zijn ware liefde. En dus kon hij nog ietsje langer wachten om haar tot zich te nemen, om haar volledig te bezitten, om haar de zijne te maken.

'Doe je jas even uit,' zei Rosie, en ze strekte haar arm uit.

'Ja,' mompelde hij, terwijl hij zich realiseerde hoe hij haar op een stomme manier had staan aangapen. Onhandig trok hij zijn jas uit en gaf die aan haar.

Rosie hing de jas in de gangkast, lachte weer tegen hem, nam hem bij de arm en leidde hem naar de zitkamer.

'Ik heb champagne koud staan, maar misschien wil je liever wat anders?'

'O, het kan me niet schelen,' zei hij met een vage glimlach. 'Wat drink jij?'

'Een glas champagne. Maar je kunt ook iets anders krijgen, Johnny, als je wilt.'

O, lieveling, als dat zou kunnen, dacht hij en hij staarde weer naar haar, verslond haar met zijn blikken. Toen hij zich bewust werd van de lustgevoelens die bij hem opkwamen keek hij verlegen weg. Hij liep naar de open haard en mompelde: 'Champagne is prima. Dank je, Rosie. Ik drink graag een glas mee.'

'Als je me even wilt excuseren, ik ben zo terug,' zei ze en ze verdween voordat hij had kunnen aanbieden de fles voor haar te openen.

Hij draaide zich om en ging met zijn rug naar de schouw staan om de kamer te bekijken, in de hoop iets meer over haar te weten te komen.

Hij zag direct dat ze een uitstekende smaak had.

De zitkamer was groot, maar de ruimte was niet volgepropt met meubels. De wanden waren crème, op de vloer lag parket, in hoogglans gelakt, met in het midden een tapijt. Dat had een paar slijtplekken en hier en daar waren de kleuren verschoten, maar hij kon duidelijk zien dat het een antieke en kostbare Pers was. Er stonden een paar elegante antieke tafeltjes en een wandtafel, de banken en stoelen waren bekleed met gele zijde en aan de langste wand hingen, in groepen bij elkaar, schilderijen die heel plezierig waren om naar te kijken. Hij draaide rond en bekeek de rest van de kamer, waar overal zijn bloemen stonden. In twee nissen links en rechts van de schouw waren fraaie porseleinen voorwerpen uitgestald en de antieke kristallen lampen hadden kappen van crèmekleurige zijde.

Het was een prettige, comfortabele ruimte en Johnny voelde zich er direct thuis. Daar was hij blij om. De piano bij het raam wenkte. Hij liep er naartoe maar halverwege bleef hij even staan bij een tafeltje met ingelijste foto's. Hij vroeg zich af wie dat allemaal waren, de mensen op die foto's. Hij zou het haar vragen als ze dadelijk weer terug was. Hij wilde alles weten over Rosalind Madigan.

Johnny ging zitten achter de kleine vleugel, sloeg het deksel op en onwillekeurig gleden zijn vingers over de toetsen. Een piano kon hij nooit weerstaan en hij begon liedjes van Cole Porter te spelen, een componist waar hij veel van hield. Toen begon hij, zoals altijd, te neuriën en even later zong hij zachtjes de eerste regels van 'You Do Something to Me'.

'Johnny, dat is prachtig!' riep Rosie in de deuropening.

'Ik pingel maar wat weg,' zei hij, en hij keek op. Ze had een blad in haar handen met een zilveren koeler met champagne en een stel glazen. Hij sprong op om haar te helpen, maar ze gaf hem geen kans.

'Het gaat best, heus waar,' zei ze. Ze zette voorzichtig het blad neer op de lage tafel voor de haard.

Ze schonk de champagne in kristallen flutes, terwijl ze zei: 'Jammer dat je niet verder zingt. Ik hou van je stem. Het is heerlijk om naar je te luisteren, Johnny. Alsjeblieft, zing nog eens wat. Ach, dat had ik niet moeten zeggen, hè? Voor jou is het werk – jij doet het altijd al. En je bent niet in Parijs om te zingen, maar om een paar dagen rust te hebben voordat je op tournee gaat in Engeland.'

Johnny gloeide van binnen, toen hij het glas van haar aannam. Ze had gezegd dat ze hield van zijn stem. Dat was ontzettend belangrijk voor hem; hij was blij dat ze hem dat compliment gemaakt had.

Hij mompelde: 'Als ik een piano zie, word ik er gewoon naartoe getrokken. En voor jou zing ik, wanneer je maar wilt. Maar vanavond niet. Ik wil liever een beetje met je praten.'

Hij hief het glas en zei: 'Op jou, Rosie, op de mooiste vrouw van Parijs.'

Rosie begon te blozen onder zijn intense, onderzoekende blikken en ze schudde haar hoofd. Ze wilde wegkijken, ontsnappen aan die levendige, blauwe ogen die haar met zoveel kracht vasthielden, maar ze kon niet. Weer schudde ze haar hoofd en met een lachje zei ze: 'Ik ben niet de mooiste vrouw van Parijs, maar toch bedankt voor het compliment.'

Ze klonk met haar glas tegen het zijne. 'Welkom in mijn stad, Johnny, welkom in mijn huis.'

'Voor mij ben je de mooiste vrouw van de wereld,' zei hij zachtjes en hij keek haar verlangend aan. Hij moest zich dwingen aan iets anders te denken, om op een ander onderwerp over te gaan. Snel zei hij: 'Wat een heerlijk appartement, Rosie. Woon je hier al lang?'

'Een jaar of vijf. Ik heb het bij toeval gevonden en ik was er meteen verliefd op.'

Johnny liep naar de foto's en pakte een lijst van het tafeltje dat met een fluwelen kleed bedekt was. 'Hier sta je met Nell, en ik denk dat dit Gavin Ambrose is, als jongeman. Maar wie zijn de anderen?' Hij keek haar vragend aan.

Rosie liep door de kamer naar hem toe.

Johnny realiseerde zich dat ze prachtige benen had. Daar had hij nog niet eerder op gelet. Maar hij had haar ook nog maar één keer ontmoet; stom dat hij dat steeds vergat. Eenvoudig omdat hij in gedachten zo dikwijls met haar had gevrijd. Hij had het gevoel dat hij haar van binnen en van buiten kende, zoveel erotische avonturen met haar hadden zich al in zijn hoofd afgespeeld. Maar in werkelijkheid kende hij haar natuurlijk helemaal niet.

Rosie stond naast hem en hij snoof haar geur op. Het was een prikkelend mengsel van lelietjes-van-dalen, shampoo, zeep, water en een jonge huid. Hij was bang dat ze hem gek zou maken, nog voor de avond om was. Ze was dynamiet voor zijn seksuele gevoelens.

Hij liet haar de foto in de zilveren lijst zien en zei: 'Het klinkt misschien nieuwsgierig, maar wie zijn die andere mensen? Wie is dat mooie blonde meisje?'

'Dat is Sunny. Ze hoorde bij onze groep.'

'Ze ziet er stralend uit. Die zou bij de film moeten, zeggen ze altijd. Is ze actrice?'

Rosie schudde haar hoofd en er trok een lichte zweem van weemoed over haar gezicht. 'Ze zit in een psychiatrische inrichting in New Haven. Ze is een paar jaar geleden verslaafd geraakt aan drugs, en op een dag heeft ze onzuiver spul gebruikt. Ze heeft toen een ernstige hersenbeschadiging opgelopen. Ze vegeteert als een plant, en dat komt nooit meer goed. Arme Sunny.'

'Och hemel, wat afschuwelijk!' riep hij en er trok een rilling door hem heen. 'Ik heb heel wat mensen aan drugs ten onder zien gaan, kennissen die…' Hij maakte zijn zin niet af.

'Dit is Mikey,' wees Rosalind. 'Hij was een aardige knul, hij ís een aardige knul, moet ik zeggen. We weten alleen niet wat er met hem gebeurd is. Hij is twee jaar geleden verdwenen. Gavin heeft nog geprobeerd hem op te sporen, maar zonder succes. Hij heeft zelfs privé-detectives ingeschakeld.'

'Het is niet zo moeilijk van de aardbodem te verdwijnen, als je wilt,' merkte Johnny op, en hij keek naar de foto die hij nog steeds in zijn hand had. 'Wie is die knappe man met die prachtige Clark Gable grijns?'

'Dat is mijn broer.'

'Is dat niet de vriend van Nell?'

'Ja, dat is de vriend van Nell.'

'Hij ziet er in ieder geval geweldig uit. Zou ook een filmster kunnen zijn. Maar dat zal wel niet, anders had ik wel van hem gehoord. Wat doet hij?'

'Hij is accountant,' antwoordde Rosie. Dat was het standaard-antwoord dat Nell en Rosie moesten geven. Niemand mocht weten dat hij bij de Newyorkse politie werkte als geheim agent, en op die regel bestonden geen uitzonderingen.

'Toen jullie jong waren woonden jullie allemaal in New York?'

'We hebben elkaar zo'n jaar of vijftien geleden ontmoet. En sindsdien zijn we heel veel met elkaar opgetrokken. We waren in die tijd allemaal verweesd, en we zijn elkaar gaan beschouwen als onze familie. We zijn nu natuurlijk nog maar met z'n vieren. We zijn Sunny en Mikey… ja… kwijtgeraakt, zal ik maar zeggen.'

Johnny knikte en zette de foto op z'n plaats terug. Hij pakte een andere en hij keek snel even naar Rosie, voordat hij zei: 'Je zult me wel erg nieuwsgierig vinden, ben ik bang, maar wie is die leuke kleine meid?'

'Dat is Lisette, mijn nichtje. Met haar moeder, Collie. Misschien weet je het nog – ik heb het over haar gehad, die avond bij jou thuis. De expert op het gebied van zilver.'

'Ah, is zij dat? Hoe is het met haar?'

'Ze is… ze is gestorven,' zei Rosie, en er kwam een brok in haar keel. Maar ze wist zich snel te herstellen en ze vertelde: 'Ze had kanker. We dachten dat ze er overheen was, dat ze weer beter was, maar rond Kerstmis werd ze weer ziek. Ze is drie weken geleden overleden.'

'O god, het spijt me. Dat wist ik niet. Ik moet je ook niet zo uithoren!' riep hij uit. Hij struikelde over zijn woorden en hij geneerde zich voor zijn lompe gevraag.

'Dat geeft niet, Johnny, heus niet. Het is niet erg,' stelde Rosie hem op zijn gemak. Ze raakte even zijn arm aan. 'Collie was mijn schoonzusje, en hier, op deze foto, zie je haar broer. Guy. Dat was mijn man. We zijn nu aan het scheiden.'

Johnny voelde een scherpe steek van jaloezie en hij wilde haar vragen wanneer de scheiding definitief zou zijn, maar hij durfde niet. Hij was bang dat hij weer de verkeerde dingen zou zeggen, dus vroeg hij: 'En dat kasteel op de achtergrond? Is dat Montfleurie?'

'Ja.'

Opgelucht nu hij zich op veiliger terrein bevond, zei Johnny: 'Ik heb van Francis Raeymaekers begrepen dat het een van de grote châteaux aan de Loire is.'

'Dat is waar, en voor mij is het 't heerlijkste plekje op aarde. Ik ben er altijd dol op geweest. Ach, kijk nou eens, Johnny – je glas is leeg. Ik zal je even bijschenken.' Ze pakte zijn glas en haastte zich naar de tafel, waar de champagne koud stond in de koeler.

Hij volgde haar, nam het volle glas aan en bedankte haar. 'Je vertelde door de telefoon dat je thuis werkt. Waar is je atelier?'

'Wil je dat graag zien? Kom maar. Het ligt aan de achterkant.'

Samen liepen ze door de grote hal. Johnny zag de kleine bibliotheek met de rode wanden, veel boeken, een bank en stoelen bekleed met rood-met-groene stof en overal bloemen – de bloemen die hij had gestuurd. Ze nam hem mee door een gang en toen ze langs haar slaapkamer kwamen keek hij vlug de andere kant op. Hij durfde niet naar binnen te kijken. Hij keek recht voor zich uit terwijl hij met een paar passen afstand achter haar liep.

'Hier is het,' zei Rosie en ze deed de deur open. Ze draaide zich om en trok hem aan een arm het atelier in. 'Ik kan hier prachtig werken vanwege de lichtinval.'

Johnny liep meteen naar de tekeningen op de plank langs de wand. 'Geweldig!' riep hij bewonderend. 'Wat een talent. Nell probeert me dat al weken aan het verstand te brengen, maar nu begrijp ik wat ze bedoelt.'

'Dat zijn kostuums voor de nieuwe film van Gavin, *Napoleon en Josephine*,' legde Rosie uit.

'Dat klinkt interessant. Vertel er eens iets over.'

'Dat zou ik graag doen, maar ik denk dat we beter eerst naar Voltaire kunnen gaan. Het wordt al laat, anders raken we onze tafel kwijt.'

'Ga mee, dan,' zei hij. 'De wagen wacht buiten.'

33

Op een wonderlijke manier was Johnny opgelucht en blij dat hij met Rosie tussen de mensen zat. Bij haar thuis had hij zich de hele tijd moeten bedwingen om haar niet in zijn armen te nemen, haar hartstochtelijk te kussen en met haar te vrijen.

Nu moest hij zich wel keurig gedragen, en dus leunde hij achterover in zijn stoel en genoot van haar aanwezigheid en van de steelse blikken die de andere gasten in hun richting wierpen. We zijn een prachtig paar, al zeg ik het zelf, dacht hij. Een sprookjespaar, in zekere zin. Hij was een mega-ster. Vandaag-de-dag was hij de grootste op zijn gebied. En zij was een knappe vrouw – welke man zou haar niet graag aan zijn zijde hebben?

De paar mensen in het restaurant die hem hadden herkend keken discreet in zijn richting. Europeanen wisten hoe ze zich moesten gedragen, ze bleven op een afstand en kéken alleen maar.

Rosie trok nauwelijks belangstelling, althans niet hier. In Hollywood wel. Veel mensen herkenden haar, ze had tenslotte een Academy Award gewonnen met haar kostuumontwerpen, en ze stond dikwijls op de foto met Gavin Ambrose.

Hollywood. Wat zouden ze daar samen de show stelen. Daar had hij nooit eerder de behoefte toe gevoeld, maar dat was nu anders, vanwege Rosie. Hij zou het heerlijk vinden met haar te geuren. Als ze eenmaal getrouwd waren zou hij een groot feest geven bij hem thuis; ook dat had hij nog nooit eerder gedaan. Hij realiseerde zich plotseling dat hij ook zijn huis aan iedereen wilde laten zien, zolang Rosie maar bij hem was.

De ober onderbrak zijn gedachten met de vraag wat ze wilden drinken als aperitief.

Johnny keek naar Rosie, tegenover hem aan tafel. 'Champagne?'

Ze knikte en lachte naar hem.

'Een fles Dom Pérignon, graag,' zei hij tegen de ober, en hij concentreerde zich weer op Rosie. Met het hoofd gebogen bestudeerde ze de menukaart die de ober gebracht had. Hij keek eens om zich heen door het restaurant waar ze zaten. Le Voltaire was een charmante, intieme gelegenheid met gedempt licht en een houten lambrisering, en hoewel alle tafeltjes bezet waren heerste er toch een rust die hem weldadig aandeed. Het was duidelijk een etablissement waar de nadruk lag op de kwaliteit van de keuken en de wijnkelder, want de inrichting was eenvoudig, zonder tierlantijnen of exotische decoraties. En de bediening was onovertroffen.

Rosie keek op en zei: 'Ik weet nooit wat ik moet kiezen. Alles is hier even lekker.'

'Wil jij voor mij bestellen? Ik ken alleen de Italiaanse keuken.'

'Goed, dat zal ik graag doen. Maar zullen we eerst klinken?' zei ze, toen de ober de bedauwde koeler met champagne bracht.

Weer proostten ze samen en Johnny zette zijn glas neer terwijl hij naar haar keek. Hij kon zijn ogen geen moment van haar afhouden.

Rosie droeg een paars wollen pakje met een ronde hals en lange mouwen. Het zag er heel eenvoudig uit, dacht hij, maar het was o, zo geraffineerd gesneden en het accentueerde haar prachtige figuur. De weerschijn van het heldere paars verlevendigde haar groene ogen, die daardoor nog groter leken.

'Je zit me de hele avond al aan te staren, Johnny. Nu ook weer,' zei ze zachtjes, terwijl ze naar voren leunde over de tafel. 'Wat is er aan de hand? Heb ik een vieze veeg op mijn wang of zo?'

'Nee, nee – ik zit alleen te denken hoe mooi je bent, en ik bewonder je parels. Wat een pronkstuk, die ketting.'

'Ja, zijn ze niet schitterend? Heb ik van Gavin gekregen voor Kerstmis.'

Voor de tweede keer die avond schoot er een steek door Johnny heen. Hij besefte dat het jaloezie moest zijn, al was die emotie hem tot nu toe vreemd. Hij kon zich niet herinneren dat hij ooit jaloers was geweest, op niets en op niemand.

Een hele tijd hield Johnny zijn mond, zo verbaasd was hij over zijn eigen reactie. *Hij was jaloers op Gavin Ambrose.* Niet te geloven. Hij werd er helemaal door van zijn stuk gebracht.

Er kon met veel moeite een glimlachje af toen hij zei: 'Een uitstekende keus. Ze passen bij je.'

'Dank je. Ik krijg altijd iets moois van Gavin als we klaar zijn met een film.'

Johnny nipte aan zijn champagne en probeerde zijn jaloezie naar de achtergrond te dringen. 'Wanneer begin je met de nieuwe film?' vroeg hij tenslotte.

'In maart beginnen we met de voorbereidingen. Die zullen een maand of vijf duren, misschien langer. Het wordt een ingewikkelde film en kostbaar ook, door al die veldslagen en hofscènes. Gavin hoopt in augustus met de opnamen te kunnen beginnen. Hij wil eerst de buitenopnamen draaien, als het weer nog goed is, dan komen later in het jaar de studio-opnamen. En verder zoals het uitkomt. Ik bedoel: als we een bepaalde acteur maar voor een maand hebben, dan moeten in die tijd al zijn scènes gedraaid worden.' Ze nam haar glas en glimlachte naar hem over de rand, voordat ze een slok nam. Toen ging ze verder: 'Als ik het zo zie, zal deze film een hoop tijd vergen.'

Johnny begreep alleen maar dat ze tot het eind van het jaar druk bezig zou zijn en het hart zonk hem in de schoenen. Hij vroeg: 'En wanneer ben je klaar met de kostuums?'

'Eind april moeten de meeste ontwerpen klaar zijn, op z'n laatst begin mei. Ik lig nog voor op mijn schema, en over een paar weken komen mijn beide assitentes uit Londen. Die nemen me een hoop werk uit handen, en ze doen de minder belangrijke kostuums helemaal zelf.'

'In je atelier had je een jurk op een paspop gespeld, zag ik. Wie maakt eigenlijk al die kostuums?'

'Ik niet, gelukkig,' zei ze lachend. 'En mijn assistenten ook niet. Dat werk wordt uitbesteed aan naaisters, en ik ben bezig een goed team samen te stellen, hier in Parijs. Veel kostuums voor de figuratie, bijvoorbeeld voor de soldaten uit het leger van Napoleon, worden gehuurd bij kostuumverhuurbedrijven in Parijs en Londen, net als japonnen en sieraden voor de dames van de hofhouding. Alles zelf maken zou onbegonnen werk zijn. Ik concentreer me alleen op de kostuums voor de hoofdrollen.'

Hoewel het Johnny van geen kanten beviel dat ze maanden achter elkaar aan een film moest werken, dat ze volledig bezet zou zijn, kon hij toch voldoende belangstelling opbrengen om verder te vragen. 'Waar worden de opnamen gemaakt?'

'In verschillende delen van Frankrijk,' antwoordde ze. 'In en om Parijs. Ons hoofdkwartier komt in studio's in Billancourt. Daar bouwt onze decorontwerper, Brian Ackland-Snow, verschillende interieurs. Maar we gaan ook op lokatie, naar echte huizen en kastelen. En natuurlijk gaan we draaien op Malmaison. We hebben al toestemming van het ministerie.'

'Malmaison?' vroeg hij. 'Wat is dat? Waar is dat?'

'Dat is het château waar Napoleon en Josephine gewoond hebben, hun privé-domein,' legde Rosie uit. 'Het ligt net buiten Parijs, in Rueil, aan de oever van de Seine, zo'n kilometer of vijftien hiervandaan. Het is nu een museum. Schitterend. Wil je het zien, Johnny?'

Veel belangstelling voor musea had hij niet, maar hij greep iedere gelegenheid aan om met haar samen te zijn. Hij knikte gretig. 'Wanneer gaan we? Morgen?'

'Als je dat graag wilt.'

'Ja, geweldig, Rosie! Dan kunnen we samen lunchen. Goed?'

'Goed. Maar we moeten eerst nog dineren. Ik zal eens even bestellen. Ik word al een beetje dronken van die champagne.'

'Zoals je wilt, schatje.'

'Zullen we beginnen met een boerenpaté, en dan gegrillde tong als hoofdgerecht?'

'Dat klinkt verrukkelijk.'

Later, terwijl ze zaten te eten, vroeg Rosie: 'Nell vertelde dat je een hele groep mensen hebt meegenomen naar Parijs.'

'Ja, inderdaad. Mijn persoonlijke assistent, Joe Anton. Kenny Crossland, toetsenist in mijn orkest, en mijn manager, Jeff Smailes.' Hij grinnikte. 'In Londen heb ik nog meer mensen, maar die wilden niet mee.'

'En waar zijn Joe, Kenny en Jeff vanavond?'

'De stad in. Ze wilden naar een paar van die beroemde Parijse jazzclubs.'

'Dan komen ze vast in de Rue de la Huchette terecht – daar zijn een hoop geweldige jazzkelders. Overal trouwens, in de buurt van de Boul' Miche.' Hij keek haar aan, de wenkbrauwen vragend opgetrokken.

'De Boulevard Saint-Michel,' antwoordde ze op zijn onuitgesproken vraag.

Johnny knikte en pakte zijn glas Montrachet. 'Over mijn groep gesproken – ben je ooit naar een show geweest van mij?'

Ze schudde haar hoofd. 'Ik vrees van niet. Maar ik zou wel graag willen. Ik heb je daarstraks al gezegd: ik hou van je stem, Johnny.'

'Waarom ga je volgende week niet mee naar Londen? Dan sta ik in de Wembley Arena.'

Rosie keek hem aan zonder te antwoorden. Ze aarzelde.

Snel zei hij: 'Het is geen moeite. Maandagochtend kan je met mij mee met het vliegtuig. Of ik stuur de jet terug, als je later wilt komen. Zeg ja, Rosie. Ik zou het erg fijn vinden, en jij ook. Een hele ervaring, als je nog nooit zo'n soort massale happening hebt meegemaakt.'

Ze nam een besluit. 'Goed, ik ga met je mee,' lachte ze hem toe.

Het was een verukkelijke lach en voordat hij zich kon inhouden had hij haar hand gepakt. 'Je hoeft nergens over in te zitten. Ik zal door het kantoor van Nell een suite laten bespreken in mijn hotel. Het Dorchester. Ik kan je beloven je dat je een geweldige tijd zult hebben.'

'Dat kan je zeker, Johnny,' zei ze. Toen dacht ze: ik ben blij dat hij me uitgenodigd heeft. Ik ben blij dat ik ga. Ik heb in jaren geen pleziertje gehad. Diep in haar hart wist Rosie dat het iets zou worden tussen Johnny en haar.

34

Het leek Rosie of Johnny Fortune bezit had genomen van haar leven. Maar zij had het hem toegestaan. Zij was zijn gewillige medeplichtige.

Sinds dat diner in Voltaire, dinsdag, was hij geen minuut van haar zijde geweken. Nadat ze woensdagmiddag met hem naar Malmaison was gereden had hij haar gevraagd of ze hem ook Parijs wilde laten zien, de interessante dingen waaraan hij bij vorige bezoeken niet was toegekomen. Hij was eigenlijk alleen maar in Parijs geweest om te werken en hij had nooit tijd gehad voor een toeristisch uitstapje.

Rosie had haar fantasie gebruikt en dingen uitgezocht waarvan ze dacht dat hij ze leuk zou vinden. Ze hadden een paar heerlijke dagen gehad, zo slenterend door haar geliefde stad die ze van zo dichtbij kende. Ze hadden geluncht in uitgelezen bistro's en gedineerd in beroemde vijfsterren-restaurants als Taillevent en La Tour d'Argent. Ze hadden samen gelachen en het bleek dat ze over heel veel dingen konden praten. Er was tussen hen een plezierige kameraadschap ontstaan.

Maar nu, op vrijdag tijdens de lunch, zat Rosie tegenover hem in het Relais Plaza en ze vroeg zich af wat eraan scheelde. Johnny deed zo koel, zo afstandelijk, hij was zo ongeconcentrerd en zelfs een beetje somber. Hij zei bijna geen woord.

'Is er iets?' vroeg ze tenslotte, en ze keek hem bezorgd aan.

'Nee,' antwoordde hij met zachte stem.

Ze leunde over de tafel en sprak zo zachtjes als ze kon. 'Hoor eens, Johnny, ik weet dat je iets dwarszit. Wil je het me niet vertellen?'

Hij schudde zijn hoofd, zonder iets te zeggen.

'Heb ik iets verkeerds gedaan of zo?'

'Natuurlijk niet.' Hij glimlachte vaag naar haar, als om haar gerust te stellen op dat punt.

'Je bent zo somber en stil vandaag, Johnny.'

Hij ontweek haar blik.

'Je hebt nog geen hap gegeten,' ging ze door. Ze wilde hem aan de praat krijgen, ze móest hem aan de praat krijgen, om tot de kern van het probleem te kunnen doordringen.

'Ik heb gewoon niet zoveel honger, Rosie.'

Ze keek naar de roereieren op haar bord, plukte erin met haar vork en mompelde: 'Ik ook niet, eigenlijk.'

Johnny keek naar haar bord en zag dat ze zelf ook niet veel gegeten had. Heel lang zat hij haar aan te kijken, zijn ogen gefixeerd op haar gezicht dat, zag hij plotseling, ongewoon bleek was.

Hij legde zijn hand op de hare en hij kneep er stevig in, zo stevig dat zijn knokkels wit werden. Langzaam knikte hij met zijn hoofd, alsof hem net iets duidelijk geworden was. Hij zei: 'Zullen we naar boven gaan, naar mijn suite... en daar koffie drinken?'

'Ja.' Rosie keek hem recht in de ogen en beantwoordde de druk van zijn vingers.

Ze had haar jas over haar arm en ze waren de kamer nog niet binnen of hij nam die van haar over.

Hun handen raakten elkaar en ze keken elkaar aan met een snelle blik. Ongeduldig gooide Johnny de jas op de eerste de beste stoel en Rosie deed hetzelfde met haar handtas en haar handschoenen.

Johnny hield zijn ogen niet van haar af. 'Ik kan geen hap door mijn keel krijgen omdat ik deze marteling niet langer kan verdragen...'

'Ik weet waarom je geen honger hebt, Johnny,' zei Rosie veelbetekenend. 'Om dezelfde reden als ik.'

Zij wisselden een warme blik en het volgende moment lagen ze in elkaars armen, klampten ze zich aan elkaar vast.

Zijn mond vond onmiddellijk de hare en hij verslond haar bijna, hij kuste en kuste haar steeds opnieuw. Zijn tong gleed zachtjes tussen haar lippen, raakte haar tong en streelde die lang. Intussen tastten zijn handen onder haar sweater. Hij vond de sluiting van haar beha en haakte die los. Zijn handen bewogen naar de voorkant van haar lichaam, hij duwde de trui en de beha omhoog, zodat hij haar borsten kon zien – volle, stevige, prachtige borsten. Hij boog zich voorover en nam eerst één tepel in zijn mond, daarna de andere. Hij bracht haar borsten naar elkaar toe om zijn gezicht ertussen te begraven, tot hij vóór haar op zijn knieën viel.

Hij ritste haar rok los en liet die op haar voeten glijden. Ze stapte eruit, deed ook haar schoenen uit, en bleef roerloos voor hem staan. Ze droeg alleen panties en door de dunne stof was de donkere v van haar haar te zien. Hij legde zijn hoofd tegen haar buik, sloot zijn ogen en ademde haar geur in, de geur van een vrouw, een vrouw vol verlangen. Hij begon haar te kussen door de stof heen en hij streelde haar dijen, terwijl hij haar tegen zich aan drukte om haar lichaam zo dicht mogelijk bij zijn gezicht te brengen. Vaag, als van heel uit de verte, hoorde hij hoe haar een lange zucht ontsnapte.

Johnny deed zijn ogen open en stond op. Hij nam haar weer in zijn armen en drukte haar tegen zich aan. Hij stak een hand uit, deed de deur op slot, en zonder haar los te laten leidde hij haar naar de slaapkamer.

In de deuropening bleven ze staan om elkaar te kussen. Plotseling, met een snel gebaar, pakte hij haar bij haar billen en trok haar omhoog. Ze klemde zich vast en sloeg haar armen om zijn hals: zo droeg hij haar naar het bed. Hij zette haar neer en duwde haar zachtjes achterover in de kussens. Hij nam de bovenrand van haar panties en langzaam trok hij het ragfijne kledingstuk naar beneden over haar heupen, rolde het langs haar benen en liet het op de grond vallen.

Zelf deed ze haar sweater uit en naakt lag ze naar hem te kijken toen hij zijn jasje op een stoel gooide en zijn das afrukte. Hij liep naar de deur van de slaapkamer, deed die dicht en kwam weer naar haar toe, terwijl hij zijn witte overhemd losknoopte.

Johnny keek op haar neer. Ze had een slank figuur, waardoor haar zachte, volle borsten groter leken. Prikkelender borsten had hij nog nooit gezien, met die areolae van een donker, wazig roze rond de kleine, stevige tepels. Hij wilde ze voelen tegen zijn gezicht, zich ertussen verbergen en daar eeuwig blijven liggen.

Nadat hij zich van de rest van zijn kleren had ontdaan nam Johnny haar bij haar handen en trok haar langzaam overeind, van het bed af. Hij trok haar naar zich toe en omhelsde haar. Eén hand gleed over haar rug naar haar bekken en hij drukte haar tegen zich aan, zodat ze hem goed kon voelen. Hij had een enorme erectie en hij wilde dat ze begreep hoe hij naar haar verlangde. Hij was ziek van verlangen, al dagen. Die kwelling was haast ondraaglijk geworden en hij stond op springen. Hij kuste haar mond en daarna haar hals, hij boog zijn hoofd om haar borsten te kussen en hij liet zijn tong over haar hard geworden tepels spelen.

Rosie trilde in zijn armen en terwijl Johnny zijn lichaam tegen haar aandrukte, haar streelde en haar overstelpte met kussen voelde ze hoe haar benen slap werden. Vanuit haar intiemste plekje verspreidde zich een verrukkelijke warmte door haar heupen en haar hele onderlichaam. Het was een ongelooflijk gevoel, een gevoel dat ze in lange jaren niet gehad had, niet meer sinds haar huwelijk was stukgelopen, en ze had gedacht dat ze het nooit meer zou krijgen. Maar nu sloeg die warmte weer als een vlam door haar heen. Hier en nu met Johnny Fortune. Hij was knap, vol liefde en warmte, en zij verlangde net zo naar hem als hij naar haar. Zij had al naar hem verlangd sinds dat diner bij Voltaire. In feite had ze ongeduldig gewacht tot hij de eerste stap zou zetten. Ze had verlangd naar zijn kussen, zijn aanraking.

Johnny was tot het uiterste gespannen, haar verlangen wond hem meer op dan ooit. Rosie streelde hem over zijn rug en liet haar handen rusten op zijn heupen, die ze naar zich toe trok. Hij richtte zich op en bedekte haar gezicht met kussen. Zijn tong speelde met haar lippen op de meest sensuele manier. Ze bewoog haar vingers over zijn rug, ze greep hem bij de schouders en liet haar handen langs de achterkant van zijn hals glijden tot in zijn haar. Hun monden werden één; ze waren met elkaar versmolten.

Even later trok Johnny de deken van het bed en vleide haar neer op de lakens. Hij boog zich over haar heen en fluisterde vlak bij haar oor: 'Niet bewegen.' Hij verdween in de badkamer.

Rosie bleef stil liggen wachten tot hij weer terugkwam, haar ogen gesloten. Ze had haar wellust niet meer in bedwang, ze verlangde hartstochtelijk naar hem, met al haar zinnen. Ze stond in vuur en vlam.

Ze hoorde een zacht geluid.

Ze deed haar ogen open en zag dat hij de gordijnen had dichtgetrokken om het zonlicht buiten te sluiten. Toen hij zich omdraaide en door de kamer liep zag ze pas goed hoe groot hij geschapen was. Ze rilde onwillekeurig. Ze realiseerde zich dat hij naar de badkamer was gegaan om een voorbehoedmiddel te pakken.

Zachtjes raakte hij haar gezicht aan, hij lachte tegen haar en kwam naast haar liggen op het bed. Hij nam haar in zijn armen en bedekte haar gezicht met kussen. Zijn handen waren overal tegelijk, strelend, spelend, onderzoekend. Hij wilde haar volledig leren kennen. Langzaam en teder glipten zijn vingers tussen haar dijen, waar zij al gauw haar genotsplekje vonden. Dat zweepte haar op tot grote hoogten.

Onverwacht en zonder waarschuwing kwam Johnny bovenop haar liggen en hij duwde zich naar binnen, snel, ruw bijna. Ze verstijfde, slaakte bijna een kreet van pijn, maar kon die nog net binnenhouden.

Hij pakte haar billen en tilde haar lichaam tegen het zijne aan, waardoor hij dieper en dieper in haar drong, tot ze dacht dat hij haar hart zou raken. Ze klampte zich aan hem vast en het duurde niet lang of ze had zijn ritme overgenomen. Hun bewegingen waren op elkaar afgestemd, gretig en on- geremd zochten zij bevrediging van de behoeften en verlangens van zich- zelf en van de ander.

Rosie voelde hoe ze vochtiger en zachter werd. Toen ze zich eenmaal vol- ledig aan hem had overgegeven kon ze hem makkelijk helemaal in zich op- nemen. Plotseling versnelde Johnny zijn bewegingen en hij riep haar naam. 'Rosie, Rosie! Kom maar! Kom dan bij me!' En ze kwam. Zijn naam lag op haar lippen toen ze tegelijkertijd het hoogtepunt bereikten.

Hij lag bovenop haar als een dood gewicht, zijn gezicht tussen haar bor- sten. Zo bleef hij een poosje liggen.

Tenslotte begon Johnny te schudden van het lachen.

'Wat is er?' vroeg Rosie verbaasd, en ze raakte even zijn schouder aan.

Hij tilde zijn gezicht op en, nog steeds lachend, legde hij uit: 'Zo hoort het helemaal niet te zijn, schatje. Ik bedoel – zo goed, de allereerste keer.' Hij schudde zijn hoofd. 'Volgens het boekje zouden we toch eerst aan el- kaar moeten wennen, elkaar leren kennen, meisje…'

Rosie lachte nu ook en met haar vinger streek ze het haar uit zijn gezicht. Maar ze gaf geen commentaar.

Johnny liet zich voorzichtig van haar afrollen. Hij mompelde, half voor zichzelf: 'Even dat verdomde ding wegdoen,' en hij verdween in de bad- kamer.

Even later kwam hij weer bij haar liggen. Hij leunde op een elleboog en keek haar diep in de ogen. Hij schoof een pluk haar opzij en kuste het puntje van haar neus.

'Het is heerlijk met je. Geweldig. Ik hoop dat je nog een poosje in de buurt blijft.'

'Natuurlijk. Je zult me toch eerst te eten moeten geven, voordat ik weg- ga.'

'Ik bedoel niet nú. Ik bedoel… ik vind het fijn als je in de buurt blijft… een poosje.' Bijna had hij gezegd: voor altijd, maar hij durfde niet. Nog niet, tenminste. Hij was zich ervan bewust dat hij het kalmpjes aan moest doen met haar. Dat kon hem niet schelen. Als hij haar uiteindelijk maar zou krijgen.

Rosie lachte naar hem. 'Natuurlijk blijf ik in de buurt. Waarom niet? Maar ondertussen: zou je een hongerig meisje niet eens te eten geven? Ik heb trek, Johnny.'

'Ik ook, Rosie. In jou.' Hij bracht zijn gezicht naar haar toe en hij kuste haar op de lippen, maar heel licht, en hij keek in haar ogen.

De uitdrukking op Johnny's gezicht was er een van totale adoratie, en toen hij door haar haar streek was zijn aanraking bijna eerbiedig. 'Ik heb me nog nooit zo gevoeld als nu, Rosie,' bekende hij. 'Er is nog nooit iemand geweest zoals jij. Je bent niet uit mijn gedachten geweest sinds onze eerste ontmoeting in november.'

Rosie zei niets, maar ze streelde zijn wang en trok met een vinger zijn profiel na.

'Zeg iets,' fluisterde hij. 'Vertel me hoe je je voelt.'

'Zeer bemind en zeer voldaan,' antwoordde ze.

Dat beviel hem, maar hij wilde meer. Dus begon hij te vissen. 'Heb jij ooit nog wel eens aan me gedacht, nadat we elkaar ontmoet hadden? Heb je aan me gedacht nadat ik je gebeld heb?'

Ze knikte. 'Ja, ik heb aan je gedacht. Voordat je belde – en daarna.'

'Wat heb je gedacht?'

'Dat ik je nog eens wilde ontmoeten. En later, dat ik me erop verheugde. En…'

'En wat?'

'En sinds dinsdagavond wilde ik met je naar bed, wilde ik je in me voelen. En ik…'

Weer maakte ze haar zin niet af, en hij drong aan: 'Kom, je hoeft niet bang te zijn. Zeg het maar. Ik wil het graag weten.'

En speelde een glimlach om haar mond. 'Ik wilde dat we zo samen zouden zijn, zoals nu. Maar ik was een beetje bang.'

'Waarom?' vroeg hij verbaasd. 'Waar zou je bang voor moeten zijn?'

'Misschien is bang het verkeerde woord. Zenuwachtig, da's misschien beter.'

Hij fronste zijn wenkbrauwen, maar hij zei niets.

Bijna onhoorbaar mompelde ze: 'Vijf jaar geleden is mijn huwelijk op de klippen gelopen. Eerder zelfs nog. In ieder geval, ik heb niet... Begrijp je – sindsdien heb ik niet meer met een man geslapen. Ik denk dat ik daarom zenuwachtig was.'

Het deed hem plezier dat er geen andere man in haar leven was geweest, behalve haar echtgenoot, en dat ze nu met hèm was. Hij was de eerste in vijf jaar. Het was alsof hij een maagd gevonden had, en dat maakte hem niet alleen gelukkig, het wond hem ook op.

'Heb ik je teleurgesteld?' vroeg hij.

'Wat een stomme vraag, Johnny. Natuurlijk niet. Ik heb alleen maar ge-probeerd je uit te leggen waarom ik nerveus was. Ik bedoel – na jaren van onthouding is dat toch niet zo gek?'

Er kwam een plagerig twinkeltje in zijn ogen en hij grinnikte: 'De liefde bedrijven is net als fietsen – je verleert het nooit.'

Rosie lachte. 'Daar zou je best eens gelijk in kunnen hebben, Johnny. Maar zoals mijn moeder altijd zei: oefening baart kunst.'

'Als je zit te vissen, schatje: je bent de kunst niet verleerd, al heb je de laatste jaren weinig oefening gehad.'

Hij kwam dichter bij haar liggen, kuste haar op haar mond en ging op zijn knieën zitten. Hij boog zich over haar heen en streelde haar borsten, raakte haar overal aan, volgde de rondingen van haar lichaam, streek langs haar benen en voeten en kwam weer terug bij haar borsten. En weer stonden zijn ogen vol tederheid en toewijding. Hij was totaal van de kaart.

'Je windt me veel te veel op,' fluisterde Rosie.

'Dat wil ik ook. Ik wil dat je helemaal van mij bent, Rosie. O god, je weet niet wat je voor me betekent, hoe je me opwindt.'

Rosie liet dat even op haar inwerken. Toen ging ze zitten, sloeg haar armen om zijn gespierde lichaam en knuffelde hem eens stevig. 'Laten we een paar broodjes bestellen,' zei ze. 'Ik zei je toch: ik sterf van de honger?'

'Goed, zoals je wilt. Maar weet wel dat we hier weer op bed liggen op het moment dat we uitgegeten zijn.'

35

Johnny wachtte op haar in haar suite in het Dorchester Hotel toen ze, een week later, in Londen aankwam. Hij had haar laten ophalen van Hea-throw Airport.

Toen ze binnenkwam, gevolgd door een piccolo met haar bagage, sprong hij op van de bank, waar hij in een tijdschrift had zitten lezen, en liep met open armen op haar toe om haar te begroeten.

Hij omhelsde haar stevig en fluisterde in haar oor: 'Wat heb ik je gemist!' Johnny gaf de piccolo een fooi en sloot de deur achter hem. Daarna hielp hij Rosie uit haar jas, gooide die over een stoel en trok haar naast zich op de bank. Hij kuste haar innig. Ze beantwoordde zijn kussen – ze was duidelijk net zo blij als hij dat ze weer bij elkaar waren.

'Een rottijd, die dagen dat je er niet was, Rosie!' riep hij, toen hij haar eindelijk had losgelaten. 'Ik voelde me bedonderd.'

'Ik ben er weer,' zei ze. 'Helemaal voor jou.'

Hij sprong op, nam haar hand en hielp haar overeind. 'Kom, dan zal ik je rondleiden door je suite. Je weet niet wat je ziet!'

Meteen toen ze binnenkwam had Rosie al opgemerkt hoe prachtig de zitkamer was ingericht, en al die vazen met bloemen waren haar ook niet ontgaan. 'Dank je voor die prachtige bloemen, Johnny. Je weet precies waar ik van hou,' mompelde ze toen hij haar door de kamer leidde. 'Ze zijn heerlijk.'

'Net zo heerlijk als jij, en ik verwen je graag,' antwoordde hij, terwijl hij de deur naar de volgende kamer opendeed. 'Dit is de slaapkamer. Groot genoeg, dacht je? En daar is de badkamer. Rechts is nog een speciale kleedkamer. Die moet je straks maar bekijken. Zal ik het kamermeisje roepen? Dan kan ze je helpen met uitpakken.'

Rosie schudde haar hoofd. 'Dank je, dat is niet nodig.' Toen ze langs het bed liepen viel haar oog op een bosje viooltjes, dat op het nachtkastje stond. Ze kneep in zijn arm, leunde tegen hem aan en kuste hem op zijn wang. 'Je bent zo lief.'

Hij grinnikte tegen haar. 'Nu geen gezoen meer. Anders liggen we voor we het weten hier in bed, en ik moet straks optreden – ik heb al mijn krachten nodig. Ik moet al de hele avond staan.'

Ze gingen terug naar de zitkamer en Johnny wees op een deur aan de andere kant van het vertrek. 'Dat is mijn suite, liefje, dus als je me nodig hebt, dan geef je maar een gil.'

Rosie, die was neergevallen op de bank, moest lachen om die opmerking.

Johnny leunde tegen de schoorsteen, zijn ogen strak op haar gericht.

'Nou doe je het weer, Johnny.'

'Wat doe ik?'

'Me aanstaren.'

'Ik kan er niets aan doen. Je bent zo mooi, Rosie, ik kan gewoon niet genoeg van je krijgen, denk ik.'

'Misschien zou je me volgende week om deze tijd al niet achter het behang willen plakken.'

'Vergeet het maar,' zei hij vol overtuiging. Toen vroeg hij: 'Je weet toch wat het vandaag voor een dag is, hè?'

Ze fronste haar voorhoofd. 'Tja… Ik eh… Natuurlijk – het is vandaag de dag van je eerste concert, het begin van je Engelse tournee.'

'Ja, dat is waar. Maar het is ook vrijdag, veertien februari. Valentijnsdag.'

'O, jé, dat was ik vergeten.'

'Maar ik niet.' Hij stak zijn hand in de zak van zijn colbertjasje en haalde een klein pakje in mooi cadeaupapier tevoorschijn. 'Dit is voor jou, Rosie. Met liefde gegeven.'

Rosie keek hem aan en schudde langzaam haar hoofd. Ze kreeg iets van irritatie in haar blik. Met een slap glimlachje zei ze: 'Ik heb er niet aan gedacht, dus ik heb niets voor jou. Dat vind ik ontzettend vervelend, Johnny. Ik voel me schuldig.'

'Wat een onzin! Je bent er toch? Jijzèlf bent mijn cadeau voor Valentijnsdag. Vooruit, maak maar rustig open.'

Ze trok het lint van wit satijn los en toen ze het papier opengescheurd had hield ze een doosje van rood leer met goudopdruk in haar hand. Ze deed het deksel open en haar ogen werden groot van verrukking. Daar lag, op zwart fluweel, een enorme diamanten ring. Rosie keek met gemengde gevoelens naar Johnny.

Hij stond haar aan te kijken, in afwachting van haar reactie.

Maar ze zei niets. Ze was sprakeloos.

Tenslotte vroeg hij: 'Vind je hem niet mooi, die ring? Is hij niet mooi genoeg?'

'Johnny, hij is schitterend! Adembenemend! Maar ik kan hem niet aannemen!' Ze haalde diep adem, ze was nog niet van de verrassing bekomen.

'Waarom niet?'

'Zoiets duurs mag je me eenvoudig niet geven.'

'Het is niet zomaar een ring. Het is een verlóvingsring.'

'O, Johnny…'

'Ik hou van je, Rosie.'

Ze staarde hem aan met paniek in haar ogen en ze beet nerveus op haar lip.

Hij zei: 'Ik wil dat we ons verloven. Ik wil dat we trouwen. Ik wil de rest van mijn leven samenzijn met jou. Ik heb je verleden week gezegd dat ik nog nooit eerder van een vrouw heb gehouden, dat ik nooit met iemand heb willen trouwen, tot ik jou had ontmoet.' Zijn wonderbaarlijke blauwe ogen waren strak op haar gericht en zijn gezicht stond ernstig. Hij meende ieder woord dat hij zei, daaraan was geen twijfel mogelijk.

'O, Johnny, ik voel me ontzettend gevleid en vereerd, maar ik kan die ring nu niet van je aannemen, ik kan me niet met je verloven. Ik ben nog steeds getrouwd, lieverd.'

'Je staat op het punt van scheiden.'

'Ja, dat is wel zo, maar dat kan nog maanden en maanden duren, misschien wel een jaar...'

'Het kan me niet schelen hoe lang het duurt,' viel hij haar fel in de rede, en zijn ogen stonden plotseling hard. 'Ik wacht wel. Hoe dan ook, we zullen samen blijven tot we kunnen trouwen.' Hij haalde diep adem en zei op een mildere toon: 'Alsjeblieft, neem die ring van me aan. Kom, liefje, ik zal hem aan je vinger doen.'

Hij deed een stap naar voren en lachte naar haar.

'Nee, Johnny, ik kan het niet!' riep ze, en ze had onmiddellijk spijt omdat ze zich realiseerde hoe hard, bijna koud, dat klonk. Zachtjes zei ze: 'Echt, Johnny, ik kan het niet.' Ze schudde haar hoofd.

Hij bleef stokstijf staan.

Ze zei: 'Johnny, alsjeblieft – kijk niet zo.'

'Hoe, zo?'

'Zo belédigd. Ik wil je helemaal niet beledigen.'

'Maar je voelt niet hetzelfde als ik,' probeerde hij haar uit te lokken.

'Ik weet het niet,' zei ze ontwijkend. 'Je gaat te vlug voor mij.' Met een geforceerd lachje zei ze op een vriendelijker toon: 'Ik bedoel – ik ben veel langzamer dan jij, denk ik. Ik heb eens een keer verschrikkelijk mijn vingers gebrand en ik wil niet nog eens een fout maken. Dat zou me te veel zijn. Een mislukt huwelijk is de hel op aarde. Neem dat maar van mij aan. Ik heb het van nabij meegemaakt.'

'Ik ben niet zoals Guy de Montfleurie. Je hebt me verteld dat hij direct al achter de meiden aanzat, dat hij je ontrouw was, dat hij een rokkenjager was. Ik heb geen behoefte aan andere vrouwen, Rosie.'

'Ik weet hoe je erover denkt. Dat is het niet... Ik twijfel niet aan jóu, Johnny. Ik probeer alleen maar... verstàndig te zijn. Voor ons beiden. Jij bent nooit getrouwd geweest, jij begrijpt absoluut niet hoe dat voelt, hoe dat is als je huwelijk mislukt. Het is afschuwelijk, echt.'

'Ons huwelijk mislukt niet,' wierp hij tegen. 'Ik hou veel te veel van je.'

Rosie deed net of ze die opmerking niet gehoord had en ze ging door: 'Ik ben veel te snel met Guy getrouwd. Ik kende hem nauwelijks. Wíj kennen elkaar ook nauwelijks, dat kan je niet ontkennen. We zijn nog maar een week samen.'

'Tien dagen, om precies te zijn,' drong hij aan. 'En ik kèn je, van heel dichtbij.' Hij hield even zijn mond en keek haar voorzichtig aan. Hij kneep zijn ogen half dicht toen hij eraan toevoegde: 'Luister nou eens naar me. Je kunt vijftig jaar met iemand optrekken zonder dat je hem ooit leert kennen, en je kunt iemand tegenkomen en pàts! Je realiseert je direct dat er iets heel bijzonders is gebeurd, dat je je hartsvriend gevonden hebt – die je uit duizenden hebt herkend. Zo is het met ons gegaan. Wíj zijn hartsvrienden, liefje. Ik hou van je. Ik aanbid je.'

Ze zei niets.

Hij vroeg: 'Voel je dan helemaal níets voor me?'

'Natuurlijk wel!' riep ze, en ze ging rechtop zitten. 'Ik aanbid jou ook, Johnny. Ik ben gek op je. Je bent zo liefdevol, zo charmant en zo royaal.'

Er flitste een glimlach over zijn gezicht. Hij vond het heerlijk dat te horen. Zo kwamen ze tenminste ergens. Hij vroeg: 'Waarom wil je dan mijn ring niet aannemen?'

'Alsjeblieft, Johnny, laten we het nu stap voor stap doen. Niet te hard van stapel lopen.'

'Wat kan het voor kwaad als je hem aan je rechterhand draagt in plaats van aan je linker?'

Rosie schudde haar hoofd. 'Laten we de dingen niet overhaasten. Laten we op z'n minst wachten tot ik vrij ben, voordat we de symbolen van onze relatie aan onze vingers schuiven.' Ze deed het juwelendoosje dicht en zette het op tafel. 'Maar ik wil je wel zeggen dat dit de schitterendste ring is die ik ooit heb gezien, Johnny.'

Hij kwam naast haar zitten op de bank, sloeg een arm om haar heen, trok haar dicht tegen zich aan en kuste haar hartstochtelijk. Toen liet hij haar langzaam los en keek haar diep in de ogen. 'Je bent geen moment uit mijn gedachten, Rosie, ik verlang de hele tijd naar je. En ik wil je voor altijd, liefje. Als mijn vrouw. Als mevrouw Johnny Fortune.'

'O, Johnny, Johnny, liefste,' zuchtte ze. Ze zat volledig ontspannen naast hem op de bank. Ze voelde zich weer op haar gemak bij hem.

Hij voelde hoe de spanning tussen hen wegebde, en hij begreep plotseling dat zij net zo gevoelig was voor hem als hij voor haar, en dat stemde hem tevreden.

Johnny, die haar niet kon weerstaan, begon haar opnieuw te zoenen. Hij duwde haar neer in de kussens en streek met zijn handen door haar haar. Ze liet zich niet onbetuigd, kuste hem vurig, sloeg haar handen om hem heen en drukte zich tegen hem aan.

Onverwacht maakte hij zich los en zei: 'Het spijt me, liefje, ik had je niet moeten opwinden. We hebben nu geen tijd.' Hij zuchtte zachtjes. 'Kijk nou eens wat je met me gedaan hebt. Je maakt me gek.'

'Dat doe jij toch ook met mij,' fluisterde ze.

Hij nam haar gezicht tussen zijn handen en keek haar diep in de ogen. 'Zeg me wat je voor me voelt,' vroeg hij.

'Precies hetzelfde als verleden week, en precies hetzelfde als toen ik hier net binnenkwam. Er is niets veranderd sinds Parijs, echt niet, Johnny. Als dat zo was zou ik nu niet hier zijn. Ik wil bij je zijn. Ik heb je net gezegd dat ik gek op je ben.'

'Maak ik een kans bij je?' Hij liet zijn handen zakken en leunde terug in de kussens.

'Jazeker.'

'Wil je erover nadenken – over een huwelijk met mij?'

'Ja.'

'Kunnen we het niet fantastisch vinden met elkaar, in bed?'

Ze lachte naar hem. 'Dat is vragen naar de bekende weg.'

'Zeg het. Ik wil dat je het zegt.'

'We kunnen het in bed heel goed met elkaar vinden.'

'En daarbuiten. Zeg het, Rosie.'

'En daarbuiten ook.'

Er verscheen een tevreden lachje om zijn mond en hij zei: 'Dan is toch alles in orde? Goed, dat is dan geregeld. We verloven ons op de dag dat jouw scheiding wordt uitgesproken. En de dag daarop gaan we trouwen.'

Rosie schrok en vlug zei ze: 'Dat heb ik niet gezegd!'

Hij schonk geen aandacht meer aan haar en hij sprong op van de bank. 'Ik moet er vandoor, meisje. Dadelijk komt Nell. Zij gaat met je mee naar het concert.' Hij liep naar de deur die zijn suite verbond met die van haar.

Rosie griste het juwelendoosje van Cartier van de koffietafel, sprong op en holde hem achterna. 'Johnny! Wacht! Je ring!' Zij hield het doosje voor zijn neus.

Hij schudde zijn hoofd. 'Ik heb hem voor jou gekocht. Jij mag hem hebben.'

'Dat kàn ik niet. Je móet hem meenemen. Ik zou bang zijn hem te verlie-

zen. 'Alsjeblíeft, Johnny, bewaar hem voor me. Stop hem veilig weg.'
'Goed dan,' zei hij met tegenzin, en liet het doosje in de zak van zijn colbert glijden. Hij deed een stap naar haar toe en gaf haar een kus op het puntje van haar neus. 'Jij trouwt met mij, Rosie. Het staat in de sterren. Het is ons lot. *Que será será.*'
Overrompeld keek ze hem aan, ze had geen weerwoord.
Toen hij de deur opendeed legde hij uit: 'O, er werken een paar mensen in mijn suite. Ze zullen nooit hier binnenkomen, ze zullen je nooit storen. Maar doe de deur op slot, als je je dan vrijer voelt.'
'Het is wel goed. Doe maar gewoon dicht.'
Hij knikte en zei: 'Je kòmt toch mee als ik op reis ga?'
'Je moet wel gek zijn te denken dat ik je zomaar alleen de provincie in laat gaan. Natuurlijk ga ik met je mee,' lachte ze.
'En vergeet Schotland niet, Rosie. Behalve naar Manchester, Leeds en Birmingham gaan we ook naar Glasgow en Edinburgh. Tot straks, liefje.'
Hij knipoogde tegen haar, verdween in zijn kamer en trok de deur achter zich dicht.

36

Een uur later stond Rosie middenin de slaapkamer in de houding voor Nell. 'En, hoe zie ik eruit?' vroeg ze.
'Perfect,' vond Nell. 'Elegant, geraffineerd en buitengewoon aantrekkelijk, mijn Roosje. Precies goed voor Johnny. We moeten niet vergeten – jij bent zijn liefste.'
Rosie keek haar even aan en begon te lachen. '*Zijn liefste*. Wat een uitdrukking, zeg!'
'Híj noemt het zo. Hij vertelt aan iedereen die het maar horen wil: "Rosie is mijn liefste". Hij is ontzettend trots op je. Dat hij iemand als jij kon krijgen – begrijp je?' Nell lette op haar reactie met toegeknepen ogen en een diepe rimpel tussen haar wenkbrauwen. 'Vind je dat vervelend?'
Rosie schudde haar hoofd. 'Nee, niet echt. Het klinkt alleen een beetje gek, dat is alles.'
'Tja, dat is onze Johnny ten voeten uit. Hij heeft nu eenmaal geen dure universitaire opleiding.'
'Dat is niet zo aardig om te zeggen, Nell.'
'Het is niet onaardig bedoeld. Ik ben altijd dol geweest op Johnny, dat

weet je heel goed. Op mijn manier hou ik van hem. Hij is een goeie jongen, een eerlijke jongen, en dat zegt vandaag de dag al een hele hoop. Vooral in dat vak van ons.' Nell deed een paar passen naar achteren. Ze hield haar hoofd schuin en bekeek Rosie met een kritische blik.

'Draai eens om,' zei Nell. 'Laat de achterkant eens zien.'

'Ja, meyrouw,' antwoordde Rosie en ze salueerde terwijl ze langzaam om haar as draaide om haar zwart-fluwelen ensemble aan alle kanten te laten bekijken. Dat bestond uit een strakke broek onder een Schillerhemd met lange mouwen en een wijde kraag van zijde, versierd met driehoekjes in helder rood, oranje, paars en zwart. Daaroverheen droeg ze een elegant gesneden mouwloze jas, die van voren openviel en die tot haar enkels reikte.

Nell velde haar oordeel: 'Je ziet er ècht geweldig uit.' Ze knikte bij wijze van goedkeuring. 'Maar waar is de ring?'

Rosie draaide zich abrupt om. 'Je wéét van die ring?'

'Natuurlijk. Wie denk je dat er dinsdag werd meegesleept naar Cartier? En ik was net de avond tevoren in Londen aangekomen. Ik liep op m'n wenkbrauwen.'

'Heeft hij hem dinsdag gekocht?'

'Ja, toen ik hem had goedgekeurd. Wat ik natuurlijk onmiddellijk heb gedaan. Het is tenslotte een tien karaats loepzuivere, kleurloze, puur witte diamant, Starburst geslepen. Het mooiste van het mooiste. Dus vertel eens, Rosie – waar heb je hem?'

'Ik heb hem teruggegeven aan Johnny. Je had zelf kunnen bedenken dat ik die ring nooit zou aannemen, Nell. Johnny en ik – we kennen elkaar nauwelijks. We hebben een paar dagen met elkaar opgetrokken, meer niet. En daarbij komt: ik ben nog niet gescheiden. Hoe zou ik me dan kunnen verloven?'

'Ik zie niet in waarom niet.'

'Ach, schei nou uit, Nellie. Laten we ons verstand gebruiken, als volwassen vrouwen. Dat zijn we toch?'

Nell lachte en haalde haar schouders op. 'Je zou hem aan je rechterhand kunnen dragen.'

'Doe niet zo gek.'

'Ik doe niet gek. Dit is show business, weet je nog wel?'

Rosie bestudeerde Nells gezicht. Werd ze nu in de maling genomen of niet? Maar Nell vertrok geen spier. 'Je hebt toch niet ècht gedacht dat ik die ring zou aannemen?' mompelde Rosie tenslotte.

'Om je de waarheid te zeggen: nee, dat heb ik niet gedacht. Maar hij wou niet naar me luisteren; hij was vastbesloten die ring te kopen. Ik kon kletsen wat ik wilde.'

Nell liep naar het bed, ging zitten en leunde achterover op haar ellebogen. Ze keek peinzend voor zich uit, zonder iets te zeggen.

Rosie keek naar haar, terwijl ze naar de kleedkamer liep. Daar deed ze drie platte, gouden armbanden om, die pasten bij haar grote, gouden oorringen. Ze deed een vleug Bijan op en ging terug naar de slaapkamer, waar ze vlak voor Nell bleef staan aan de voet van het bed.

Nell keek haar aan. 'Ik ben blij dat het aan is met Johnny. Hij is precies wat de dokter heeft voorgeschreven, Rosie. Hij is lief voor je, nietwaar? Ik bedoel: hij is goed in bed.'

'Fantastisch.'

'Niet pervers of zo?'

Rosie schudde lachend haar hoofd. 'Nee, schei uit, zeg, gelukkig niet. Hij is gewoon, recht op en neer. Een beetje onverzadigbaar, dat wel. Zoals daarnet: ik was nog niet binnen of het was alweer bijna raak. Ik denk dat je wel kunt zeggen dat het klikt, ja.'

Nell lachte. 'Ik wist dat je op iemand als Johnny Fortune zat te wachten! Ik wíst het gewoon. Moet je eens zien – je glimt helemaal. Je huid ziet eruit als perziken met slagroom, en je kijkt bijzonder ondeugend uit je ogen, mijn liefje.'

'O, Nell, je bent me er een. Ik hou van je! Maar vertel eens: hoe is het met Kevin?'

'Rosie, hij is geweldig. Heerlijk. We hadden een verrukkelijk weekeinde samen. Maar ik moet bekennen, dat heen en weer gevlieg over de Atlantische Oceaan gaat je niet in je kouwe kleren zitten, zelfs niet als je met de Concorde reist. Maar goed, ik moest je de groeten doen. Ik dacht dat ik je dat al door de telefoon had gezegd.'

'Nee,' antwoordde Rosie. 'Dat heb je niet. We hebben gisteravond alleen maar over Johnny gepraat.'

Er verscheen een dromerige uitdrukking op het gezicht van Nell en ze zuchtte toen ze opkeek naar Rosie. 'Ik zou best nog eens je schoonzuster kunnen worden, lieverd.'

'Ik hoop het van harte. Tussen haakjes: heb je Kevin verteld over Johnny?'

'Nee. Je hebt niet gezegd dat het niet mocht, maar je hebt ook niet gezegd dat het moest, dus ik heb het er niet over gehad. Trouwens, ik hou er niet van om voor God de Vader te spelen. Het is jouw zaak en daar heeft niemand iets mee te maken.' Nell ging rechtop zitten en keek haar beste vriendin aan. 'Nu moet je me eens een ding vertellen. Johnny spreekt je seksueel erg aan, begrijp ik, maar wat voel je nu ècht voor onze crooner?'

'Ik ben gek op hem, Nell. Hij beantwoord volledig aan je beschrijving. Hij is erg warm en liefdevol. Hij is attent. Ik denk dat je kunt zeggen dat ik smoorverliefd op hem ben.'

'Maar je houdt niet van hem?' vroeg Nell en ze trok een dunne wenkbrauw op, terwijl ze haar verwachtingsvol aankeek.

'Ik ben voorzichtig geworden, Nell, na die afschuwelijke vergissing met Guy.'

'Ah, de gevreesde Guy. Ja, die heeft zich wel ontpopt als een rotzak. Ik kan me best voorstellen dat je zo denkt, Rosie. Voor mij heb je gelijk om het een beetje kalm aan te doen. Je hebt tenslotte een geweldige carrière opgebouwd voor je zelf. Je leidt je eigen leven, los van Johnny. En hij kan erg veeleisend zijn.'

'Hoe bedoel je?'

'Hij is een ster. Hij is veeleisend.'

'Gavin is een ster, maar die is niet veeleisend. Wat míj betreft niet, tenminste.'

'Gavin is een acteur, en nog wel een acteur uit New York. Johnny is een heel ander paar manchetten, Rosie. Hij is een zanger, een entertainer, en op dit moment de grootste ster in de wereld van de lichte muziek. En dat is een heel andere wereld dan de theater- en filmwereld. Het is allemaal grote show, groot geld, groot alles. Een krankzinnige wereld, als je het goed bekijkt. En Johnny is dè grote attractie. Mensen willen zich aan hem opdringen, in zijn buurt zijn, hem aanraken, hem desnoods de kleren van het lijf rukken. Vrouwen vallen flauw als ze hem zien. Groupies zwermen als vliegen om hem heen. Hij is gewend dat hij in de watten gelegd wordt, dat er voor hem wordt gezorgd, dat hij alles wat hij wil op een presenteerblaadje krijgt aangedragen. Al dat soort belachelijk gedoe. En hij is eraan gewend dat hij zijn zin krijgt. Die ring, bijvoorbeeld – dan draaft hij gewoon door. Hij wilde eenvoudigweg niet naar me luisteren. Hij was totaal niet voor rede vatbaar. Johnny wilde die ring voor je kopen als verlovingsring, en dan zóu hij hem ook kopen. Desnoods over mijn lijk.' Nell zuchtte. 'Ik heb hem gezegd dat je je nooit zou willen verloven, maar hij wilde het gewoon niet aannemen, zelfs van mij niet. Ik wil alleen maar zeggen dat Johnny gewend is om te krijgen wat hij hebben wil, op het moment dat hij het hebben wil.'

'Ik snap het.' Rosie draaide zich om. Ze voelde zich plotseling onzeker over haar verhouding, ze wist niet of ze wel tegen Johnny op zou kunnen. Eigenzinnige mensen brachten haar van de wijs. Ze waren meestal onredelijk en moeilijk om mee om te gaan.

Nell zei: 'Kijk nu niet plotseling zo somber en terneergeslagen. Johnny is geweldig, ondanks wat ik daarnet zei. Dat heb ik je toch altijd al verteld, al jaren?'

'Ja, dat is waar.'

'Hij is royaal, op het krankzinnige af, voor iedereen. Hij is vriendelijk, en al wil hij dan graag zijn zin krijgen, hij gaat er niet echt op zitten. Niet al te erg, tenminste. En hij leeft een gezond leven.'

'O. Hoe bedoel je?'

'Geen pillen en peppers, geen drugs, hij rookt niet, hij drinkt nauwelijks en hij houdt zich een beetje afzijdig van al dat Hollywood-gedoe. Hij is helemaal een beetje op zichzelf. Hij gaat weinig uit, je ziet hem nooit op feestjes, hij hangt nooit de beest uit. Eigenlijk leidt hij een rustig bestaan, zogezegd.'

'Die indruk kreeg ik ook.' Rosie lachte naar Nell. 'En ik bèn niet terneergeslagen.'

'Zoals je wilt, mijn Roosje.' Nell keek op haar antieke diamanten horloge. 'Kijk nou – we kunnen maar beter gaan. Het is al half zes.'

'Maar het concert begint pas om acht uur.'

'Ik weet het. Maar het kost ons minstens een uur om naar Wembley te komen, misschien zelfs wel langer, op deze tijd van de dag. En Johnny heeft gevraagd of we voor de show nog even naar zijn kleedkamer komen.'

'Ik pak even mijn tasje.'

Toen Rosie terugkwam stond Nell voor de spiegel, die boven de schoorsteenmantel hing, haar zilver-gouden haar te kammen.

'Je ziet er vorstelijk uit, Nellie,' mompelde Rosie, terwijl ze naar haar toeliep. 'Dat rode pakje staat je fantastisch. Heel flatteus.'

'Dank je. Ik ben blij dat we van tevoren hebben afgesproken wat we aan zouden trekken. Ik had zelf een zwart-fluwelen broekpak in gedachten. Als ik dat had aangetrokken zouden we eruit gezien hebben als een cabaretnummer.' Ze lachte. 'Kom, ga mee. We willen onze ster toch niet laten wachten, wel?'

Rosie lachte en gaf haar een arm. Samen verlieten ze de suite.

Op weg naar de lift zei Nell: 'Beneden staat een limo klaar. En Johnny heeft Butch gevraagd op ons te passen.'

'Butch? Wie is Butch?'

'Een van Johnny's lijfwachten. Andy en Jack, de andere twee, zijn met Johnny mee naar Wembley.'

'Ah, juist. Tussen haakjes: waarom is Johnny zo vroeg weggegaan?' vroeg Rosie, toen ze stonden te wachten op een van de liften. 'Hij is om half vijf al weggehold.'

'Ik zei je al, het kost je een uur om naar de Wembley Arena te komen. Hij wilde natuurlijk niet vast komen te zitten in de spits. Maar hij neemt altijd minstens een uur voor kappen en schminken, en hij wil voor de voorstelling wat rust hebben om zich te kunnen concentreren. Om zich op te peppen voor de show.'

'Ik verheug me erop hem in actie te zien.'

'Ik dacht dat je dat allang gezien had,' plaagde Nell, en ze keek haar vriendin aan met een ondeugende blik.

'Nell Jeffrey! Je bent een vals kreng!'

'Dat zei jouw broer ook, laatst.'

Rosie kon Johnny eerst niet vinden tussen al die mensen in zijn kleedkamer. 'Is het altijd zo vol?' vroeg ze aan Nell.

'Ja, maar dat zal niet lang meer duren. Daarbij, hij heeft nog meer kamers. De kapper en de make-up zitten achter die deur, daar. Kom op, dan gaan we daar alvast heen.'

Ze hadden nog maar een paar stappen gedaan toen Nell haar vriendin bij de arm pakte en zei: 'Johnny is daar in de hoek, zie je wel? Hij staat te praten met Kenny, zijn toetsenist, en Joe, zijn persoonlijke assistent.'

'Hij heeft wel eens over hen gesproken, ja. Denk je dat we hem kunnen storen?'

'Doe niet zo mal,' lachte Nell, en ze duwde haar tussen de mensen door. 'Ik wed dat hij staat te popelen om je voor te stellen aan zijn jongens. Hij heeft de hele week al over je lopen opscheppen. Ik heb je al gezegd: hij denkt dat hij een grote vis aan de haak heeft.'

'Verdorie, Nell, schei nou eens uit met die afschuwelijke uitdrukkingen van je...' protesteerde Rosie half lachend. Ze bleef midden in haar zin steken.

Johnny, gekleed in een kamerjas, had zich met zó'n bruusk gebaar afgekeerd van Kenny en Joe, dat ze er zeker van was dat hij kwaad was. Dat zag ze ook aan zijn gezicht, toen hij zich omdraaide. Zijn korenbloemen-blauwe ogen schoten vuur en hij had zijn lippen op elkaar geklemd. De twee mannen, die hij de rug had toegekeerd, leken behoorlijk onder de indruk. Hij siste nog wat over zijn schouder, beende naar de andere kant van de kamer en verdween in de schminkkamer.

'Ik geloof dat hij boos is, geërgerd,' zei Rosie zachtjes tegen Nell.

'Dat zal wel een storm in een glas water zijn, dat heeft waarschijnlijk niets te betekenen,' zei Nell op gedempte toon. 'Ik weet zeker dat er niets ernstigs aan de hand is. Hij is nu eenmaal altijd nerveus en gespannen voor een optreden, snel geïrriteerd en een beetje uit z'n doen. Vooral bij zo'n gigantische show als deze.'

'Misschien kunnen we maar beter gaan. Hem met rust laten.'

'Rust? Met al dat volk hier? Ben je gek! Trouwens – hij verwacht ons, Rosie. Vooruit. Ik wed dat Allie bezig is met zijn make-up, en Maury moet zijn haar nog doen. Dan hoeft hij zich alleen nog maar te kleden.'

'Goed, Nell, jij bent de baas. Jij kent hem beter dan ik.'

'Ja, maar niet in de bijbelse zin van het woord. Niet zo intiem als jij,' plaagde Nell, en ze duwde Rosie door de deur van de schminkkamer, nog voordat ze kon antwoorden.

'Hallo, Johnny!' riep Nell. 'Mogen we binnenkomen? Of liever straks, als je klaar bent?'

Johnny zat op een hoge kapstoel voor een grote spiegel met lampjes rondom. Hij hoefde zich niet om te draaien om hen te zien staan in de deuropening. Hij stak zijn hand op, draaide zijn hoofd en keek naar hen over zijn schouder. 'Kom erin, Nell,' zei hij, en er verscheen een stralende glimlach op zijn gezicht. 'Kom, Rosie – kom hier, dan zal ik je voorstellen aan Allie en Maury, die hun best doen om me een beetje te fatsoeneren.'

Rosie liep lachend op hem toe. Ze zag meteen dat hij heel ontspannen was, de ergernis van een ogenblik geleden was volkomen verdwenen. Johnny leunde weer achterover in de kapstoel, nadat hij Rosie had voorgesteld aan Allie, Maury en zijn manager, Jeff Smailes, die net was binnengekomen. De grimeuse en de kapper maakten het werk af waaraan ze een uur geleden waren begonnen.

Nell zei: 'Ga jij daar zitten, naast Johnny, dan neem ik deze stoel.'

'Dank je.' Rosie liet zich zakken in de dichtsbijzijnde kapstoel. Ze nam het glas champagne aan dat iemand haar kwam aanbieden en ze keek hoe Johnny werd opgemaakt door Allie. Zonder schmink was het al een

knappe man, maar mèt schmink was hij gewoon een schoonheid.
Oogverblindend was het enige woord dat ze op dit ogenblik kon bedenken om hem te beschrijven. Omdat hij gebruind was door de Californi-
sche zon had Allie een donkere foundation gebruikt en ze had zijn jukbeenderen geaccentueerd voordat ze zijn gezicht had afgepoederd. Nu
bracht ze een zuchtje blauwe ogenschaduw op, waardoor direct de kleur
van zijn ogen nog intensiever werd.

Even keek Johnny in de spiegel naar Rosie en hij gaf haar een brutale
knipoog, voordat Allie zijn lippen stiftte. Ze was nog niet klaar of hij pakte een papieren zakdoekje en veegde zijn mond weer schoon, hij likte verschillende keren langs zijn lippen en veegde toen nog eens grondig. Hij
bekeek zichzelf zorgvuldig in de spiegel.

Maury zei: 'Oké, maestro, nu even de lokjes. We hebben niet meer zoveel
tijd.' Hij begon met kam en borstel Johnny's donkere, met blond door-
schoten haar in vorm te brengen.

'Niet te veel hairspray, Maury' zei Johnny. Een kwartier later sprong hij
uit de stoel. 'Ik moet gaan, liefje,' zei hij tegen Rosie. 'Ik moet me nu kleden. Wacht hier maar even.' Hij keek naar Maury en riep: 'Dit is mijn...
lieve vriendin. Is ze niet geweldig?' En weg was hij.

Nell kwam naar haar toe, haar stoel achter zich aan slepend. 'We wachten
tot hij terugkomt, dan blijven we nog vijf minuten en dan is het tijd om
onze plaatsen op te zoeken.'

'Als jij het zegt... Jij weet het 't beste.'

'Hij is ontzettend gespannen tegen de tijd dat hij op moet, en dan...' Nell
onderbrak zichzelf toen Johnny binnenkwam.

'Jullie zitten op de eerste rij,' zei Johnny, terwijl hij door de schminkkamer liep. Hij droeg een zwarte pantalon en een gesteven wit overhemd,
open aan de hals. Over zijn arm had hij een zwart jasje. Hij ging naar Rosie toe, kneep haar even in haar schouder, en bekeek zichzelf toen zorgvuldig in de spiegel. Hij duwde zijn haar wat platter, veegde zijn mond af
met een tissue en nam een slokje water uit een glas dat op de schminktafel stond tussen de make-up spullen.

Hij draaide zich af van Rosie en Nell en begon door de kamer te ijsberen.
Even stond hij stil om zijn jasje aan Jeff te geven, maar meteen daarna begon hij weer te lopen, het hoofd gebogen, bijtend op zijn onderlip. Hij
hield in, keek naar het plafond en deed zijn ogen dicht. Zijn lippen vormden onhoorbare woorden, in stilte stond hij te repeteren.

Uit de aangrenzende kamer klonk plotseling een daverend gelach. Hij deed zijn ogen open en zei geïrriteerd: 'Jeff, laat iedereen opdonderen daar, ik moet me concentreren.'

Hij begon weer heen en weer te lopen en er verschenen zweetdruppeltjes op zijn gezicht. Hij hield even stil, nam nog een slok water, en begon weer te ijsberen.

Het was duidelijk voor Rosie dat hij zich absoluut niet meer bewust was van hun aanwezigheid. Ze kende dat van mensen die moesten optreden, ze wist maar al te goed onder welke emotionele spanning ze stonden. Ze boog zich over naar Nell, raakte haar arm aan en zei: 'Laten we maar gaan. Hij moet nu even alleen zijn.'

Nell knikte.

Om Johnny niet in de weg te lopen slopen ze langs de wand van de schminkkamer naar de deur. Hij liep nog steeds heen en weer, zijn ogen half gesloten, zijn lippen prevelend terwijl hij zijn songs nog eens aan zijn geest voorbij liet trekken.

De kleedkamer was leeg – geen mens meer te zien. Ze liepen naar buiten, waar Butch op hen stond te wachten om hen naar hun plaats op de eerste rij te brengen.

Toen ze eenmaal zaten keek Rosie om zich heen. Ze had nog nooit zoveel mensen onder één dak gezien en het lawaai was oorverdovend.

'Er zitten hier duizenden mensen,' zei ze tegen Nell. 'Geen wonder dat hij gespannen is. Wie is er nu zo gek om daar op het podium te gaan staan en te gaan zingen voor zo'n mensenmassa.'

'Een ster als Johnny. Maar ik ben het met je eens – het moet zenuwslopend zijn voor hem, of voor wie dan ook.' Nell keek rond. 'Het is een volle bak, vanavond.'

'Allemaal fans. God, Nell, dat zegt toch wel iets over hem, hè?'

'Ja. Johnny is een grote trekpleister. Tussen haakjes, hij zei dat je mee zou gaan op tournee. Naar de Midlands en naar het noorden, naar Schotland.'

'Hij heeft hemel en aarde bewogen, verleden week in Parijs.'

'Ik heb me bedacht – ik ga toch mee. We zullen een hoop plezier hebben,' zei Nell.

'Fijn dat je ook van de partij bent. Ben jij er volgende maand bij in Australië?'

'Een weekje maar. De tweede week van maart. Waarom?'

'Johnny wou me ook mee hebben naar Australië,' vertelde Rosie. 'Maar ik heb hem uitgelegd dat dat onmogelijk is. Ik heb veel te veel werk. Ik ben deze week iedere dag om vier uur 's ochtends opgestaan om mijn ontwerpen zover klaar te krijgen dat ik deze dagen vrij kon nemen.'

Nell keek haar bedenkelijk aan. 'Hij is altijd een gedeelte van het jaar op tournee, zoals je weet.'

'Ja, daar ben ik me van bewust.'

Er viel een stilte tussen hen. Ze zaten allebei, in gedachten verzonken, voor zich uit te kijken.

Toen ging langzaam het zaallicht in de enorme hal uit, het orkest zette in en het toneel werd verlicht door honderden schijnwerpers in een daverende lichtshow, vol kleur en beweging, die tien minuten duurde.

Daar kwam Johnny het podium op.

Het leek Rosie of het hele gebouw op zijn grondvesten begon te schudden toen de duizenden toeschouwers opsprongen en begonnen te stampen en te juichen. Ze scandeerden zijn naam en er kwam geen eind aan. Ze waren door het dolle heen.

Zoiets had Rosie nog nooit meegemaakt.

Onwillekeurig liep er een rilling over haar rug en ze wrong haar handen. Plotseling was de angst haar om het hart geslagen. Er ging zoiets dreigends uit van die schreeuwende en stampende mensenmassa, met hun bewondering voor hem. Als die duizendkoppige menigte zich nu eens, om een of andere reden, tegen hem zou keren? Hij zou in stukken gereten worden. Ze rilde weer en ze bleef, tot het uiterste gespannen, op haar stoel zitten.

Nell zag het en keek haar ongerust aan. 'Wat is er aan de hand, Rosie? Voel je je niet goed?'

'Al die mensen – hoe ze zich gedragen. We zouden onder de voet gelopen worden als die massa in beweging komt. Ze zijn niet meer te houden, die mensen.'

'Ik begrijp wat je bedoelt. Daarom zitten we ook hier, op de eerste rij. Hier vlakbij is een nooduitgang die achter het toneel uitkomt, dus maak je maar niet ongerust. Trouwens, Butch houdt ons wel in de gaten. Zo'n minuut of vijftien voor het eind van de show neemt hij ons mee door die deur. Dan kunnen we de rest van het concert zien vanaf het podium.'

Rosie knikte, en richtte haar aandacht op het toneel.

Johnny stond nu midden op het toneel.

Hij liep naar voren, wuivend en buigend naar de menigte. Toen keek hij in haar richting en hij wierp haar een kushand toe, voordat hij weer terugging naar het midden.

Daar bleef hij staan met zijn rug naar hen toe.

Eindelijk ging het publiek zitten.

Het lawaai ebde weg.

Het orkest viel stil.

Kenny Crossland op keyboard zette de intro van 'My Heart Belongs to Me' in.

Johnny draaide zich om, zijn hoofd gebogen. Langzaam richtte hij zich op en begon te zingen.

Rosie zat vastgenageld aan haar stoel, of ze gehypnotiseerd was. Zoals het publiek gehypnotiseerd was.

Die kleine, tengere figuur daar midden op dat immense podium leek zo wonderlijk kwetsbaar. En zo ongelooflijk aantrekkelijk. Zijn knappe uiterlijk werd nog geaccentueerd door de make-up. En wat een charisma had hij, wat een uitstraling, in dat eenvoudige zwarte kostuum met dat witte hemd. Het was of hij elektrisch geladen was; zijn stem vulde de zaal; hij had het publiek in de palm van zijn hand. Ze hielden van hem.

Juist door zijn minimum aan beweging eiste hij alle aandacht op.

Johnny stond niet als een uitzinnige te dansen en te springen. Hij bewoog nauwelijks, soms zwaaide zijn been mee op de maat van de muziek, maar hij stampte niet met zijn voet; soms draaide hij even met zijn bovenlijf, maar heel spaarzaam. Eén keer hief hij zijn hand op. Verder stond hij doodstil op zijn plaats. Alleen door zijn stem en zijn uiterlijk had hij de menigte in zijn macht.

Na de eerste song kreeg hij een oorverdovende bijval.

Hij boog zijn hoofd en hoffelijk nam hij de hulde in ontvangst. Hij hief zijn hand op om de mensen stil te krijgen en hij begon meteen aan het volgende nummer. Na nog een paar nummers met een achtergrondkoortje nam hij de microfoon van de standaard en liep naar voren.

'Dank u,' zei hij tegen het publiek, toen het applaus was weggestorven. 'Het is geweldig om hier vanavond bij jullie te zijn.' Even klonk het applaus weer op. Met snelle pas liep hij langs de rand van het podium, tot hij vlak voor Nell en Rosie stond.

Met zijn ogen op de zaal gericht mompelde hij in de microfoon: 'De volgende song is voor mijn geliefde.' Hij knipoogde naar haar en wierp haar weer een kushand toe.

Rosie keek naar hem op en lachte.

Het enthousiasme van het publiek kende geen grenzen. Wild waren ze. Maar toen hij zijn arm ophief en begon te neuriën, kwam de arena snel tot rust. Hij gaf een teken aan de muziek en hij liet zijn hoofd zakken, nog steeds neuriënd. Toen hij eindelijk opkeek waren zijn ogen strak gericht op haar. Zijn stem zwol aan, helder en zuiver, toen hij begon te zingen: 'Lost Inside of You.'

Hij zong het lied voor haar, helemaal alleen voor haar.

Toen ze daar zo zat en naar hem keek kreeg Rosie een grote bewondering voor hem als entertainer. Wat een vakman! Maar ze begreep nog iets anders ook: ze begreep hoe serieus Johnny was in zijn liefde voor haar, hoe hij erop was gespitst om haar te bezitten, volledig en voor altijd. Haar hart kromp ineen of het met een dolk van angst doorstoken was. Het werd Rosie duidelijk dat ze hem obsedeerde. En Rosie was doodsbang voor iedere vorm van obsessie.

37

De morgenzon stroomde binnen door de grote glazen raamwand. Het licht weerkaatste tegen de spierwitte muren, tegen het meubilair van chroom en glas en tegen de verzameling glazen, witmarmeren en metalen obelisken op de étagère van glas-met-chroom.

Alles in de enorme eetkamer in het gehuurde appartement in de Trump Tower glansde en glom, en Gavin begon dat opdringerige geglitter knap vervelend te vinden.

Hij hees zich uit zijn stoel en liep naar de kamerbrede raampartij om de luxaflex dicht te doen. Maar hij werd afgeleid door het uitzicht. Hij bleef staan kijken naar de skyline van Manhattan en hij werd getroffen door wat hij voor zich zag. Het was verbijsterend, oogverblindend. Dit was uniek – iets dergelijks bestond op de hele wereld niet. Dat wist hij. De architectuur van Manhattan steeg je naar het hoofd; hij vond het schitterend. Maar het was dan ook zijn stad.

De eetkamer lag aan de kant van Fifth Avenue en door het raam keek hij uit over Sixth, Seventh, Eighth en Ninth Avenue, helemaal tot de West Side en de Hudson River. Achter de wolkenkrabbers, die afstaken tegen de heldere, blauwe lucht leek de rivier een zilveren lint dat zich mijlenver uitstrekte.

Hij knipperde tegen de felle zon en draaide aan de metalen stang; de verticale lamellen vielen plat tegen het glas en het licht werd gedempt, wat de kamer meteen een stuk leefbaarder maakte.

Hij ging weer aan de eettafel zitten en bladerde snel door de *New York Ti-*

mes, hij las een recensie van Frank Rich over een nieuw stuk op Broadway, sloeg het filmkatern op en legde de krant neer toen achter hem de telefoon begon te rinkelen.

Hij stond op, liep door de kamer naar het glanzende, witgelakte dressoir en nam de hoorn van de haak. 'Hallo?'

'Gavin?'

'Ja.'

'Met Louise.'

'Dat hoor ik, ja.' Hij keek op zijn horloge en fronste zijn wenkbrauwen. Het was negen uur 's ochtends. 'Je klinkt alsof je hier om de hoek staat.'

'Dat is ook zo.'

'Waar ben je dan?'

'In het Pierre Hotel.'

'En waar is David?'

'Thuis, in Californië...'

'Louise, je weet dat ik het niet prettig vind als we geen van beiden thuis zijn,' viel hij haar in de rede. 'Ik dacht dat we het daar over eens waren.'

'Dat waren we ook. Maar mijn zuster is een paar dagen over. En daarbij hebben we niet voor niets een kindermeisje voor dag en nacht. Verder zijn er nog een huishoudster, een hulp en een kok in huis. David zal heus niet te kort komen. Maak je maar geen zorgen.'

Gavin zuchtte. 'Wat doe je in New York?'

'Ik wou jou opzoeken.'

'O.'

'Ja. Ik wil met je praten.'

'Had dat niet door de telefoon gekund?'

'Nee. Ik ben gisteravond aangekomen. Vanmiddag ga ik weer weg.'

'Naar Washington, ongetwijfeld.'

'Nee, Gavin, niet naar Washington. Ik ga terug naar de westkust. Omdat jij het niet prettig vindt als we allebei tegelijk van huis zijn,' voegde ze er op scherpe toon aan toe.

'Wanneer wil je komen?'

'Schikt het over een uur?'

'Goed. Kom je dan hierheen?'

'Ja, dat is prima. Ik ben er rond tien uur.'

Hij hoorde de kiestoon – ze had het gesprek verbroken. Hij trok een gezicht naar de hoorn, legde hem neer en ging terug naar de tafel. Hij sloeg de rest van zijn koffie achterover en liep door de marmeren hal naar zijn slaapkamer. Ook hier, net als in de rest van het appartement, een overvloed aan moderne meubelen. Hij hield niet van moderne meubelen en alles was zo spierwit, dat hij een intense hekel kreeg aan die kleur.

Hij keek rond en mompelde zachtjes: 'Ik word hier krankzinnig.' Hij ging naar de witmarmeren badkamer en liet zijn kamerjas van zijn schouders glijden. Hij waste zijn haar onder de douche, stapte uit de douchecabine en zocht naar een handdoek.

Een kwartier later was Gavin, gekleed in een donkergrijze broek, een wit shirt en een marineblauwe blazer, op weg naar de kleine bibliotheek, annex werkkamer.

Hij ging achter zijn bureau zitten en regelde telefonisch een paar dingen voor zijn reis naar Frankrijk. Toen leunde hij achterover en draaide het nummer van Ben Stanley, zijn advocaat in Bel-Air.

'Tegen jou hoef ik niet meer te zeggen: Pluk de dag, Ben,' gniffelde hij, toen de advocaat al bij de tweede bel opnam. 'Zoals alle brave borsten in la-la-land ben jij al voor dag en dauw aan het werk.'

'Hé, Gavin! Gaat het een beetje, daar in mijn geliefde stad, mijn ouwe geboortestad?'

'Ik mag niet klagen. We zijn eindelijk klaar met de afwerking van *Kingmaker*, en het is een mooie film geworden, al zeg ik het zelf. Echt iets voor jou. Mijn mensen zijn een paar dagen geleden naar Londen vertrokken en over een weekje zit ik in de studio's in Billancourt.'

'Wanneer ga je naar Parijs?'

'Morgen. Ben, luister. Ik bel je omdat Louise in New York is. Ze heeft me net gebeld. Ze komt dadelijk hierheen. Ze wil met me praten. Het zou me niets verbazen als het over de scheiding gaat.'

'Lijkt me ook. Pas op je woorden, Gavin, en beloof haar niets. Als ze een advocaat heeft – en daar kan je donder op zeggen – zeg haar dan dat hij contact met mij moet opnemen. Realiseer je goed: je hebt dit huwelijk niet willen opbreken vanwege je zoon. Verpest het nou niet.'

'Wees maar niet bang. Ik bel je zodra ze weg is. En voor later: in Parijs zit ik in de Ritz, en je weet waar je me overdag kunt bereiken.'

'Ik heb de nummers van Billancourt. Je secretaresse heeft ze me gisteren keurig doorgefaxed.'

'Hé, dat is de intercom van beneden. Ik moet je hangen, Ben. Ik bel je straks terug.'

'Wees voorzichtig, Gavin.'

'Daar kan je zeker van zijn.'

Ze namen afscheid en Gavin pakte de hoorn van de intercom. Hij zei tegen de man van de bewakingsdienst dat hij mevrouw Ambrose naar boven kon sturen.

Louise was zwaarder geworden. Dat was duidelijk te zien. Ze zag er veel beter uit, zo. Maar ze was bleek en ze had donkere wallen onder haar ogen. Gavin vroeg zich af wat ze allemaal uitspookte in haar privé-leven. Hij nam haar jas aan en legde die zonder een woord te zeggen op de bank in de hal. Ook zij zweeg.

Hij ging haar voor naar binnen en daar zei Gavin eindelijk: 'Wil je iets drinken? Ik heb koffie in de keuken.'

Ze schudde haar hoofd en ging op de bank zitten.

Gavin ging tegenover haar op een stoel zitten.

'Waarover wilde je me spreken, Louise?'

Ze aarzelde even, kuchte zenuwachtig en draaide heen en weer op de bank, om haar rok recht te trekken.

Gavin zag dat ze nerveus was en hij zei: 'Toe maar, Louise. Ik zal je niet opeten. Ik ben niet zo'n onmens als ik de laatste jaren in jouw ogen schijn te zijn.'

'Ik wil scheiden,' gooide ze eruit. Haar handen bewogen onrustig in haar schoot, terwijl ze hem aanstaarde.

'Goed. Als je dat wilt.'

'Zomaar? Zonder ruzie?' Het klonk verrast en haar ogen stonden vol vraagtekens.

Gavin lachte naar haar en zei: 'Zonder ruzie.' Hij nam een kleine pauze, voor het effect. 'Maar wel met een aantal vóórwaarden.'

'En wat dan wel? Financiële voorwaarden, ongetwijfeld.'

'Nee, ik ga niet met je discussiëren over geld, of over gezamenlijk eigendom en zo, Louise. Daar kunnen onze advocaten zich beter mee bemoeien. Mijn voorwaarden hebben te maken met ons kind.'

'Ik dacht wel dat jij David tussen jou en mij in zou schuiven!' riep ze.

'Dan zal het geen verrassing voor je zijn dat ik zeggenschap over hem wil hebben.'

'Je krijgt hem nooit!' Haar stem sloeg over en haar gezicht vertrok.

'Ik krijg de voogdij, Louise, en wel met jouw toestemming. Anders: geen scheiding.'

'Was je al zo'n rotzak toen ik met je trouwde of ben je er een geworden sinds de ster-status je naar je hoofd gestegen is?'

'O, Louise, daar gaan we weer! In godsnaam, probeer me nu niet het bloed onder de nagels vandaan te halen. Jij wilt scheiden. Jij vliegt naar New York. Jij komt hier met de hoed in de hand, en dan ga je dit soort dingen zeggen. Op die manier krijg je nooit wat je hebben wilt.'

Ze zuchtte en leunde terug in de bank. Ze nam hem op met haar ijskoude lichtblauwe ogen. Diep in haar gloeide de haat.

Gavin keek terug en lachte zachtjes. 'Ik weet dat je een verhouding hebt met Allan Turner, en dat je met hem wilt trouwen. Dus vooruit, wees eens een beetje redelijk.'

Toen ze geen antwoord gaf en hem alleen maar bleef zitten aanstaren, ging hij verder: 'Ik heb het idee dat je in Washington wilt gaan wonen. Dat is prima, want ik ben van plan terug te gaan naar de oostkust, als de nieuwe film klaar is. Dan zitten we dicht bij elkaar. Dat komt goed uit, wat mij betreft. En wat David betreft. Tussen haakjes, wanneer dènk je je boeltje te pakken in Californië en naar D.C. te verhuizen?'

'Ik heb nooit gezegd dat ik naar Washington zou verhuizen!' riep Louise.

'Maar je gaat wel.'

Ze beet op haar lip. Ze realiseerde zich dat het geen zin had om te ontkennen of er omheen te draaien. Ze knikte. 'Ja. Maar nog niet.'

'Heb je al naar een school gekeken voor David?'

'Nee.'

'Doe maar geen moeite. Daar zal ik wel voor zorgen. Er zijn hier heel goede privé-scholen en ik zal gemakkelijk een plaats voor hem kunnen vinden.'

'Behalve die voogdij – wat zijn je andere voorwaarden?'

'Je gaat ermee akkoord dat ik de voogdij krijg?'

Louise gaf geen antwoord. Ze keek weg en mompelde: 'Ja. Dat is goed, wat mij betreft.'

Gavin slaakte een zucht van verlichting. 'De andere voorwaarden zijn: David moet minstens twee schoolvakanties bij mij doorbrengen, 's zomers of 's winters. En je legt me niets in de weg als ik hem in die tijd mee wil nemen naar het buitenland.'

Ze knikte.

'Betekent dat dat je akkoord gaat met deze twéé andere voorwaarden?' vroeg Gavin voor alle duidelijkheid.

'Ja.'

'Mooi zo.'

'Gemeenschappelijk eigendom moet eerlijk gedeeld worden, Gavin. Dat staat in de wet. Wat krijg ik nog meer van je?'

268

'Alimentatie voor David, natuurlijk. Maar ik heb je al gezegd: voor geld-zaken moet je bij Ben Stanley zijn. Of liever: laat jouw advocaat contact met hem opnemen. Je hebt toch een advocaat, hoop ik?'

'Jazeker.'

'Goed, dat is dan geregeld,' zei Gavin.

'Het is geregeld.'

Gavin stond op. 'Ik begrijp nog steeds niet waarom je nu die hele reis ge-maakt hebt. Dat hadden we toch heel goed door de telefoon kunnen be-spreken?'

Louise stond schouderophalend op. 'Dat zou mijn eer te na zijn. Ik vind dat je elkaar moet kunnen aankijken bij dit soort dingen.'

Hij liep de kamer uit. Hij vond het maar beter daar geen commentaar op te geven. Hij wilde geen ruzie, hij wilde alleen maar dat het gesprek voor-bij was en dat ze weg zou gaan.

Louise kwam hem vlug achterna.

In de hal vroeg ze: 'Wanneer ga je naar Parijs voor de opnamen van *Na-poleon en Josephine*?'

'Morgen.'

'Dan was ik nog net op tijd, hè?'

Zonder antwoord te geven pakte Gavin haar jas van sabelbont van de bank en hield die voor haar op. Hij keek haar onderzoekend aan. Het klonk heel aardig en vriendelijk toen hij zei: 'We hebben heel wat emo-tionele spanningen doorstaan, toen we jonger waren. We hebben eigenlijk heel veel meegemaakt, samen. Het spijt me dat het zo gelopen is, Louise.'

Gavin zuchtte, en met iets van verdriet in zijn stem voegde hij eraan toe: 'Ja, het spijt me echt. Voor ons allebei. We hebben heel wat jaren van ons leven verknoeid, die niet verknoeid hadden hoeven worden. Maar David heeft er in ieder geval niet onder geleden. Laten we proberen er geen dra-ma van te maken, van deze scheiding, Louise. Alsjeblieft, voor Davids bestwil.'

'Ja,' zei ze, en ze deed de voordeur open. Ze liep de gang op naar de lift, maar na een paar passen draaide ze zich om. Zachtjes zei ze: 'Ik heb van je gehouden, weet je dat? Ik zweer het – ik wilde niet dat het stukging. Maar ons huwelijk heeft nooit kans van slagen gehad, omdat jij nooit van mij hebt gehouden, Gavin. Nooit. Je bent alleen maar met me getrouwd omdat ik zwanger was.'

'Louise, ik…'

'Ontken het niet, alsjeblieft. Ik heb altijd geweten, vanaf die afschuwelijke tragedie met ons eerste kind, dat jij nooit de mijne zou zijn, dat je je nooit aan mij zou hechten. Niet terwijl je met je gedachten ergens anders was.'

'Wat bedoel je?' vroeg hij, even van zijn stuk gebracht. 'Heb je het over mijn werk?'

'Als je niet weet wat ik bedoel, zal ik het je niet uitleggen, Gavin Ambrose.' Tot haar eigen verbazing legde ze een hand op zijn schouder en kuste hem op zijn wang. 'Tot ziens,' mompelde ze, en zonder rancune in haar stem voegde ze eraan toe: 'Tot bij de rechter.'

De deur van de lift ging open en ze stapte naar binnen. Opnieuw viel het Gavin op dat ze dikker was dan hij haar in jaren gezien had. Toen hij terugliep naar zijn appartement trof het hem als een donderslag. Louise was zwanger! Geen twijfel mogelijk. Al hield hij dan niet van haar, hij kende haar na al die jaren van haver tot gort. Louise zou nooit een kind krijgen van een man waarmee ze niet getrouwd was. Zeker niet na wat met haar eerste baby was gebeurd. Daarbij hield ze waarschijnlijk echt van Allan Turner. Ze pasten uitstekend bij elkaar, in ieder geval. Logisch dat ze zo toegeeflijk was geweest, en dat ze met alles akkoord was gegaan. Ze had haast om met haar senator te trouwen.

Als ze daar nu gelukkig mee is… dacht hij. Hij wilde alleen zijn vrijheid. Net zoals zij haar vrijheid wilde.

38

Henri de Montfleuri was er nooit van uitgegaan dat hij een kenner van vrouwen was – voor hem waren ze te gecompliceerd en te ondoorgrondelijk. Maar hij was een man van begrip en inzicht, en hij voelde haarzuiver aan als er iemand, man of vrouw, in moeilijkheden zat op het gebied van de liefde.

En vanavond was het hem maar al te duidelijk dat Rosie, die hij liefhad als zijn eigen dochter, ergens door van streek was. Ze was bleek, ongewoon stil en afwezig. Meer dan eens had zij hem gevraagd iets te herhalen wat hij een seconde geleden gezegd had. Hij wist dat ze niet had zitten luisteren, dat ze met haar gedachten ver weg was, dat ze aan iets totaal anders zat te denken.

Henri zat met Rosie in de intieme rood-en-groene bibliotheek in haar appartement in Parijs en ze dronken een aperitief voordat ze in de stad zouden gaan eten. Henri was met Kyra een paar dagen naar Parijs gekomen om allerlei familie-aangelegenheden te regelen, en Kyra was nu even naar haar tante gegaan. Later op de avond zou ze naar de Vieux Bistro in de Rue du Cloître-Notre Dame komen, waar ze om half negen hadden afgesproken.

Nadat Henri alles verteld had over Rosies geliefde Montfleurie – ze wilde alles weten over de staf, over Lisette en Yvonne – zei hij: 'Ik begrijp van Hervé dat je scheiding in september wordt uitgesproken.'

'Dat zei hij tenminste, ja.'

'Ik ben zo blij voor je, Rosie. Het wordt tijd dat je eindelijk eens vrij bent, dat je eens je eigen leven kunt gaan leiden. Het doet me verdriet als ik denk aan al die verloren jaren en...'

Hij hield op toen de telefoon begon te rinkelen.

'Mag ik even?' vroeg Rosie, en ze nam de hoorn op. 'O, hallo, Fanny, lieverd,' hoorde hij haar zeggen. 'Nee, het geeft niet. Vertel maar even wat de moeilijkheid is. Ik hoop dat ik het voor je kan oplossen. Anders komt het morgen wel.' Ze hield de hoorn tegen haar oor gedrukt en luisterde ingespannen naar haar assistente aan de andere kant van de lijn.

Henri vulde zijn glas nog eens bij met whisky, liep naar het raam en keek naar buiten. Het was een winderige namiddag en een plotselinge windvlaag deed de ramen klepperen. In de verte ratelde een donderslag, die klonk als machinegeweervuur. Er was een zware storm op komst. 'Maart roert zijn staart...' Hij had het nog niet gedacht of de eerste regendruppels kletterden tegen het raam. Hij draaide zich om, huiverde even en ging gauw weer terug naar de warmte van het knapperend haardvuur.

Hij ging in dezelfde stoel zitten, nam een slokje van zijn whisky en dacht na over Rosie. Hij zou haar graag een beetje gelùk willen geven – geluk zoals hij dat nu ondervond met Kyra. Dat zou hij aan Rosie willen geven, maar daartoe was hij niet bij machte. Er was maar één man die haar de blijdschap en voldoening zou kunnen geven die ze verdiende. Jammer genoeg wist ze dat niet; en waarschijnlijk wist die man het ook niet. Henri zuchtte. Rosie ging niet af op haar gevoelens. Als ze haar gevoelens beter zou begrijpen had ze misschien al jaren geleden een paar stappen in de goede richting gedaan. Ach, wat zit een mens toch gecompliceerd in elkaar, dacht hij.

'Het spijt me dat we gestoord werden,' zei ze, toen ze had opgehangen. 'Er is altijd wat met die kostuums.'

'Kom eens bij me zitten, Rosie. Ik wil eens even met je praten. Over iets heel belangrijks.'

Gauw pakte ze een stoel en hij was blij te zien dat hij nu haar volle aandacht had.

'Is er iets mis, Henri? Je klinkt zo bezorgd.'

'Ik ben ook bezorgd.'

'Waarover?'

'Over jou.'

Ze ging op het puntje van haar stoel zitten en ze pakte haar glas. Maar ze zette het meteen weer neer op het kleine bijzettafeltje. Ze leunde naar voren, de armen op haar knieën, en ze keek hem aandachtig aan. 'Waarom ben je bezorgd over mij?'

'Omdat ik van je hou als van mijn eigen kind. Je ziet er helemaal niet goed uit, Rosie. Je bent afgevallen, je loopt rond met een afgezakt gezicht en je kleur bevalt me niet – je ziet asgrauw. En dat is nog maar de buitenkant. Je bent prikkelbaar, verstrooid, met je gedachten ergens anders. Het lijkt wel of je gedeprimeerd bent, en dat is niets voor jou. Zwaarmoedigheid ligt niet in je aard. Kortom: er zit je iets dwars, mijn lieve, er zit je iets verschrikkelijk dwars.'

Rosie antwoordde niet – ze zat in het niets te staren, haar ogen gericht op een schilderij dat tussen de ramen hing. Haar gezicht stond nadenkend. Toen, alsof ze een besluit genomen had, richtte ze haar blik op Henri en zei zachtjes: 'Ik heb een afschuwelijke fout gemaakt.'

Hij knikte en wachtte. Toen ze niet verder ging, vroeg hij vriendelijk: 'Ik mag aannemen dat die fout verband houdt met een man?'

'Ja.'

'Johnny Fortune?'

'Hoe wist je dat?'

'Het is een eenvoudige optelsom, Rosie. Met Kerstmis heb je me verteld dat Johnny je gebeld had uit Las Vegas. Ik herinner me nog hoe opgetogen Collie was dat hij contact met je gezocht had. En je hebt erin toegestemd hem te ontmoeten, als hij in januari zou overkomen. Zo'n week of zes geleden zei Kyra me dat hij in Parijs was. En een paar dagen later vertelde ze dat je in Engeland zat. Dat had iets van doen met Johnny's tournee. Ik concludeerde daaruit dat je een relatie met hem had. Je vergeet alsmaar dat ik een Fransman ben en een onverbeterlijk romanticus.'

Rosie lachte dunnetjes, maar het lachje verdween onmiddellijk weer. 'Ja, je hebt gelijk. We hebben een verhouding. Maar het had niet zover moeten komen, Henri, het is niet goed.'

'Waarom niet?'

'Het werkt niet, gewoon.'

'Weet je dat zeker?'

'O, ja… Johnny is zo anders… hij is niet zoals andere mensen, niet zoals jij en ik, hij is niet normáál, eigenlijk.'

Henri fronste zijn voorhoofd. 'Ik ben bang dat ik je niet helemaal begrijp, Rosie.'

'Hij is een grote ster, een van de grootste entertainers, en hij leeft in een volslagen andere wereld. Hij leeft een ander soort leven…' Haar stem begon te beven en ze staarde in het vuur.

'Ik kèn je, Rosie. Je moet iets voor hem gevoeld hebben, anders was je nooit naar Londen gegaan om hem op te zoeken.'

'Natuurlijk voel ik iets voor hem! Johnny is knap, warm, lief en haast overdreven royaal. En we voelden ons… ja… seksueel erg tot elkaar aangetrokken.' Ze schraapte haar keel. 'Ik wilde bij hem zijn, ik wilde met hem vrijen. En het was fantastisch! Die verhouding heeft me goed gedaan, wekenlang. Ik voelde me herboren.'

'Dat verwondert me niets. Je kwam uit een seksueel niemandsland, en toen je eenmaal besloten had om een eind te maken aan dat belachelijke huwelijk met mijn zoon, voelde je je eindelijk vrij. Ik begrijp het, Rosie, ik begrijp je heel goed. En ik heb je maanden geleden al gezegd: je bent veel te jong om alleen te zijn, zonder een liefhebbende man in je leven.'

'Maar ik denk niet dat Johnny de juiste man is voor mij, Henri. Hij zit op het ogenblik in Australië – daar geeft hij ook een aantal concerten. Maar als hij hier geweest zou zijn, hadden we gevochten als tijgers.'

'Wat bedoel je?'

Rosie keek naar de grond en haar vingers speelden met de franje van haar rok. Eindelijk keek ze op. 'Johnny is heel dominant. Hij is mij te bezitterig.'

'Is het niet bij je opgekomen dat hij wel eens verliefd op je zou kunnen zijn?'

'O, ik weet dat hij van me houdt! Ik was nog niet in Londen aangekomen of hij vroeg me al ten huwelijk. Hij wilde me zelfs een verlovingsring geven. Natuurlijk heb ik gezegd dat ik me niet met hem kon verloven. Afgezien van het feit dat ik nog getrouwd ben, was het allemaal veel te snel voor me. Ik heb het hem heel voorzichtig uitgelegd, gezegd dat het me allemaal een beetje te vlug ging, dat ik hem eerst beter wilde leren kennen, en dat hij mij ook moest leren kennen. Dat wilde hij dan wel van me aannemen. Maar nog geen vijf minuten later moest ik hem al beloven met

hem te trouwen op de dag dat mijn scheiding zou worden uitgesproken.'
Rosie zuchtte en ze frunnikte weer aan de gouden franje. 'Johnny is heel… màcho. Ja, zo zou je het kunnen zeggen. Hij begrijpt niets van mijn werk, hij wil dat ik het opgeef. Hoe eerder hoe liever, wat hem betreft. Dan kan ik altijd bij hem zijn, dan kan ik met hem op reis, mee op tournee.'

'En dat wil je niet? Je wilt niet trouwen met Johnny?

'Ik geloof het niet. Om te beginnen kan ik niet tegen het nachtleven dat een entertainer van Johnny's formaat moet leven. Als hij op tournee is begint hij aan zijn diner op het moment dat ik wil gaan slapen, en hij is de helft van het jaar op tournee. Die vijf dagen in Engeland heb ik geprobeerd met Johnny op te trekken, aan al zijn eisen te voldoen, terwijl ik vanaf een afstand mijn werk in de gaten hield… Bij tijd en wijle had ik het gevoel of ik werd rondgeslingerd in een wasmachine, om je de waarheid te zeggen.'

'Maar je hebt niet geprobeerd met hem te praten, hem iets te vertellen over je gevoelens?'

'Nee, toen niet. Niet tijdens zijn tournee door Engeland en Schotland. Ik was… volkomen van de kaart, zeg maar. Door zijn liefde en toewijding en door zijn… ja… zijn seksualiteit. Hij is heel onweerstaanbaar.' Ze beet op haar lip en schudde haar hoofd. 'Maar bij dat eerste concert in Londen kreeg ik al het gevoel dat hij geobsedeerd was door mij, en dat vond ik toen heel beangstigend, Henri.'

'Obsessies zijn altijd verontrustend. Het is niet…' Hij zocht naar het juiste woord.

'Normaal,' vulde zij aan.

'Het lijkt me dat er maar één oplossing is om deze… afschuwelijke fout, zoals jij het noemt, weer goed te maken: een punt zetten achter je verhouding met Johnny.'

Hij was er niet op verdacht dat Rosie daar zó van zou schrikken, dus voegde hij er snel aan toe: 'Tenzij je denkt dat je je verhouding kan voortzetten als minnaars. Is dat niet mogelijk?'

'Dat zou Johnny nooit willen. Nou ja, dat is niet helemaal waar. Hij zou het natuurlijk best willen. Tot mijn scheiding, dan wil hij onmiddellijk met me trouwen. Trouwens, er is nog een ander probleem.'

'O. Wat is dat dan?' vroeg Henri, en hij keek haar diep in de ogen.

Rosie beantwoordde zijn lange, onderzoekende blik en tot haar ergernis vulden haar ogen zich met tranen. Ze keerde haar gezicht af, kuchte achter haar hand en probeerde zichzelf weer in bedwang te krijgen. Ze slikte een paar keer en eindelijk kon ze uitbrengen: 'Ik geloof dat er iets niet helemaal in orde is met me, Henri.'

'Lieverd, wat bedoel je?' vroeg hij bezorgd.

'Ik… Ik… Mijn gevoel voor Johnny is plotseling veranderd.'

'Wanneer heb je dat gemerkt?'

'Zo'n week of twee geleden, misschien zelfs al eerder, eigenlijk. Dat is al begonnen toen we eind februari in Schotland waren. Johnny deed zo vreemd, zo afschuwelijk bezitterig. Ik mocht nergens meer heen zonder hem en dat maakte me bang. En ik heb me de laatste weken gerealiseerd dat ik hem eigenlijk niet echt mis, ik heb niet meer zo'n… fysieke behoefte aan hem…'

'En daarom denk je dat er iets niet in orde is met je? Ik geloof het niet, Rosie, voor mij ben je een heel normale vrouw. Maar een enorme passie kan wel eens snel opgebrand zijn. Wat witheet begint kan binnen de kortste keren tot koude as worden. Dat heb ik zelf aan den lijve ondervonden. Dat komt omdat er alleen maar sprake is van zinnelijkheid, niets anders. En zinnelijkheid is vervlogen voor je het weet.'

'Misschien heb je gelijk.'

'Op het gevaar af dat je me een ouwe sok zult vinden, Rosie: seks alleen is niet genoeg om een relatie in stand te houden. Daar is ook liefde voor nodig. Je voelde je seksueel aangetrokken tot Johnny. Je was helemaal van de kaart, begrijp ik. Maar het ging alleen maar om seks. Verder was er niets tussen jullie. En daarom was het een strovuurtje.'

Rosie knikte, maar ze ging er niet op in.

Henri zei: 'We kunnen er later nog wel eens verder over praten, lieve Rosie, maar ik denk dat we nu weg moeten, naar het restaurant.' Hij keek op zijn horloge. 'Kom, ik wil Kyra niet laten wachten, en het regent pijpestelen. We zullen nog moeite genoeg hebben om een taxi te vinden.'

Rosie stond op. 'Ja. Even mijn jas halen.'

Henri kwam omhoog uit zijn stoel, liep naar haar toe en omhelsde haar stevig. Hij wilde nog veel meer zeggen, maar hij besloot zijn raad voorlopig voor zich te houden.

'Dank je, Henri,' mompelde ze met haar gezicht tegen zijn wang. 'Dank je voor je begrip en je zorgen.'

'Maar ik hou van je, Rosie. Je bent mijn dochter,' zei hij, en hij keek haar in de ogen met een glimlach vol liefde.

Zijn woorden raakten haar tot in het diepst van haar ziel, en omdat haar emoties zo dicht onder de oppervlakte lagen, kon ze ze niet langer bedwingen.

'Niet doen,' zei hij sussend. 'Niet huilen. Alles komt weer goed.'

39

Vito Carmello was zo blij dat zijn lach niet van zijn gezicht te branden was. Hij borrelde over van geluk – dat was te zien aan zijn zwierige manier van lopen. Hij voelde zich tien jaar jonger, en dat alleen door het telefoontje van Johnny, vanmorgen.

Johnny had opgebeld vanuit Perth, en wat hij verteld had gaf Vito weer een nieuw houvast in het leven. Hij wist dat Salvatore, die zich de laatste weken niet goed had gevoeld, net zo zou reageren. Daarom was hij die morgen direct naar Staten Island gegaan. Om de Don het goede nieuws te vertellen. Zijn goeie, ouwe *goombah* zou net zo verrast zijn als hij, en minstens net zo blij.

Twee soldaten van de organisatie stonden bij de voordeur, en ze groetten hem joviaal toen hij de trappen opliep. Vandaag had hij geen tijd voor hen en zachtjes mompelde hij op z'n Siciliaans: '*Gintaloons*.' Maar ondanks die denigrerende opmerking schonk hij hen een stralende glimlach toen hij naar binnen ging.

De eerste die hij tegenkwam in de grote ontvangsthal was Joey Fingers, die rondhing bij de deur naar de keuken. Joey wóónde hier tegenwoordig zo'n beetje, en Vito vroeg zich af wat er aan de hand was.

'Hallo, Vito, hoe is het met jou?' riep Joey. Hij greep hem beet en probeerde hem te omhelzen.

'Met mij is het prima, Joey, prima,' zei Vito, en hij duwde de hitman van zich af. Engerd, dacht hij en hij zeilde door de hal in de richting van Salvatores kamer, die het Heiligdom genoemd werd.

Salvatore zat achter zijn bureau. Hij was in druk gesprek gewikkeld met Anthony, de *consigliere*, die tegenover hem zat. Ze keken allebei naar de deur toen Vito binnenkwam. Ze stonden op en begroetten hem hartelijk. Hij omhelsde hen beiden.

'Ga zitten, ga zitten,' zei Salvatore en hij wuifde met zijn hand in de richting van de open haard. 'Dat komt niet zo vaak voor dat je ons overdag komt opzoeken, Vito. Ik heb Theresa al gezegd dat je blijft lunchen. Speciaal voor jou maakt ze mozarella met tomaten, in onze eigen olijfolie, en spaghetti Bolognese. Daar ben je toch zo dol op? Er gaat niets boven een goede Italiaanse maaltijd, vind je ook niet?'

'Dank je, ik blijf graag bij je eten, Salvatore. Ik heb vandaag toch niks om handen. Dan ga ik vanmiddag naar de club. Wat doet Joey Fingers daar in de hal?'

'Anthony had een appeltje met hem te schillen.' Salvatore schudde zijn hoofd. 'Joey is gek geworden. Hij wil niet meer luisteren. Misschien heeft hij vandaag een beetje geluisterd. Naar de *consigliere* hier. Misschien heeft Anthony hem bang gemaakt.'

'Dit is de laatste keer dat ik hem gewaarschuwd heb,' zei Anthony, terwijl hij beurtelings naar Salvatore en Vito keek. 'Het wordt hoe langer hoe erger met die stomme zak. Als hij nog eens iets verpest, is het definitief afgelopen. Dan is-ie er geweest. Hij brengt ons in moeilijkheden, baas, in zeer grote moeilijkheden. Hij lult veel te veel. Tegen te veel mensen. Ik weet het niet, maar hij maakt me zenuwachtig. Ik denk dat-ie iets neemt of zo.'

'Wat – sneeuw?' vroeg Salvatore, en hij draaide zich om naar Anthony.

'Zoiets.' Anthony haalde zijn schouders op.

'Hij maakt mij ook zenuwachtig,' zei de Don. Hij wees Vito een stoel en ging tegenover hem zitten. 'Maar ik heb geen zin om er nu nog een woord aan vuil te maken.' Hij strekte zijn handen uit naar het vuur. 'Ik wil nu even rustig zitten, een glas wijn drinken en met mijn oude *goombah* praten. Dan gaan we vanmiddag wel weer aan het werk. Als Franky terug is uit New Jersey.' Salvatore rilde. Hij stond op en ging vlakbij het vuur staan om zijn oude leden te warmen. 'Het is koud voor maart, Vito. Oude botten hebben veel zon nodig, denk je niet?'

Vito knikte.

Anthony boog zijn hoofd in Vito's richting en zei tegen Salvatore: 'Tot straks dan.'

'Waarom blijf je niet lunchen?'

'Dank u, graag,' zei de *consigliere*, en hij verliet de kamer.

Toen ze alleen waren keek Salvatore naar Vito en hij nam hem aandachtig op bij het spaarzame licht dat binnenviel. 'Zo, wat heb je op je hart, Vito? Wat brengt je hier op de vroege morgen? En waarom zit je zo te grijnzen?'

Vito grinnikte. 'Ach, Salvatore, ik heb goed nieuws voor je. Fantastisch nieuws. Johnny belde vanmorgen. Uit Australië. Hij heeft een meisje gevonden. De juiste.'

Salvatore fronste zijn wenkbrauwen. 'In Australië? Een Australische?'

'Nee, nee – hier. Ik bedoel: ze is in Parijs. Maar ze komt hiernaartoe. Johnny vertelde dat hij de vrouw heeft ontmoet waarmee hij wil trouwen en ze komt naar New York als hij terug is, in april.'

'Een Frans meisje?'

'Nee, Salvatore. Een Amerikaanse vrouw. Een aardige Amerikaanse vrouw. Maar ze woont in Parijs.'

'En ben je daarom zo vrolijk, mijn vriend? Hij heeft een aardig Italiaans-Amerikaans meisje gevonden en hij neemt haar mee hierheen. Mooi zo, mooi zo. Geen wonder dat je één en al glimlach bent. Het maakt mij ook blij. Hoe heet ze?'

'Rosalind. Hij noemt haar Rosie.'

Salvatore keek hem vragend aan. 'Dat klinkt niet erg Italiaans. Wat is haar achternaam?'

'Madigan.'

'*Madigan*. Een Ierse?'

'Misschien. Maar ze is in ieder geval katholiek. Een goede, katholieke vrouw. Dat heeft Johnny zelf gezegd.'

'Waar komt ze vandaan?'

'Queens. Ze is opgegroeid in Queens.'

'Wat doet ze dan in Parijs?' Salvatore ging weer zitten en keek naar Vito.

'Ze maakt kleren.'

'O.'

'Ik bedoel: ze ontwerpt kleding. Voor films.'

'Dus daarom heeft hij gebeld? Om je dat te vertellen?'

Vito's gezicht was één grote, trotse glimlach toen hij een paar keer knikte. 'Hij wilde je laten weten dat Rosie gauw hiernaartoe komt. In april. Ik weet niet precies wanneer, maar ze komt. Dat heeft Johnny gezegd. Hij wil dat we kennismaken met haar. Dan nodigt hij ons uit in een chique restaurant in Manhattan. Hij verheugt zich erop.'

'Klonk hij gelukkig?'

'Ja, heel gelukkig. Hij is de gelukkigste man van de wereld, zei hij. En zijn tournee is heel succesvol.'

'Wanneer is hij daar klaar?'

'Aan het eind van de maand. Dan vliegt hij van Sidney naar L.A. Dan komt hij midden april naar New York.'

'Zo rond Pasen. En dat meisje?'

'Ook ongeveer om die tijd. Dat zei ik toch?'

Salvatore knikte. Hij slofte naar een kast aan de andere kant van de kamer, haalde een fles rode wijn tevoorschijn. Hij trok de kurk eruit en schonk twee glazen vol, die hij voorzichtig naar de haard bracht. Een glas gaf hij aan Vito.

'Op de Broederschap,' zeiden ze tegelijkertijd, zoals altijd, gevolgd door het tinkelend geluid van kristal op kristal.

'Johnny is mijn zoon, *sangu de ma sangu*, bloed van mijn bloed,' zei Salvatore. 'Ik wil dat hij gelukkig is, dat hij trouwt, dat hij kinderen krijgt. Mijn kleinkinderen.'

'En hij is *sangu de ma sangu*, de enige zoon van mijn zuster, Gina – God hebbe haar ziel. Ik wil ook dat hij gelukkig is.'

'Nou, wat weten we nog meer over dat meisje, Rosalind Madigan? Vertel er eens iets meer over?'

'Ik weet niks meer, Salvatore. Dat is alles wat Johnny me vanmorgen gezegd heeft. Ik heb je ieder woord precies zo overgebracht.'

Salvatore nipte aan zijn rode wijn. Zijn troebele blauwe ogen stonden bedachtzaam en er kwam een nadenkende uitdrukking op zijn gezicht. Eindelijk hief hij zijn hoofd op en keek naar zijn enige vriend, de enige man die hij vertrouwde. 'En haar familie? Uit wat voor gezin komt ze? Wonen die nog in Queens?'

'Ik weet het niet,' mompelde Vito. 'Daar heeft Johnny niets over gezegd. Maar hij gáát met haar trouwen. Hij vertelde dat hij een dure diamantring voor haar gekocht had.'

'We komen er wel achter, Vito. Zet er een van onze jongens op. Een *capo*. Laat ze hier en daar eens wat rondvragen. Zie er eens achter te komen wat dat voor een vrouw is, waar mijn zoon mee wil trouwen.'

40

Rosie voelde een vlaag van misselijkheid opkomen en abrupt stond ze op. Aida, Fanny en Gavin schrokken ervan. Ze waren midden in een produktievergadering in de Billancourt-studio's, en ze keken haar bezorgd aan. Fanny riep: 'Voel je je niet goed, Rosie?'

'Gaat wel, een beetje misselijk,' zei ze, en ze strompelde de kamer uit, vechtend tegen haar duizeligheid en het afschuwelijke gevoel te moeten overgeven. Bij de deur stond ze even stil en zei: 'Misschien heb ik wel kou gevat of zo. Neem me niet kwalijk, ik ben zo terug.'

Ze haastte zich de gang door en verdween in het damestoilet. Daar leunde ze tegen een van de wasbakken en wachtte tot de misselijkheid voorbij zou gaan. Ze had geen idee wat haar scheelde, ze voelde zich al een paar dagen niet lekker. Misschien had ze ècht griep. Plotseling schoot er iets anders door haar hoofd. Verschrikt greep ze zich vast aan de wasbak. Als ze eens zwanger was? Maar dat kon niet. Dat was onmogelijk. Ze zette die gedachte onmiddellijk van zich af – ze zei tegen zichzelf dat Johnny altijd erg voorzichtig geweest was. Daarbij, ze had hem sinds eind februari niet meer gezien, niet sinds zondag, de drieëntwintigste, om precies te zijn. Het was nu al de eerste week van april en ze was ongesteld geweest nadat ze de laatste keer met hem geslapen had.

Ik heb ze niet allemaal op een rij, ik ben uitgeput, dacht Rosie, en ze keek naar zichzelf in de spiegel. Ze had een gezicht van oude lappen, grauw en met donkere wallen onder haar ogen. Gebrek aan slaap, zei ze tegen zichzelf, en ze dacht weer aan al die slapeloze nachten van de laatste tijd. En aan al dat werk.

Wèrk. Ze kon hier niet blijven rondhangen, daar zou ze zich alleen nog maar beroerder van gaan voelen. Ze moest terug naar de vergadering. Ze vermande zich, gooide een paar handen koud water in haar gezicht, droogde zich af met een papieren handdoekje en deed de deur open.

Terwijl ze terugliep naar het produktiekantoor voelde Rosie dat haar benen niet meer zo slap waren en dat de misselijkheid wat gezakt was. 'Nou, waar waren we gebleven?' vroeg ze, toen ze naar binnenstapte. 'Wat heb ik gemist?'

'Niet veel,' zei Gavin. 'We hebben het over jou gehad.'

'Da's niet aardig!' riep Rosie, en ze lachte zwakjes.

'Aida zegt dat ik te veel van je eis, en Fanny is het daar duidelijk mee eens. Ze vinden allebei dat je een paar dagen vrijaf moet nemen, dus die krijg je, bij deze. En neem me niet kwalijk, Rosie, dat ik zo'n slavendrijver ben.'

'Je bent helemaal geen slavendrijver!' protesteerde Rosie. 'En mij mankeert niets.' Ze keek van Gavin naar Aida. 'Het ligt niet aan het werk, maar aan gebrek aan slaap. Dat wreekt zich. Ik heb een beetje last van slapeloosheid, de laatste tijd.' En tegen Fanny zei ze: 'Jíj weet toch dat ik het niet te gek heb gemaakt.'

'Nou… een beetje wel, vind ik,' mompelde Fanny.

'Neem een paar dagen vrij, Rosie,' kwam Aida tussenbeide. 'We zitten goed, wat de kostuums betreft. Je bent al een heel eind, dat weet je donders goed. Je hebt de afgelopen weken krankzinnige werktijden gemaakt. Je hebt even rust verdiend. En Fanny en Val kunnen heel goed een paar dagen zonder jou.'

'Maar…'

'Geen gemaar,' viel Gavin haar in de rede. 'Ik breng je naar huis. Nu.' Hij duwde de mouw van zijn trui omhoog en keek op zijn horloge. 'Het is al vier uur. Laten we het vandaag voor gezien houden, Aida.'

'Ga maar,' zei Aida. 'Ik moet nog een paar uurtjes blijven. Ik moet de nieuwe budgetten nog bestuderen en een paar rekensommetjes maken. Die veldslag die je hebt ingelast zal niet goedkoop zijn, dat kan ik je wel vertellen. Enfin, laat me maar eens stoeien met de cijfers. Met een beetje passen en meten komen we er misschien wel. Breng jij Rosie maar naar huis, Gavin.' Ze nam de hoorn van de haak en draaide een nummer. 'Ik zal je chauffeur waarschuwen dat hij de wagen voorrijdt.'

Een kwartier later zaten Rosie en Gavin achterin de grote Mercedes, die vanuit de studio's in Billancourt richting Parijs reed.

'Aida heeft gelijk, je ziet er niet best uit,' mopperde Gavin, terwijl hij haar van opzij zat aan te kijken. 'Zo magertjes. Met zo'n bleek, zo'n gespannen gezicht. En met die wallen onder je ogen.' Hij tuitte zijn lippen en schudde zijn hoofd. 'Het is mijn schuld. Ik heb je te veel achter je vodden gezeten. Misschien moet je even naar je laten kijken door de dokter van de studio. Stom dat ik daar niet aan gedacht heb voordat we weggingen.'

'Doe niet zo gek! Ik ben niet zíek. Een beetje vermoeid. Misschien.'

'Ah, nu zeg je het zelf. Volgens mij ben je uitgeput. En dat is mijn schuld. Ik ben verantwoordelijk. Nou, als producent van deze film geef ik je de opdracht om een paar dagen rust te houden, dame.'

'Het is midden in de week. Ik kan me niet permitteren om er tussenuit te gaan, niet met dit werkschema.'

'Het is niet midden in de week. Het is donderdag. En je doet wat ik zeg.'

'Je bent altijd al zo bazig geweest.'

Hij lachte. 'Geniet nou maar van een lang weekeinde. Dan voel je je maandagochtend weer picobello.'

'Goed dan,' gaf ze eindelijk toe, al was het alleen omdat ze de kracht niet had om ruzie met hem te maken. De zachte beweging van de wagen maakte haar slaperig. Haar oogleden werden zwaar, ze deed haar ogen dicht. Even later lag ze vast in slaap tegen zijn schouder.

Ze bleef de hele rit slapen.

Gavin maakte haar pas wakker toen de auto stilstond voor haar huis aan de Rue de l'Université. Hij bracht haar naar boven en toen ze eenmaal binnen waren nam hij de leiding. Hij liet haar een heet bad nemen, gaf haar drie aspirientjes en liet haar een paar koppen hete citroenthee drinken, die hij in die tussentijd gezet had. Daarna stopte hij haar onder de wol.

'Ik wil dat je een paar uurtjes gaat rusten,' zei hij, terwijl hij het lampje op het nachtkastje uitdeed. 'Dan gaan we straks wat eten in de stad. Een voedzaam soepje, een lekker visgerechtje. Dat zal je goed doen. Ik verdenk je ervan dat je niet genoeg eet. Goed?'

'Je zegt het maar, Gavin,' mompelde ze, en ze sloot haar ogen toen hij wegging en de deur achter zich dicht deed.

Maar weer kon ze de slaap niet vatten.

Een paar seconden later lag ze alweer klaarwakker te staren in het donker. Ze dacht aan Johnny. Johnny spookte steeds door haar hoofd. Die geschiedenis was voor haar een afgesloten hoofdstuk, en ze wist dat ze dat nooit meer terug kon draaien. Henri had gelijk in alles wat hij tegen haar had gezegd, een week geleden. Hij had haar uitgelegd dat ze na vijf eenzame, seksloze jaren ontzettend gevoelig was geweest voor iemand als Johnny, voor zijn adoratie en zijn ongebreidelde seksualiteit.

Dat was waar. Bij Johnny had ze zich eindelijk weer vrouw gevoeld. Als hij in de buurt was ging haar huid tintelen, haar bloed sneller stromen. Hij had haar tot leven gewekt. Hij was opwindend geweest, het was opwindend geweest. Maar het was maar een verhouding, en nog wel een hele korte ook.

Verlangen. Wellust. Seks. Witheet vuur. Snel uitgebrand. Alleen koude as blijft er over.

Dat waren de woorden van Henri, en hoe midden in de roos! Hij was zo wijs, zo ervaren. Hij kende het leven en hij had er zelf ten volle van genoten. En hij had zijn deel gehad van verdriet en ellende – dat had Collie haar dikwijls verteld. Ze wist ook dat Henri alleen aan háár belang dacht. Daarom was ze zo blij dat hij dat gesprek had aangezwengeld, dat ze haar hart bij hem had kunnen uitstorten toen hij in Parijs was. Zoals altijd had Henri de Montfleurie haar goede raad gegeven.

'Kijk in je hart, ga je gevoelens na,' had hij gezegd. 'Vraag jezelf wat jíj wilt, hoe jíj je leven wilt leiden. Tenslotte is het jóuw leven, en van niemand anders. En wees eerlijk tegen jezelf,' had hij er nog aan toegevoegd. 'Je moet trouw zijn aan jezelf, Rosie. Het op een na beste is niet goed genoeg.'

Ze hàd in haar hart gekeken. Dagenlang. En ze had een paar essentiële waarheden ontdekt. Alles waar ze een paar weken geleden nog van overtuigd was, gold niet meer. Ze hield niet van Johnny Fortune. Ze was alleen maar smoorverliefd geweest op hem. Er was geen denken aan dat ze de rest van haar leven met hem zou kunnen doorbrengen. Hij was geen slecht mens – alleen anders. En ze hadden bijna niets gemeen.

Ze moest zo snel mogelijk naar Johnny om hem te vertellen dat het uit was tussen hen. Ze zou naar New York gaan en het hem recht in zijn gezicht zeggen. Dat was de enige mogelijkheid. Hij was altijd fatsoenlijk tegen haar geweest, nu moest ze ook fatsoenlijk zijn tegen hem.

Ze wist dat ze het juiste besluit had genomen. En toch sloeg de angst haar om het hart als ze eraan dacht dat ze het hem moest vertellen. Hij zou zo gekwetst zijn. Hij hield van haar en hij wilde met haar trouwen. Als zij het er al moeilijk mee had, hoe pijnlijk moest het dan wel niet zijn voor Johnny? Hij had dit tenslotte nog nooit meegemaakt.

Johnny zou over een week terugkomen uit Australië en dan meteen naar L.A. vliegen. Vanaf half april tot eind mei, misschien wel langer, zou hij in New York zijn. Hij had opnamen voor zijn nieuwe CD in de Hit Factory, de beroemde studio in Manhattan.

Hij had dat nog eens extra gezegd toen hij haar laatst had opgebeld vanuit Perth. 'Ik vind er niets aan zonder jou, liefje,' had hij gegromd. Het klonk zo dichtbij dat het leek of hij vlak om de hoek zat. 'We moeten nooit meer zo lang van elkaar gescheiden zijn. Daar kan ik niet tegen, Rosie. Het is geen leven zonder jou. Dat mag niet meer gebeuren.' En zo was hij maar doorgegaan.

Ze had geprobeerd hem te troosten, te kalmeren, en eindelijk had ze een eind aan het gesprek weten te maken. Maar ze kon niet ontkennen dat zijn woorden haar ongerust hadden gemaakt. Het was duidelijk dat zijn gevoelens voor haar niet waren veranderd. Ofwel: ze waren nog sterker geworden.

Rosie rilde als ze eraan dacht wat ze besloten had. Ze begroef zich in de kussens, trok de deken over haar hoofd en deed haar ogen dicht. Het duurde een hele tijd, maar tenslotte viel ze toch uitgeput in slaap.

Ze droomde van haar moeder en van de tijd dat ze nog een klein meisje was in Queens.

'Waarom heb je me niet wakker gemaakt?' vroeg Rosie bij de deur van de zitkamer.

Geschrokken keek Gavin over zijn schouder. 'God, ik schrik me wild!' riep hij, en stond op. 'Ik heb je niet horen aankomen.'

'Het spijt me,' zei ze en ze keek naar de bladzijden van het script, die verspreid lagen om de stoel waar hij gezeten had. 'Weer aan het werk, zie ik. Jij bent de ergste van ons allemaal. Nog erger dan ik.'

'Misschien. In ieder geval – je ziet er wat beter uit. Die drie uurtjes slaap hebben je goed gedaan.'

'Ik voel me ook een beetje uitgerust,' antwoordde ze. Ze liep de kamer in en viel neer op de bank. Ze zag dat hij een fles witte wijn had opengetrokken en ze zei: 'Ik zou ook best een slokje lusten.'

Hij pakte de fles, schonk het glas vol dat hij voor haar had klaargezet en bracht het naar haar toe.

'Dank je,' zei ze. Ze hief het glas naar hem op en proostte: 'Op jou, Gavin. Lief dat je zo attent bent. En dank je voor al je goede zorgen.'

'Graag gedaan. Jij zou het ook voor mij gedaan hebben. Het was tenslotte mijn schuld.' Hij hief zijn glas en zei: 'Op jou.'

Gavin dronk een paar slokjes en zette toen zijn glas weer neer. Terwijl hij de pagina's van het script verzamelde zei hij tegen Rosie: 'Ik begin me toch zorgen te maken om Josephine. Ik bedoel – wie die rol moet gaan spelen. De mensen van de casting hebben me weinig bruikbare suggesties aan de hand gedaan.'

'Wat dacht je van Sara Sommerfield?'

Gavin keek haar aan met een vernietigende blik. 'Sara Sommerfield,' herhaalde hij. 'Met dat wezenloze gezicht kan ik geen kant op.'

'Maar ze is heel mooi.'

'Ja, voor een glamourfoto. Dan heb je het wel gehad. Ik zoek iemand met een beetje karakter, Rosie.' Hij sorteerde de blaadjes en klemde ze in de omslag, die op de koffietafel lag. 'Ik had aan Jennifer Onslow gedacht, dat zie ik wel zitten. Maar ze is niet beschikbaar. Dat is de moeilijkheid – er is altijd wat.'

'Jij vindt de juiste actrice, Gavin, zoals altijd. En je hebt nog tijd. We hebben nog vier maanden voor de opnamen beginnen.'

'Yep, dat is waar.' Een paar seconden was hij in gedachten verzonken, toen zei hij: 'En wat dacht je van Miranda English als Josephine?'

Rosie trok een vies gezicht. 'Nee, dat lijkt me niets. Dat vind ik een beetje… eng mens. Maar het is wel een goed actrice.'

'Wat bedoel je met "eng"? Is ze soms aan de drugs, of zo?'

'Zeggen ze dat van haar?' Rosie schudde haar hoofd. 'Nee, dat bedoel ik niet. Ik vind haar gewoon achterbaks.'

'Denk je nog wel eens aan Sunny? Hoe zij er aan onderdoor gegaan is – aan de drugs?'

Rosie knikte en er trok een schaduw over haar gezicht.

Gavin stond op en liep naar het tafeltje waar Rosie haar foto's had uitgestald. Hij pakte de beroemde opname van de groep en bestudeerde die een paar minuten, voordat hij de foto weer op z'n plaats terugzette. Met een blik naar Rosie zei hij met een vage glimlach: 'Grappig, hoe we allemaal die foto met ons meedragen, vind je niet? Jij en Nell en Kevin.'

Eerst gaf Rosie geen antwoord. Toen zei ze: 'Ik vraag me af of Sunny die foto nog heeft, daar in die inrichting in New Haven. En Mikey – zou die hem hebben meegenomen toen hij verdween?'

Gavin, die weggelopen was, draaide zich om en keek haar aan. Haar stem had zo'n vreemde toon en hij zag onmiddellijk dat ze ook een wonderlijke blik in haar ogen had.

'Je stem klinkt zo vreemd en je kijkt nog vreemder. Wat is er aan de hand?' vroeg hij.

'Er is niets aan de hand, Gavin. Alleen – een paar dagen geleden heb ik me bedacht dat we ons geen van allen erg best gedragen hebben. En dat idee laat me niet meer los.'

'Waar heb je het over, Rosie?'

'Over de manier waarop we elkaar behandeld hebben. Ik bedoel, we hadden geen van allen onze ouders meer, toen we elkaar ontmoetten. We hebben afgesproken dat we een familie zouden vormen, dat we altijd voor elkaar op de bres zouden staan. Dat hebben we niet gedaan. We hebben onze wederzijdse beloften gebroken, en dat is een drama. En we zijn allemáál schuldig.'

Gavin was even stil. Hij ging zitten, nam een slok wijn en speelde bedachtzaam met het glas in zijn hand. 'Schuldig waaraan?'

'Verwáárlozing. Achteloosheid ten opzichte van de anderen. Egoïsme. Trots. Ambitie. Op onszelf gericht zijn. Maar verwáárlozing is wel het ergste van alles. We hebben Sunny verwaarloosd op het moment, Gavin, dat ze ons het hardste nodig had. We hebben haar niet geholpen. Net als Mikey. Die hebben we ook niet geholpen.'

'Wat Sunny betreft ben ik het met je eens. We hadden moeten merken dat ze verslaafd raakte. Maar ik begrijp niet wat je bedoelt met Mikey.'

285

'We hebben hem niet geholpen toen hij op drift raakte toen het uit was met Nell, toen hij zijn weg niet meer kon vinden en twijfelde aan het nut van zijn rechtenstudie.' Ze trok haar schouders wat op, liet ze moedeloos weer zakken en schudde haar hoofd. 'Ik denk wel eens dat Mikey verdwenen is om van ons allemaal verlost te zijn.'

Gavin schrok van haar woorden en hij riep: 'Daar geloof ik níets van, Rosie. Trouwens, jíj bent altijd zorgzaam geweest voor ons allemaal, jij hebt jezelf niets te verwijten.'

'Ik heb mijn belofte aan jou gebroken.'

'Ach, schei nou uit...'

'Nee, luister nou even,' viel ze hem in de reden. 'Het is waar. Toen we jong waren heb ik je beloofd dat ik begrip zou opbrengen voor jouw acteren, voor dat krankzinnige leven dat je toen leidde – toen je als kelner werkte in de Village, toen je speelde in obscure theatertjes, toen je rolletjes aannam in televisie-soaps, toen je studeerde bij Lee Strasberg. Maar ik heb het opgegeven. Ik heb mijn belofte aan jou gebroken. Na die ruzie, die mijn schuld was, ben ik te trots geweest om naar je toe te gaan en mijn excuses te maken.'

'En ik ben Louise tegen het lijf gelopen, dook met haar het bed in en voor ik het wist was ik met haar getrouwd.' Gavin zweeg en hij hield haar blik vast. 'Ik heb mijn belofte aan jou gebroken. Laten we eerlijk zijn. Ik heb je beloofd dat we zouden trouwen, dat we samen zouden werken in het theater en bij de film, dat we een team zouden vormen.'

Ze glimlachte. 'Kijk niet zo schuldig. We wèrken toch samen, we vòrmen toch een team. Min of meer.'

'Ja.'

'Maar hoe dan ook, het was behoorlijk stom van me. Ik was een koppig kind. Onvolwassen. Ik ben naar Parijs getrokken en ik ben getrouwd met de eerste de beste man die me een aanzoek deed.'

Hij lachte naar haar. 'Mijn moeder had een uitdrukking die maar al te waar is: overhaast trouwen zal je eeuwig berouwen.'

'Mmmmm.' Rosie bracht haar glas naar haar mond en nam een grote teug. 'Weet je – ik heb ook mijn belofte aan Kevin gebroken. Ik heb hem altijd gezegd dat ik hem zou tegenhouden als hij iets stoms zou doen. En toch heb ik niets gedaan toen hij het voorbeeld van zijn vader wilde volgen. Ik heb hem niet belet om bij de politie te gaan.'

'Allemachtig, Rosie, hoe had je hem op andere gedachten willen brengen? Hij was er zo op gebrand!'

'Ja…' Ze draaide de steel van haar glas tussen haar vingers terwijl ze zocht naar een argument. 'Maar hij had een ógenblik van besluiteloosheid. Toen had ik het uit zijn hoofd kunnen praten, denk ik. Hij was altijd geïnteresseerd in recht en wet, hij heeft er zelfs over gedacht rechten te gaan studeren.'

'Ik herinner me dat…'

'En dan Nell.'

'Wat hebben we Nell dan misdaan?'

Rosie lachte vaag naar hem. 'Nell is onze beschermengel. Ik geloof niet dat jij tekortgeschoten bent tegenover haar, en ik ook niet. Ik weet zeker dat we geen enkele belofte aan haar gebroken hebben. Maar…'

'Maar wat? Nu moet je ook doorgaan, Engelensmoeltje.'

'Ik heb het gevoel dat Kevin haar iets te kort doet.'

'O. Hoe dan?'

'Door bij de politie te blijven, door te werken als infiltrant. Ze gaat eraan onderdoor, Gavin. Van dag tot dag, van uur tot uur, zit ze in angst. Eerst vond ik het geweldig dat ze een relatie hadden, maar nu weet ik niet of ik het wel zo geslaagd vind. Niet als hij steeds zijn leven in de waagschaal stelt. Ik vind dat Kevin ander werk moet zoeken – dat is beter voor hem, en voor Nell.'

'Maar zo gek krijg je hem nooit, dat weet je.'

'Misschien niet. Zoals hij zelf zegt: hij is een politieman van de vierde generatie.'

'We kunnen ons er niet mee bemoeien, Rosie. Ieder mens leidt zijn eigen leven. Ieder mens moet zijn eigen weg vinden, en zijn eigen verantwoordelijkheid dragen.'

'Ja, dat is waar. Maar waarom ben jij dan…' Ze stopte midden in haar zin, bloosde en begon aan de kussens van de bank te frummelen.

'Vooruit, ga door,' zei Gavin zachtjes.

Even bleef het stil. Toen Rosie de moed verzameld had keek ze hem recht in de ogen en vroeg: 'Waarom ben jij met Louise getrouwd?'

'Omdat ze zwanger was. Het was mijn verantwoordelijkheid. Ik beschouwde het als mijn plicht haar niet in de steek te laten.'

'Dat heb je me nooit verteld.'

'Je hebt het me nooit gevraagd.'

'Maar de baby is gestorven…' Rosie vond het moeilijk om door te gaan. Ze voelde zich plotseling opgelaten.

'Je vraagt je af waarom ik toen toch bij Louise gebleven ben.'

Toen ze geen antwoord gaf zei Gavin langzaam, met een stem waarin diep verdriet doorklonk: 'Ik zal je zeggen wat er werkelijk gebeurd is, Rosie. Het kind is niet gestorven bij de geboorte, zoals we iedereen verteld hebben. De baby was al ver vóór de geboorte dood. Louise heeft twee weken lang met een dood kind moeten rondlopen, en dat heeft ons bijna de das omgedaan.'

'O, Gavin, Gavin! Wat vreselijk! Wat een afschuwelijke ervaring! Arme Louise. Arme jij. Dat moet een nachtmerrie geweest zijn voor jullie allebei. Wat een afgrijselijke tragedie.'

'Dat mag je wel zeggen. Ik ben bij haar gebleven om haar er bovenop te helpen, en om mezelf te helpen door mijn steun aan haar...'

Gavin brak zijn zin af en nam een slok wijn. 'Maar dat is allemaal heel lang geleden.'

'Het spijt me. Ik had niet zo moeten doorvragen, Gavin. Dat had ik niet moeten doen.'

'Het geeft niet. Maak jezelf nu geen verwijten. Nou – hoe staat het met het eten? Is het niet een beetje laat geworden om nog naar buiten te gaan?' Nog voor ze kon antwoorden nam hij het initiatief. 'Goed, ik zal een lekkere Italiaanse maaltijd voor je maken. Je hebt toch spaghetti in huis?'

'Ja, maar daar blijf je af met je vingers. Je mag dan een groot acteur zijn, maar koken kan je niet.'

'Je hebt me altijd gezegd dat je mijn eten lekker vond.'

'Dat was vroeger, ja. Toen was ik jong en ik wist niet beter.' Rosie lachte. 'Ik denk dat we beter naar de bistro op de hoek kunnen gaan. Kom, pak je jas. En schiet op, anders is de keuken dicht.'

41

Gavin Ambrose zat op de bank in de zitkamer van zijn suite in het Ritz Hotel tussen stapels fotoboeken van castingbureaus. Koffie slurpend bladerde hij door de Academy Players Directory, hoofdstuk topactrices.

Dat was wat hij zocht – een actrice met diepgang en allure, die de rol van Josephine zou kunnen spelen.

Rosie had wel gelijk, toen ze afgelopen donderdag zei dat er nog tijd genoeg was; aan de andere kant: er stonden een aantal grote filmprodukties op stapel, en de ene na de andere actrice werd vastgelegd. Kevin Costner was bezig met een nieuwe film; Dustin Hoffman had net zijn plannen bekendgemaakt; de komende avonturenfilm van Sean Connery scheen een monsterproduktie te worden. Gavin werd zenuwachtig van al die activiteit. Hij was in alles een perfectionist, en wel in de allereerste plaats wat de rolbezetting van zijn films betrof. Vorige week had hij negatief beslist over de drie actrices waar hij het met Rosie over had gehad, om allerlei verschillende redenen.

Hij dronk zijn kopje leeg, zette het terug op het blad en liep naar het raam. Hij bleef een poosje staan kijken naar de Place Vendôme, daar beneden. Het was een zonnige zaterdagmiddag, een week voor Pasen, en hij vroeg zich af wat hij hierbinnen deed, in die hotelkamer met al die boeken vol foto's van actrices. Het is je werk, jochie, zei hij tegen zichzelf. Maar nu even niet, dacht hij er meteen achteraan. Ik ga Rosie bellen om te kijken wat haar plannen zijn op deze prachtige dag in april.

Bij de eerste rinkel nam ze al op.

'Zit jij soms ín de telefoon?' vroeg hij lachend.

'Soms. Om je de waarheid te zeggen: ik wou jou net bellen, Gavin.'

'Nou, hier ben ik dan, Engelensmoeltje! Dat spaart je weer een kwartje. Wat heb je op je hart?'

'Ik kreeg plotseling een lumineus idee. Waarom zou je een Amerikaanse actrice nemen, en niet een Engelse of een Franse? De mensen komen tenslotte toch voor jou, zoals gewoonlijk. Ik moest plotseling denken aan Annick Thompson. Dat is een Française, maar haar Engels is goed. Ze heeft een paar jaar in Londen gewoond, toen ze met Philip Thomas, de regisseur, getrouwd was. Ze barst van het talent en ik denk dat ze heel geschikt is voor de rol van Josephine.'

'Ze is geweldig, daar heb je gelijk in, Rosie. Waarom heb ik daar niet eerder aan gedacht? O, ik weet het al. Ze is te lang.'

'Als jij nou op een kistje gaat staan, en zij in een gat in de grond?' plaagde Rosie.

'Mevrouw wordt bedankt. Met vrienden als jij heb je geen vijanden nodig.'

'Je weet best dat ik een grapje maak. Maar ze is niet zo veel groter dan jij. En hoge hakken kwamen in die tijd niet voor, alleen een soort balletslofjes in Empire-stijl.'

'Je hebt me een goede suggestie aan de hand gedaan,' zei Gavin. 'Ik zal het er met Aida over hebben, kijken wat zij ervan vindt.'

'Waar belde je voor, Gavin?'

'Ik wou weten of jij vandaag iets te doen hebt. Het is zo'n mooie dag, ik dacht: misschien kunnen we samen iets ondernemen. We hebben ons allebei uit de naad gewerkt.'

'Wat wou je ondernemen, dan?'

'Ik weet het niet. Jij bent de Parisienne. Doe maar een voorstel.'

'We zouden een lange wandeling kunnen maken in het Bois de Boulogne. Maar ik kom net terug van mijn zaterdagse boodschappenronde, en het is kouder dan je denkt. Guur, zelfs. En winderig.'

'Ik wil alleen maar van mijn kamer af. Ik hoef niet persé búiten te zijn. We kunnen ook naar de film gaan.'

'Wat een origineel idee. Goed, dat doen we,' lachte ze.

'Dan neem ik je daarna mee uit eten. Waarom gaan we niet naar de bistro bij jou op de hoek?'

'Goed, daar kom ik graag.'

'Wanneer zal ik je ophalen, Engelensmoeltje?'

'Doe maar niet. Het is veel handiger als we afspreken bij Fouquet op de Champs-Élysées. Dat spaart tijd. Over een half uur?'

'Over een half uur ben ik er.'

Ze hadden het tenslotte maar opgegeven – alle bioscopen op de Champs-Élysées waren òf uitverkocht, òf er stond een rij tot om de hoek. Kennelijk had half Parijs hetzelfde idee als zij.

Rosie wist een bioscoopje op de linkeroever, en daar gingen ze nu naartoe. 'Ze draaien daar alleen oude films,' had ze aan Gavin uitgelegd toen ze in de taxi stapten. 'Ik heb geen idee wat er deze week draait. Maar het is altijd iets goeds.' Ze keek met een schuin oog naar Gavins gleufhoed. 'Moet je dat nu echt op je hoofd hebben? Ik geloof niet dat het je goed staat.'

Hij grinnikte. 'Dat is mijn vermomming.'

'Je meent het! Ik zou je herkennen uit duizenden, ook al had je dat ding op. En die vrouwen bij Fouquet ook, trouwens. Ik zàg hoe ze je zaten aan te gapen. Ze zaten bijna te kwijlen.'

'Ze keken niet naar mij. Ik meen het, Rosie. Niemand herkent me als ik deze hoed op heb. Dat is toch handig? Of niet soms?'

'Dat mottige ding?'

Hij lachte en hij begon haar te plagen met haar eeuwige loden cape, die hij niet meer voor zijn ogen getekend kon zien, en zo zaten ze gezellig te bekvechten, op weg naar de linker Seine-oever. Twintig minuten later zaten ze in het bioscoopje, waar *Casablanca* gedraaid werd. Ze hadden de eerste tien minuten gemist, maar dat kon hen geen van beiden iets schelen. Ze kende deze klassieker beeld voor beeld.

Toen ze op hun plaats schoven fluisterde Gavin: 'Dadelijk hoor je Bogie weer met ''Van alle kroegen in alle steden in de hele wereld moet ze nu net in die van mij binnenlopen.'' Dat vind ik een van de mooiste teksten in de hele film.'

Toen ze uit de bioscoop kwamen gingen ze naar de bistro op het hoekje van Rosies straat. Het was overvol, maar voor een stamgast als Rosie werd toch op wonderbaarlijke wijze een tafeltje gevonden.

'Nu moet je echt dat ding afzetten,' zei Rosie, toen ze eenmaal zaten. 'Ik ga hier niet aan een tafel zitten met een man die zijn hoed op houdt. Dat kan je hier niet maken. Iedereen kijkt naar je.'

'Als ik 'm afzet kijkt ook iedereen naar me.'

'Niemand zal je hier lastigvallen,' zei Rosie. Ze keek op en ze lachte stralend tegen de ober, die ze goed kende. '*Vodka avec glaçons, s'il vous plaît, Marcel,*' zei ze, en tegen Gavin: 'Jij ook?'

Hij knikte. 'Met een schijfje citroen, *s'il vous plaît.*'

De ober bleef hem even nieuwsgierig aankijken, zei tegen Rosie: '*Oui, Madame de Montfleurie,*' en snelde weg om de bestelling te gaan halen.

'Híj heeft me herkend,' zei Gavin. 'Maar goed – ik zal mijn hoed afzetten, maar alleen om jou een plezier te doen.' Hij nam de gleufhoed van zijn hoofd en smokkelde hem weg onder zijn stoel.

'Dat is al veel beter, Gavin. En niemand zal je hier storen. Dit is La Belle France. Beschaving en al dat soort dingen.'

Ze had het nog niet gezegd of er kwam een jongeman naar hun tafeltje toe, die zich uitvoerig excuseerde, terwijl hij Gavin een velletje papier onder zijn neus duwde. In gebrekkig Engels vroeg hij: 'Meneer Ambrose, mag iek een 'andtekening van u, *s'il vous plaît?*'

Gavin boog hoffelijk zijn hoofd, zette zijn handtekening en schonk de jongeman een stralende glimlach.

Opgetogen vertrok de Franse knaap, met een grijns van oor tot oor.

Gavin zei: 'Weet je, ik…'

'En dùrf nu niet aan te komen met ''ik heb het je wel gezegd'', Ambrosini! Anders loop ik gillend weg!'

Hij glimlachte gelukzalig.

Ze grinnikte en ze bestudeerde hem eens goed, haar hoofd scheef, een spotlachje in haar groene ogen. Ze wilde net haar mond opendoen toen de ober kwam met hun drankjes.

Zodra hij Gavin zag zitten zonder hoed riep de ober: '*Ah, oui, Monsieur Ambrose! Bien sûr!*' En hij voegde er in het Engels aan toe: 'Ik dacht wel dat u het was.'

Gavin knikte, lachte even naar Marcel, de ober, en toen ze weer alleen waren keek hij Rosie aan met toegeknepen ogen. 'Daar ga je met je Belle France en je beschaving!' Toen begon hij te lachen en dronk haar toe. 'Here's looking at you, kid,' zei hij in zijn beste Bogart-imitatie.

Ze zaten aan de koffie na een heerlijk diner, toen Rosie zei: 'Mag ik je wat vragen, Gavin?' Het klonk haast bedeesd.

'Natuurlijk, ga je gang.'

'Waarom ben je al die jaren bij Louise gebleven? Ze is er toch op een gegeven moment overheen gekomen – over het verlies van haar eerste kind. Jullie allebei. Waarom ben je toen niet van haar weggegaan, als je je toch zo ongelukkig voelde?'

'Om allerlei redenen, Rosie, maar in de allereerste plaats om mijn zoon. Ik heb nooit een vader gehad. O, ja – grootvader hield van me, maar dat was toch niet hetzelfde. Ik wilde dat David een vader zou hebben, dat ík er voor hem zou zijn als hij me nodig had. Dan was er mijn werk, mijn carrière. Ik wist dat ik me daarop moest concentreren, dat ik me volledig moest geven als ik wilde slagen. Wat mijn werk betrof was ik heel doelbewust, dat weet je, en ik kon absoluut geen huwelijksproblemen of scheidingsperikelen of avontuurtjes gebruiken. Laat je niet afleiden – dat was mijn stelregel.'

Rosie keek hem nieuwsgierig aan. 'Wil je zeggen dat je nooit andere vrouwen hebt gehad in je leven?' vroeg ze zachtjes.

'Niet veel, in ieder geval. Ik heb altijd de schijn weten op te houden wat mijn huwelijk betreft. Dacht je ook niet?'

'Ja, dat is je heel goed gelukt. Ik heb me pas kort geleden gerealiseerd hoe ongelukkig je je gevoeld moet hebben, al die jaren. In november nog, bij dat slotfeest van *Kingmaker*, was ik er nog van overtuigd dat je een heel gelukkig huwelijk had. Ik heb het er nog met Nell over gehad.'

'En wat zei ze?'

'Nell was het niet met me eens. Ze zei dat ik niet moest vergeten dat je een acteur bent.'

'Ze is een slimmerik, onze juffrouw Jeffrey.'

'En denk daar goed om!'

'Rosie…'

'Ja, Gavin?'

'Er is nog een reden waarom ik niet ben weggelopen bij Louise.' Even zweeg hij. Hij hield haar blik vast met zijn koele, grijze ogen. 'Ik dacht: dat heeft geen enkele zin, want jij bent toch met iemand anders getrouwd.'

Rosie staarde hem aan. Langzaam zei ze: 'En dat is nou precies waarom ik bij Guy gebleven ben… omdat jíj getrouwd was.'

Het was een koude, heldere avond. De wolkenloze hemel had een diepe, pauwblauwe kleur, en het was volle maan.

Ze liepen over straat, op weg naar haar huis, zwijgend en zonder elkaar aan te raken.

Toen ze eenmaal binnen waren gooide Rosie haar cape op het kleine, houten bankje in de hal, en ook Gavin trok zijn jas uit.

Zonder een woord te zeggen liep ze naar de zitkamer. Midden in de kamer bleef ze staan en draaide haar gezicht half naar hem toe.

Gavin stond in de deuropening naar haar te kijken. Er brandde maar een lamp; het was schemerdonker, zodat hij de uitdrukking op haar gezicht niet kon zien. Hij had de neiging om naar haar toe te gaan, maar iets hield hem tegen. Om een of andere reden kon hij niet van zijn plaats komen.

Na een poosje draaide ze zich om, zodat ze recht tegenover hem stond.

Ze deed een stap in zijn richting.

Hij deed een stap in haar richting.

Op dat moment, toen ze langzaam, maar heel erg zeker, op elkaar afliepen, wisten ze allebei dat dit het begin was van een nieuw leven. Van een totale, een onomkeerbare verandering in hun bestaan. Klaar en helder drong het plotseling tot hen door dat niets ooit nog hetzelfde zou zijn.

Ze viel in zijn armen, bijna struikelend.

Hij ving haar op, omhelsde haar stevig en drukte haar dicht tegen zich aan.

Haar armen vlogen om zijn hals, haar handen grepen in zijn nek, haar vingers klauwden zich in zijn huid.

Ze kusten elkaar. Eindelijk. Een lange, diepe kus waar geen einde aan kwam. Het was of deze kus alle pijn van jaren moest uitdrijven. Lippen genoten van lippen, tong streelde tong, en ze klampten zich aan elkaar vast alsof ze bang waren te verdrinken.

Hij proefde de welbekende zoetheid van haar mond, vermengd met het zout van haar tranen. Eindelijk maakte hij zich los uit haar omarming en hij raakte haar vochtige wangen aan met zijn vingertoppen.

Hij kon haar blik niet loslaten.

Zij beantwoordde zijn intense blik. 'Gàvin. O, Gavin, ik hou van je. Ik hou zo ontzettend veel van je.'

'En ik hou van jou, Rosie. Ik heb nooit van iemand anders gehouden dan van jou – geen dag, geen uur.'

Zo, het was eruit.

Eindelijk was het dan gezegd, na al die jaren van zwijgen.

Ze wisselden een blik vol begrip en zonder een woord te zeggen nam hij haar hand en trok haar mee.

Nog geen seconde later vroeg Rosie zich af hoe ze zo snel van de zitkamer in de slaapkamer gekomen waren, en wanneer ze dan wel hun kleren hadden uitgetrokken. En daarna dacht ze niets meer, want Gavin lag naast haar en kuste haar zoals nog nooit iemand haar gekust had.

Zonder enige terughoudendheid beantwoordde Rosie zijn liefkozingen. Het was of ze nooit uit elkaar geweest waren. De jaren vielen weg. Het was weer net zo vertrouwd als vroeger, ze hoorden weer bij elkaar.

Al was hij dan elf jaar lang niet met haar naar bed geweest, toch kende Gavin iedere ronding van haar lichaam, of het 't zijne was. En ook Rosie was op bekend terrein.

Koortsachtig betastten ze elkaar, ze beleefden weer dezelfde sensaties van vroeger, ze brachten elkaar tot extase. Ze werden overspoeld door een golf van zoete herinneringen.

Zij was zijn eerste vrouw geweest, hij haar eerste man. Nu ze eindelijk weer bij elkaar waren was het net als die eerste keer.

Maar toch was het anders. Ze waren wijzer geworden, ze hadden geleden, ze hadden naar elkaar verlangd. Er was een nieuw soort tederheid tussen hen.

De nacht was voor hen allebei een droom.

Ze waren ingeslapen nadat ze elkaar bemind hadden, maar een paar uur later waren ze alweer wakker en hun armen zochten elkaar, uit angst dat het niet waar was geweest. En Gavin merkte dat hij nog veel meer wilde. Hij kwam weer bij haar en zij liet hem gretig toe. Ze liet zich volledig gaan in haar verlangen naar hem. Ze vielen in slaap in elkaars armen en toen ze bij het eerste morgenlicht wakker werden begonnen ze direct weer te vrijen. Daarna dreven ze weg in de diepste slaap die ze in jaren gehad hadden.

Rosie draaide zich om en voelde naast zich naar Gavin, maar ze vond niets anders dan een lege plek.

Met een ruk ging ze rechtop zitten en ze knipperde tegen het felle morgenlicht, dat de kamer binnenviel. Ze was bang, net als vannacht, dat ze het alleen maar had gedroomd.

Maar het was geen droom. Ze voelde het aan haar lichaam. Bewijzen te over van zijn aanwezigheid. Inwendig lachend sloeg ze de dekens terug, zocht naar haar kamerjas en stond op om hem te zoeken.

Hij zat in hemdsmouwen achter haar bureau in haar atelier, zijn bril met het hoornen montuur op het puntje van zijn neus. Voor hem lag een script, helemaal uit elkaar gehaald.

'Gavin, mijn script! Maak het nou niet in de war, ik heb overal aantekeningen gemaakt in de kantlijn.'

Hij keek op en lachte haar toe. 'Is dat nou een manier om je minnaar te begroeten, na alles wat ik vannacht voor je gedaan heb?'

'O, jij, jij…!' riep ze lachend. 'Je bent onmogelijk, Ambrosini!'

'Tussen haakjes: ik hou van je.'

'En ik hou van jou.' Ze liep om het bureau, boog zich over hem heen en kuste hem in zijn hals. Hij draaide zijn hoofd, zodat hij haar mond kon kussen, trok haar op zijn schoot en vleide zijn wang tegen haar schouder.

'O, Rosie, wat hou ik van je. Meer dan je ooit zal beseffen.' Hij hield haar even vast en liet haar toen gaan. 'Maak je maar geen zorgen over je script. Ik heb er alleen een paar pagina's uitgehaald om de dialoog bij te werken. Je krijgt ze morgen in de studio terug.'

Ze sprong van zijn schoot, liep naar de deur en zei over haar schouder: 'Ik ruik verse koffie. Heel lief van je, schat. Wil je nog een kopje?'

'Nee, dank je, Engel.'

De telefoon ging.

Ze keken allebei verschrikt op.

Rosie zei met een benepen stem: 'Ik hoop niet dat het Johnny is.'

Gavin stond op. 'Ik zal je alleen laten,' zei hij, en liep om het bureau heen.

Ze schudde haar hoofd. 'Nee, 't is goed. Blijf maar. Voor jou heb ik geen geheimen, Gavin. Bovendien, het antwoordapparaat staat aan.'

De telefoon bleef rinkelen.

'Niet, dus.'

Ze nam de hoorn op. 'Hallo?' Haar gezicht klaarde op. 'Nell! Hoe gaat het? Waar zit je?'

Een seconde later was haar glimlach verdwenen. 'O, Nell, nee! O, god…!' Rosie klemde zich zo stevig vast aan de hoorn dat haar knokkels wit werden. Ze liet zich vallen op een stoel. 'O, mijn god!' riep ze weer, en alle kleur verdween uit haar gezicht. 'Ja, ja, ik kom naar je toe. Ik ben zo snel mogelijk bij je.' Terwijl ze luisterde keek ze naar Gavin, die haar vragend stond aan te kijken bij het bureau. Hij zag de angst in haar ogen, hij zag haar handen trillen. 'Goed, dat zal ik doen. Ik laat een boodschap achter op je antwoordapparaat.' Ze hing op.

'Wat is er, Rosie? Wat is er aan de hand?' vroeg hij, en hij liep op haar toe.

Ze staarde hem aan met lege ogen, schudde haar hoofd en met bevende stem zei ze: 'Kev. Hij is neergeschoten. Hij is er heel slecht aan toe. De dokters in het Bellevue Ziekenhuis hebben tegen Nell gezegd dat hij niet veel kans heeft.' Ze begon te huilen. 'Ze denken dat hij het niet haalt.'

42

Die maandagochtend gingen Rosie en Gavin vanaf Kennedy Airport direct naar het Bellevue Ziekenhuis, waar Nell al ongeduldig op hen stond te wachten.

Ze zag asgrauw en ze was uitgeput van de doorwaakte nacht. Toen ze hen zag, barstte ze meteen in snikken uit. Ook Rosie begon te huilen, toen zij haar wilde troosten. De twee vrouwen klampten zich even aan elkaar vast, toen was het Gavins beurt om Nell te omhelzen. Hij probeerde haar moed in te spreken, net als hij dat bij Rosie gedaan had tijdens hun vlucht over de oceaan.

'Kevin is taai, en zo sterk als een beer,' zei hij tegen Nell, terwijl hij een arm om haar heensloeg en haar meenam naar een rijtje stoelen aan de andere kant van de wachtkamer. 'Als iemand zo'n schot overleeft dan is het Kevin wel.'

'Maar je begrijpt het niet,' zei Nell in tranen. 'Hij heeft niet één schotwond – hij is doorzééfd met kogels. En hij heeft verschrikkelijk veel bloed verloren.'

Al was Rosie nog zo bang, toch zei ze: 'Gavin heeft gelijk, Kevin haalt het. Hij moet het halen, gewoon. Hij kàn niet op dezelfde manier doodgaan als vader.' Ze ging naast Nell zitten en vroeg: 'Wanneer kunnen we naar Kevin toe? Waar is zijn arts?'

Nell zei: 'Ik zal het even vragen aan de hoofdzuster. Dan kan zij dokter Morris voor ons oppiepen en zeggen dat je er bent.'

Rosie knikte en Nell haastte zich weg.

Gavin hield Rosies hand vast. 'Als Kevin bloed nodig heeft, dan wil ik graag als donor fungeren, Rosie. Net als jij, denk ik.'

Ze keek op. 'Bloed van het ziekenhuis is tegenwoordig toch veilig?'

'Jawel, daar gaat het niet om. Ik wil alleen maar zeggen dat ik op die manier zou willen helpen. Kevin zou het ook voor mij doen.'

'Ja, dat weet ik. Dank je voor het aanbod. Laten we afwachten wat de dokter zegt.'

Een paar minuten later kwam Nell terug met een man in een witte jas. Zeker de dokter van Kevin, dacht Rosie.

Nell stelde hen aan elkaar voor en Rosie vroeg wanneer ze Kevin konden bezoeken.

'Hij is nog steeds buiten bewustzijn, mevrouw Madigan,' zei dokter Morris. 'Hij ligt op Intensive Care, maar als u wilt mag u er wel even bij.'

'Graag,' zei Rosie, en ze vroeg verder. 'Wat zijn de kansen voor mijn broer, dokter Morris?'

'Het ziet er beter uit dan gisteren. We hebben hem vanmorgen vroeg weer geopereerd – we hebben de vierde en laatste kogel verwijderd. Zijn toestand is op het ogenblik stabiel. U moet maar denken, mevrouw Madigan: hij is jong, sterk, gezond en buitengewoon goed in vorm. Dat werkt allemaal in zijn voordeel.'

Rosie knikte. Ze voelde de tranen weer branden en ze draaide haar hoofd af. Ze woelde in haar tasje op zoek naar een zakdoek.

Gavin zei: 'Als hij nog meer bloedtransfusies nodig heeft, kunt u op mevrouw Madigan en mij rekenen als donors.'

'Dat is op dit moment niet nodig, maar het is goed dat u het zegt. Dank u. Zullen we gaan?'

Gedrieën volgden ze dokter Morris door de brede gangen naar de afdeling Intensive Care. De dokter deed de deur open en nam Rosie en Gavin mee naar het bed van Kevin, terwijl Nell op de gang bleef. Kevin was met slangen en draden aan allerlei machines verbonden. Hij zag zo wit als de lakens waarop hij lag. Zijn ogen waren gesloten, hij ademde zwak.

Rosie raakte zijn hand aan, boog zich naar hem over en kuste hem op zijn wang. 'Ik ben het, lieve Kev,' zei ze, en ze had moeite haar tranen in te houden. 'Ik ben het, Rosie. Ik ben bij je. En Gavin ook. En Nell. We houden van je, Kev.'

Kevin lag doodstil. Hij knipperde zelfs niet met zijn oogleden. Rosie drukte zijn hand en ze draaide zich af. De tranen biggelden over haar wangen. Het leek haar of al zijn kracht uit hem was weggetrokken, en haar hart kromp ineen. Ze begreep waarom de berichten gisteren zo alarmerend waren geweest.

Gavin kwam naar het bed en hij pakte Kevins hand. 'Ik ben het, Gavin. We blijven bij je tot je weer beter bent.' Net als Rosie gaf hij Kevin een kus op zijn wang.

Buiten, op de gang, liepen ze Neil O'Connor tegen het lijf, die Kevin voor de zoveelste keer kwam opzoeken. Nell stelde de politieman voor aan Rosie en Gavin. De dokter excuseerde zich en Nell nam hen mee terug naar de wachtkamer.

'Wat is er gebeurd?' vroeg Rosie zodra de dokter weg was.

Neil schudde zijn hoofd. 'Het spijt me, Rosie, ik weet het niet. En we zullen het niet weten, tot we Kevin kunnen ondervragen.'

'Nell heeft ons gisteren verteld dat Kevs partner ook gewond is. Heeft die niets kunnen zeggen? Of is die ook nog buiten bewustzijn?'

Neil schudde zijn hoofd, en zijn gezicht stond somber. Even was het stil, toen zei Neil met zachte en onzekere stem: 'Het spijt me – Tony is net gestorven.'

'O, nee!' riep Nell en ze sloeg haar hand voor haar mond. Tranen vulden haar ogen.

Rosie klampte zich vast aan Gavins arm. Ze was doodsbleek geworden.

De drie vrienden hielden vier dagen en nachten de wacht.

Op vrijdag, 17 april kwam Kevin Madigan weer tot bewustzijn en eindelijk gingen zijn ogen open. Het was Goede Vrijdag, het begin van het paasweekeinde.

Nell zat naast zijn bed, zij was de eerste die hij zag. Er trok iets van een glimlach over zijn gezicht en hij fluisterde: 'Hallo, lieverd.'

'O, Kevin! Godzijdank!' riep ze. Ze pakte zijn hand en drukte die stevig. Ze stond op, boog zich over hem heen en zei zachtjes, vlak bij zijn oor: 'Ik hou van je.'

'Ik hou ook van jou, Nell.' Zijn stem klonk zwak en schor.

Ze ging weer zitten, zijn hand nog steeds in de hare, haar ogen gericht op zijn gezicht. Tranen liepen over haar wangen.

'Het spijt me, Nellie.'

'Het geeft niet, praat maar niet. Je bent nog zo zwak, je hebt zo moeten vechten voor je leven. Maar ik wist dat je het zou halen.' Ze probeerde haar hand los te maken, maar hij liet haar niet gaan.

Ze zei: 'Laat me even, Kev. Ik ben zo weer terug. Dan haal ik Rosie en Gavin. Ze zitten in de wachtkamer.'

43

Rosie wist dat Johnny in Manhattan was. Hij had een groot aantal boodschappen achtergelaten op haar antwoordapparaat in Parijs en hij had eindeloos gebeld naar Jeffrey Associates, om te vragen waar Nell was. Haar assistente had strikte opdracht om iedereen te vertellen dat Nell niet bereikbaar was, omdat ze zonder achterlating van een adres op vakantie was gegaan.

Maar op de middag van Goede Vrijdag, nu ze wist dat Kevin buiten levensgevaar was, had Rosie besloten om Johnny op te gaan zoeken. Ze zou hem vertellen dat hij onder ogen moest zien dat ze geen toekomst hadden, samen.

Ze belde het Waldorf Astoria en werd doorverbonden met de boodschappendienst. Ze realiseerde zich dat ze dan haar naam en telefoonnummer moest achterlaten, en ze hing snel op. Ze wilde niet het nummer geven van Gavins appartement in de Trump Tower. Ze dacht een paar seconden na en besloot toen naar de Hit Factory te gaan, waar hij waarschijnlijk aan het werk zou zijn voor zijn nieuwe plaat. Hij had haar eens verteld dat hij, als hij studio-opnamen had, het liefst 's morgens om een uur of elf begon, om dan door te werken tot zes, zeven uur 's avonds. Ze keek op haar horloge. Het was even over drieën. Ze zou meteen een taxi nemen.

Rosie was nog geen uur geleden uit het ziekenhuis weggegaan en ze was, toen ze in Gavins appartement aankwam, meteen naar de badkamer gehold om een douche te nemen. Ze had zich opnieuw opgemaakt en een grijs broekpak aangetrokken met een bijpassende driekwart jas.

Gavin was, samen met Nell, bij Kevin gebleven in het Bellevue Ziekenhuis. Rosie liet een kort briefje op tafel achter waar in stond dat ze over een paar uur terug zou zijn. Ze keek vlug even in de Gouden Gids om te zien of het adres van de Hit Factory nog klopte. Inderdaad – de studio was nog steeds in de West 44th Street.

Tien minuten later, toen ze de taxichauffeur betaalde, zag ze uit haar oog-hoeken Kenny Crossland, de toetsenist. Hij stond in de deuropening van het gebouw waarin de Hit Factory gevestigd was.

Toen ze zich omdraaide en een paar stappen in zijn richting deed, riep hij grinnikend: 'Hallo, Rosie! Johnny gaat uit z'n dak als hij je ziet. Hij heeft ons allemaal gek gemaakt. Hij was volkomen van slag toen we je nergens konden bereiken.'

'Ik heb geprobeerd hem te bellen,' zei Rosie. 'En daarna zat ik in het vliegtuig hierheen.' Ze haalde haar schouders op en glimlachte vaag. 'En-fin, ik ben er nu.'

Kenny sloeg zijn arm om haar schouder en samen gingen ze het gebouw binnen. Ze namen de lift naar boven en hij legde uit: 'We doen vandaag alleen instrumentaal, maar Johnny wil er toch bij zijn. Hij wil niet dat er tijdens de produktie iets gebeurt zonder hem. Hij moet altijd een vinger in de pap hebben. Misschien is hij ergens voor zichzelf aan het repeteren, of hij is aan het inzingen.'

Rosie knikte alleen maar – ze wilde niet te veel zeggen tegen Kenny. Ze kwam tenslotte voor Johnny, en ze had tijdens de tournee in Engeland al gemerkt dat die twee dikwijls onenigheid hadden over van alles en nog wat. Ze had plotseling het gevoel dat ze Johnny moest beschermen. Ze zou zijn medewerkers geen aanleiding geven voor roddels.

Kenny bracht haar naar de receptie. 'Ga hier maar even zitten,' zei hij. 'Dan ga ik even op zoek naar Johnny.' Ze bedankte hem en hij verdween grinnikend.

Toen ze daar zo zat te wachten voelde ze zich plotseling verlamd, uitge-put. Ze leunde achterover en staarde met lege ogen naar de muur. Overal hingen ingelijste gouden platen van sterren als Billy Joel, Michael Bolton, Paul Simon, Madonna en Johnny Fortune.

Ze vroeg zich af waar Johnny bleef. Toen bedacht ze zich dat hij mis-schien wel midden in een opname zat en dat hij niet weg kon zonder te storen.

Na een kwartier verscheen een jongeman bij de receptie, die zichzelf voorstelde als een van Johnny's platenproducenten. Hij praatte opgewekt tegen haar en hij nam haar mee in de lift naar een andere verdieping. Daar liet hij haar binnen in een controlekamer. Door de grote, glazen wand kon ze in de studio kijken, waar Johnny voor een microfoon stond. Hij had een koptelefoon op zijn hoofd en zijn ogen waren gesloten.

De jongeman zei: 'Johnny is zo klaar. Hij moet een orkestband inzingen.'

Alsof hij bang was dat Rosie niet zou begrijpen wat er gebeurde, legde hij uit: 'Johnny hoort op de koptelefoon de muziek, die van tevoren is opgenomen, en dan zingt hij zijn songs in. Dat wordt dan op de band samengevoegd.'

'Interessant,' mompelde Rosie, terwijl ze naar Johnny bleef kijken.

De jongeman lachte, zei haar goedendag en liet haar alleen met de opnameleider en zijn technici.

Aan het eind van zijn song deed Johnny zijn ogen open en hij keek naar de opnameleider in de controlekamer. Die knikte enthousiast en stak zijn duim omhoog.

Op dat moment kreeg Johnny haar in de gaten.

Het leek of hij door de bliksem getroffen was. Maar hij herstelde zich direct – zijn gezicht lichtte op en hij zwaaide naar haar. Hij legde de microfoon neer, nam de koptelefoon af en wenkte haar.

Rosie ging de deur door naar de studio.

Hij nam haar meteen in zijn armen en begon haar te kussen.

Ze wist zich zachtjes los te maken en met een nerveus lachje zei ze: 'Johnny, niet doen. Iedereen zit naar ons te kijken!'

'En wat dan nog? Och, schatje, het is zo heerlijk dat je er weer bent. Ik heb je zo verschrikkelijk gemist!' Hij pakte haar bij haar schouders, hield haar een beetje van zich af en nam haar van top tot teen op. Hij grijnsde breed. Maar zijn ogen waren hardblauw en ze meende er een vleugje ergernis in te ontdekken. Zijn stem klonk een stuk harder toen hij zei: 'Hé, Rosie, ik heb dagenlang geprobeerd je te bereiken! Ik heb gebeld en gebeld naar Parijs. Ik heb me gek gezocht naar je. Waarom heb je me niet teruggebeld? Waar heb je verdomme uitgehangen?'

Sprakeloos staarde ze hem aan. Dit kon ze er niet meer bij hebben. Ze was tot het uiterste gespannen door die geschiedenis met Kevin, ze was nog niet over de vliegreis en het tijdsverschil heen, ze was uitgeput van de wake in het ziekenhuis en ze had ontzettend opgezien tegen het weerzien met Johnny. Het werd haar allemaal teveel.

Toen ze geen antwoord gaf, raasde Johnny verder: 'Dit gaat zo niet, schatje. Op deze manier kan ik niet leven. Ik wil dat je altijd bij me bent.' Hij keek haar achterdochtig aan en schreeuwde: 'Waarom heb je me niet laten weten dat je zou komen? Hoe lang ben je hier al?'

Dat was precies de druppel die de emmer deed overlopen. Ze dacht weer aan haar broer in het Bellevue Ziekenhuis en aan het dagenlange gevecht voor zijn leven, en ze kon zich niet meer beheersen. Ze snikte het uit en de tranen stroomden over haar wangen.

Johnny schrok van haar onverwachte reactie. Hij sloeg een arm om haar heen en nam haar mee, de studio uit. 'Ach, schatje, huil nou niet. Ik ben een beetje over m'n toeren omdat ik me zo verschrikkelijk ongerust heb gemaakt over je.' Hij vond een leeg kantoor, trok haar mee naar binnen en sloot de deur achter zich.

Rosie kon niet meer ophouden met huilen. Ze zeeg neer op een stoel, rommelde in haar handtas en vond daar een zakdoek. Ze bette haar gezicht, maar door de opgekropte emoties van de laatste dagen bleef ze maar snikken en de tranen bleven maar stromen.

Johnny wist niet wat hij moest doen. Hij ging op een stoel tegenover haar zitten en hij keek haar hulpeloos aan. Op een veel vriendelijker toon zei hij: 'Ik had niet zo moeten doordraven Rosie. Het was niet mijn bedoeling je zo van streek te maken.'

Ze haalde diep adem en tussen haar snikken door zei ze: 'Daarom gaat het niet, Johnny.' En voordat ze besefte wat ze deed flapte ze eruit: 'Het gaat om mijn broer, Kevin! Hij is neergeschoten. Hij was bijna dood. Daarom heb je dagenlang niets van me gehoord, Johnny. Ik was bij hem in het ziekenhuis.' Ze zag het asgrauwe gezicht van Kevin weer voor zich en opnieuw stroomden de tranen.

'Néérgeschoten? Wat is er gebeurd? Een overval of zo?' vroeg Johnny met gefronste wenkbrauwen.

'Nee, hij is niet overvallen. Hij is neergeschoten tijdens zijn werk. Door de mafia. Het moet de mafia geweest zijn, dat weet ik zeker. Ze hebben hem neergemaaid, net zoals ze mijn vader neergemaaid hebben,' snikte Rosie met horten en stoten.

'Màfia,' zei Johnny. 'Ik begrijp niet wat...'

'Mijn broer is detective. Dat mag ik aan niemand vertellen, maar...'

'Een stílle,' mompelde Johnny, en hij staarde haar aan.

'Ja,' knikte Rosie. 'Hij is al jaren bij de Newyorkse politie. Hij heeft de laatste maanden voor de CID gewerkt – een onderzoek naar een of andere mafia-familie. De Rudolfo's. Daar heb je vast wel eens van gehoord. Ze hebben Kevin neergeschoten als een hond. De Rudolfo's hebben mijn broer bijna vermoord.' Ze drukte de zakdoek tegen haar ogen in een poging de tranenvloed te stoppen.

Johnny verstijfde en alle kleur trok weg uit zijn gezicht. Ongelovig bleef hij Rosie aanstaren. Hij probeerde op een rij te krijgen wat ze hem daar allemaal verteld had. In Parijs had ze gezegd dat haar broer accountant was; nu bleek hij plotseling een stille te zijn. Een stille die was neergeschoten door de Rudolfo-familie.

Zijn wereld stortte in.

'Ik ben je niet komen opzoeken om je over Kevin te vertellen,' zei Rosie langzaam. 'Dat kwam alleen maar omdat ik zo overstuur was. Ik ben naar je toegekomen om je iets uit te leggen, Johnny. Iets over ons.'

'Wat bedoel je?' vroeg hij zachtjes.

Rosie keek hem recht aan en ze slaagde er zelfs in een glimlachje te voorschijn te toveren. Maar dat was snel weer verdwenen. Zo beheerst mogelijk zei ze: 'Johnny, het kan niets worden.'

'Wat niet?'

'Jij en ik, samen.'

Hij had gevoeld dat er iets dergelijks zou komen, dat ze zoiets zou gaan zeggen, maar hij kon het niet accepteren. Het was of al het bloed uit hem wegtrok; hij voelde zich misselijk en hij begon over zijn hele lichaam te trillen.

Eindelijk zei hij: 'Waarom kan het niets worden? Ik hou van je, Rosie. Ik weet dat ik van je hou.'

Ze haalde diep adem, pakte zijn hand en zei: 'Maar ik hou niet van jou, Johnny. In ieder geval niet op de manier zoals jij dat graag van me zou willen.'

'We zijn fantastisch samen! Geweldig in bed, geweldig overal anders. Dat heb je zelf gezegd, in Londen.'

'O, Johnny, je bent een heel bijzonder mens, zo liefhebbend en grootmoedig. Maar ik kan niet met je trouwen. Dat zou nooit goed gaan. We zijn in zoveel opzichten zo verschillend…'

'In wat voor opzichten? Zeg het dan!'

'In de manier waarop we onze levens hebben ingericht.'

'Ik begrijp je niet.'

'Luister nou eens, Johnny. Jij bent een van de grootste entertainers ter wereld; je bent een mega-ster, en je leeft op een bepaalde manier – dat hoort nu eenmaal bij je werk en bij je status. Je hebt de wonderlijkste werktijden. En je wilt de vrouw die je liefhebt altijd bij je hebben. Dag en nacht. Ook op tournee. Ze moet altijd aan je zijde zijn. Ik heb mijn eigen werk, mijn eigen carrière. Ik hou van mijn werk en ik kan dat niet zomaar opgeven. Jij wilt me bezitten, zeggenschap hebben over mijn doen en laten. Terwijl ik juist bijzonder onafhankelijk ben. Binnen de kortste keren zouden de vonken eraf vliegen!'

'De vonken vliegen eraf als we vrijen. Dan zijn we niet zo verschillend. Of wel soms?'

'Nee, daar heb je gelijk in. Je bent een heel sensuele man, en ik vind je heel verleidelijk. Maar seks alleen is niet genoeg. Voor een huwelijk is meer nodig.'

'Je geeft het geen kans, je geeft òns geen kans,' drong hij aan. Hij was over de schok heen en hij vocht als een leeuw. 'Ik ben meer dan een maand in Australië geweest – ik heb je zéven weken niet gezien. Als we maar eenmaal weer bij elkaar zijn, Rosie. Een paar dagen in het Waldorf, en het is weer net zoals eerst. Net zoals in Parijs en in Londen. Dat weet jij ook.'

Rosie schudde haar hoofd. Ze liet zijn hand los en stond op. 'Nee, zo zal het nooit meer worden, Johnny.'

'Je vergist je, schatje!' riep hij, en hij sprong op. 'Je kunt me niet vertellen dat je niets voor me voelt, dat je niet van me houdt zoals ik van jou hou! Ik kan me iedere minuut herinneren dat we samen zijn geweest... Dat was niet gespeeld – je meende het, schatje!'

Ze knikte. 'Ja, ik meende het, Johnny. Het was heel bijzonder, die tijd met jou, maar ik ben niet van je gaan houden. Ik voel geen liefde voor je, Johnny. En daarom is er geen toekomst voor ons.'

Hij keek haar met grote ogen aan. Hij was zo in de war dat hij geen woord kon uitbrengen.

Alles wat ze had aan warmte, aan natuurlijke vriendelijkheid en begrip kwam bij haar boven. Ze legde haar hand op zijn arm. Met een stem vol wroeging en verdriet fluisterde ze: 'Het spijt me, Johnny. Het spijt me heel, heel erg.'

'Geef ons een kans,' smeekte hij.

Ze keek hem aan en beet op haar lip. Ze voelde medelijden met hem, en toch was er niets wat ze kon doen om zijn pijn te verzachten.

Tranen blonken in zijn ogen. 'Maar ik hou van je, Rosie. Wat moet ik zonder jou? Alsjeblieft, blijf nog een paar dagen bij me,' probeerde hij haar over te halen. 'Laten we erover praten. Er moet een mogelijkheid zijn.'

'Nee, lieve Johnny, er is geen mogelijkheid. En ik kan niet blijven, want maandag moet ik weer terug zijn in Parijs. Ik moet weer aan mijn werk.'

Bij de deur draaide ze zich om: 'Dag, Johnny,' zei ze.

44

Johnny was ten einde raad.

Rosie had hem verlaten. Zijn leven lag in stukken. Hij kon niet verder zonder haar. Hij wilde haar terug. Hij moest een manier vinden om haar terug te krijgen.

Hij zat in de limousine die hem naar Staten Island bracht en hij ging alles nog eens na. De redenen die ze hem gegeven had voor haar besluit kon hij eenvoudig niet accepteren. Het klopte niet wat ze gezegd had, hij wist dat ze niet de waarheid had gesproken. Haar broer had haar natuurlijk verteld dat hij, Johnny, lid was van de Rudolfo-familie – dàt moest de ware reden zijn waarom ze hem in de kou liet staan. En zij dacht dat de Rudolfo's Kevin hadden neergeschoten.

Die middag, toen ze was weggelopen uit de studio, had hij meteen zijn oom Salvatore gebeld. Nu was hij op weg naar hem toe, om hem een gunst te vragen. Hij had nog nooit eerder iets gevraagd; hij wist zeker dat de Don hem die gunst niet zou weigeren. Toen hij belde had Salvatore hem meteen uitgenodigd voor het avondeten. 'Het is tenslotte Goede Vrijdag, een bijzondere dag voor ons.'

Maar hij had de uitnodiging vriendelijk afgeslagen. Hij had gezegd dat hij tot zeven uur moest werken – wat niet waar was. In feite was hij vlak na Rosie weggegaan uit de studio, nadat hij met de Don had gesproken. Hij zou zich toch niet meer kunnen concentreren op zijn werk. Volkomen in de war was hij teruggegaan naar zijn hotel. Hij besefte dat hij wat tot rust moest komen, voordat hij naar Staten Island ging. Als hij bij oom Salvatore was mocht hij geen zwakheid tonen.

Zijn gedachten dwaalden steeds weer naar Rosie. En naar haar broer, Kevin.

Het was hem allemaal volkomen duidelijk. Tijdens het onderzoek van de politie naar de Rudolfo-familie was haar broer er natuurlijk achter gekomen dat hij, Johnny, een neef was van Vito, de oudste *goombah* van Salvatore en *caporegime* in de organisatie. Kevin had haar voor hem gewaarschuwd. Ja, dat was het. Zo moest het gegaan zijn.

Het was niet mogelijk dat ze niet van hem hield. Hij wist wel beter. Hij was tenslotte Johnny Fortune. Vrouwen vielen flauw als ze hem zagen. Ze had hem een mega-ster genoemd; ze had gezegd dat hij verleidelijk was, sensueel. Dat was toch niet niks? Zoiets zeg je toch niet zomaar?

Johnny deed zijn ogen dicht.

Haar gezicht danste door zijn hoofd.

Ze was zo mooi.

Hij hield van haar. Zij was de enige vrouw waar hij ooit van gehouden had. Dat wist hij heel zeker. Samen zouden ze sterk zijn.

Hij moest haar terughebben.

Zijn oom Salvatore zou hem helpen.

Ze zaten samen in het Heiligdom.

Salvatore Rudolfo nipte aan een Strega, Johnny had een glas witte wijn en ze praatten over de Australische tournee van Johnny, over de nieuwe plaat waar hij mee bezig was en over zijn carrière in het algemeen.

Toen leunde Salvatore achterover in zijn stoel en hij glimlachte tegen Johnny. *Sangu de ma sangu,* dacht hij. Bloed van mijn bloed. Mijn zoon. Alleen wist Johnny niet dat Salvatore zijn vader was. Hij had zich de laatste tijd wel eens afgevraagd of het niet verkeerd was om Johnny de waarheid te onthouden. Misschien had Vito wel gelijk. Misschien moest hij het Johnny vertellen. Wat zou het voor kwaad kunnen? Johnny is nu een ster, de grootste van allemaal. Niets kan hem meer onderuit halen. Daarbij – alleen Johnny zou het weten, niemand anders. Hij moest er nog eens goed over nadenken. Hij moest een beslissing nemen voordat Johnny weer naar Los Angeles zou vertrekken. Als hij het zou vertellen, moest het een geheim blijven tussen hen beiden.

Salvatore richtte zijn doordringende blik op Johnny en hij zei: 'Ik ben blij dat je me vandaag bent komen opzoeken, Johnny. Nu kan ik je persoonlijk feliciteren. Vito heeft me verteld dat je de vrouw van je leven gevonden hebt, een goed katholiek meisje, waar je mee wilt trouwen. Wanneer kunnen we kennismaken met haar?'

Johnny haalde diep adem. 'Daar wou ik het net met u over hebben, oom Salvatore. Ik wou met u praten over Rosie. Er is een moeilijkheid.'

'Zo. Wat voor moeilijkheid?'

'Rosie heeft het uitgemaakt.'

Salvatore wist niet wat hij hoorde. 'Dat is onmogelijk. Vrouwen zijn gek op je, Johnny.'

'Ik weet zeker dat Rosie nog steeds van me houdt.'

'Wat is er dan aan de hand?' Salvatore trok een witte wenkbrauw op.

'De broer van Rosie is bij de politie. Hij is neergeschoten en hij ligt nu zwaargewond in…'

'Bij de politie, Johnny? Haar broer is bij de politie? En jij hebt je met haar verloofd?'

'Ik wist niet dat het een stille was. Rosie heeft het me vandaag pas verteld. Ze zei dat haar broer door de Rudolfo-familie was neergeschoten. Ik denk dat hij weet dat Vito mijn oom is, dat ik ook tot de familie behoor, en dat hij Rosie gewaarschuwd heeft. En dat ze het daarom uitgemaakt heeft.'

'Kan zijn. Behalve dan dat haar broer niet door iemand van onze familie is neergeschoten. De Rudolfo's hebben niet de gewoonte politiemensen af te schieten. Dat is slecht voor de handel. *Capisce*?'

Johnny knikte en hij slaakte een zucht van verlichting. 'Dat dacht ik al, oom Salvatore, en daarom ben ik naar u toegekomen. Ik wilde er zeker van zijn dat Rosie ongelijk had.'

'Ze heeft ongelijk, Johnny. Ze heeft het bij het verkeerde eind.'

Johnny aarzelde even en zei toen: 'Kunt u mij helpen haar terug te krijgen?'

'Wat zou ik kunnen doen?'

'U zou uw voelhorens eens kunnen uitsteken, oom Salvatore. U kunt erachter komen wie haar broer dan wèl heeft neergeschoten. Ik wil haar bewijzen dat het niet iemand van onze familie is geweest.'

Salvatore keek naar hem, zijn ogen iets toegeknepen. Hij dacht even na en boog toen zijn hoofd. 'Ik zal het er met Anthony over hebben. Die brengt de waarheid wel boven tafel. Laat het maar aan mij over. Ik neem dit weekeinde nog contact met je op.'

Vijf minuten later, toen Johnny de Don goedenacht gekust had, kwam Anthony de kamer binnen.

De *consigliere* viel met de deur in huis. 'Joey Fingers staat op het punt om te vertrekken. Hij wil afscheid van u nemen. Mag hij even binnenkomen?'

'Nee, ik wil hem niet zien.'

'Ik heb hem gezegd dat dit de allerlaatste waarschuwing was. Dat hij er geweest is als hij nog eens zijn mond voorbij praat.'

'Joey Fingers is een te groot risico geworden. Zorg voor hem, Anthony.'

De *consigliere* keek de Don aan met een snelle blik. 'U bedoelt: definitief?'

'Ja. Schakel hem uit.'

'Komt voor elkaar, baas.'

Johnny haalde verlicht adem toen de limousine door Staten Island reed in de richting van de Verrazano Narrows Bridge. De moeilijkheden met Rosie zouden nu gauw zijn opgelost. Salvatore Rudolfo was tenslotte de *capo di tutti capi*, de baas aller bazen, wat de oostkust betrof. Hij had de hoogste macht. De andere families zouden snel over de brug komen met de informatie die hij vroeg. Morgen, hooguit zondag, zou de Don precies weten wie de broer van Rosie had neergeschoten.

Hij zou naar haar toegaan, haar desnoods gaan opzoeken in Parijs, en het haar duidelijk maken. Dan zouden de Rudolfo's van alle blaam zijn gezuiverd.

Voor het eerst in dagen voelde Johnny zich weer een beetje de oude. Hij lachte. Alles zou goed komen. Hij en Rosie zouden trouwen, zodra haar scheiding werd uitgesproken.

Een half uur later reed de limousine de Verrazano Bridge op, toen de wagen het plotseling opgaf. Johnny leunde voorover en riep: 'Hé, Eddie, wat gebeurt er nou?'

Eddie keek over zijn schouder. 'Tja, ik weet het niet, meneer Fortune. Hij scheidt er gewoon mee uit. Kan de versnellingsbak zijn. Da's al eens meer gebeurd.'

'Verdomme!' riep Johnny. 'Dat kunnen we nou net hebben. Wat nu?'

'Ik bel de garage even, dan sturen ze meteen een andere wagen, meneer Fortune,' zei Eddie, en hij pakte de autotelefoon.

'Je belt maar. Als je maar zorgt dat ik in het Waldorf kom,' snauwde Johnny.

Tien minuten later kwam Joey Fingers de brug op rijden. Het eerste wat hij zag was de limousine, die aan de kant van de weg stond. Hij hield even in om te kijken en hij zag onmiddellijk dat het de wagen van Johnny was. Die had hij die avond een hele tijd voor het huis op Staten Island zien staan.

Joey stopte achter de gestrande auto en hij stapte uit. Hij liep naar het portier van de chauffeur en klopte op het raam.

Johnny zag wie het was. 'Ik ken hem,' zei hij tegen Eddie. 'Vraag eens wat hij wil.'

Eddie deed het raampje naar beneden en Joey stak zijn hoofd naar binnen. 'Hallo, Johnny? Wat is er aan de hand? Wat zit je hier nou?'

'De limo doet het niet meer,' zei Johnny. 'We wachten op een andere wagen.'

Joey lachte. 'Mooie limo-service is dat!' zei hij meesmuilend tegen Eddie.

Eddie keek hem koeltjes aan, maar hij hield zijn mond.

Joey zei: 'Ga je hier echt zitten wachten, Johnny? Kom op, jochie, ik breng je wel even naar Manhattan. Welk hotel zit je?'

'Het Waldorf,' antwoordde Johnny, en hij stapte uit. 'Bedankt, Eddie.'

Johnny volgde Joey naar zijn auto en hij ging naast hem zitten, voorin. Een paar seconden later vlogen ze over de Verrazano Bridge in de richting van de snelweg Brooklyn-Queens, waar ze konden afslaan naar de Brooklyn-Battery Tunnel, die uitkwam in het zuidelijkste puntje van Manhattan.

Joey zat aan een stuk door te praten over van alles, maar voornamelijk over vrouwen. Dat verveelde Johnny al snel. Hij ging eens lekker onderuit zitten en sloot zijn ogen.

Joey zette de radio aan en ging zitten meezingen, terwijl hij het gaspedaal zo diep mogelijk indrukte. Ze zoefden langs de snelweg. In recordtijd hadden ze de afslag naar de Brooklyn-Battery Tunnel bereikt. Joey draaide van de snelweg af, scheurde door de zwakke U-bocht en reed verder in zuidelijke richting. Algauw reden ze in de tunnel die onder Battery Park uitkwam en daar aansloot op de East River Drive, die hen naar hartje stad zou brengen, naar het Waldorf Hotel.

Joey concentreerde zich op het verkeer; Johnny was weggedoezeld.

Geen van beiden hadden ze de zwarte bestelwagen opgemerkt, die hen nu snel inhaalde. Die auto hing al achter Joey's bumper vanaf de ingang van de tunnel, waar hij hem had staan opwachten.

De bestelwagen was langszij gekomen reed nu naast de auto van Joey. Toen Joey Fingers zich ervan bewust werd dat de wagen naast hem bleef rijden, keek hij opzij om te zien wat er aan de hand was. Op dat moment werd hij getroffen door een salvo uit een automatische Kalashnikov. Zijn lichaam viel voorover tegen het stuur. De schutter bleef in de auto vuren, tot de bestelwagen optrok en in het verkeer verdween.

Johnny Fortune was geraakt door drie kogels – een tussen de ogen, twee door de borst – die hem op slag hadden gedood.

Joey's auto draaide stuurloos om zijn as en klapte tegen de wand van de tunnel.

Deel Vier

Ware Liefde

45

Als ik hier eenmaal weg mag, kunnen we eindelijk op vakantie gaan, Nell,' zei Kevin, en hij lachte haar toe.

Nell stond de kussens achter zijn hoofd op te schudden, en ze bleef daarmee bezig, zonder antwoord te geven.

'Waar zou je naartoe willen?' vroeg hij, en hij pakte haar hand toen ze zijn lakens begon recht te strijken.

Nell ging op een stoel zitten naast het bed en eindelijk zei ze: 'Ik weet het niet, Kevin. Zie nou eerst maar eens dat je beter wordt. Je moet nog minstens twee weken in het ziekenhuis blijven, en dan moet je nog revalideren. Ik wil dat je eerst weer helemaal de oude bent, dan kunnen we daarna wel eens over vakantie praten.'

'Dat klinkt niet erg enthousiast,' zei hij, en hij schraapte zijn keel. Zijn stem was schor, maar hij klonk beter dan gisteren, toen hij voor het eerst weer bij bewustzijn was gekomen.

Er kon nog net een lachje af bij Nell. 'We kunnen misschien naar Frankrijk gaan, als Gavin begint met de opnamen voor zijn nieuwe film.'

'Dat lijkt me nou niet zo'n leuke huwelijksreis. Veel te veel mensen.'

'Wie heeft er iets gezegd van een huwelijksreis?'

'Ik. Nu net.'

Verrast door zijn woorden staarde Nell hem aan.

Hij zei: 'Wil je dan niet met me trouwen?'

Nell bleef naar zijn gezicht kijken. Hij was nog steeds doodsbleek, maar hij zag er vandaag al veel beter uit. Het was wonderbaarlijk, zoals zijn toestand in vierentwintig uur vooruitgegaan was. Vijf dagen geleden had hij nog op het randje van de dood gebalanceerd, en zij had met hem mee geleden. Ze wist dat ze iets dergelijks niet nog eens zou kunnen doorstaan. Het zou haar dood zijn.

'Het gaat om mijn werk, nietwaar, Nell? Daarom wil je niet met me trouwen.'

Ze merkte dat ze geen woord kon uitbrengen. Ze hield zo verschrikkelijk veel van hem; ze zou zo graag zijn vrouw willen zijn. Maar ze kende zichzelf en ze begreep dat ze nooit zou leren leven met die angst, die zijn werk als geheim agent voor haar met zich meebracht.

Ze zuchtte. 'Ik kan er niet tegenop, Kev, echt niet.'

'Dat hoeft ook niet, Nell.'

'Wat bedoel je?' vroeg ze. Haar hart sloeg over.

'Neil O'Conner was hier, vanmorgen, en ik heb hem gezegd dat ik er een punt achter zet. Volgende week dien ik mijn ontslag in.'

'O, Kev, dat is fantastisch!' riep ze uit, haar gezicht een en al blijheid. Toen betrok haar gezicht. 'Maar als je dat voor mij doet, als je voor mij weggaat bij de politie, dan zal je het me later misschien verwijten.'

'Nooit. En ik doe het niet alleen voor jou. Ik doe het voor ons allebei. Ik heb bij dit laatste onderzoek een ernstige fout gemaakt, op een of andere manier. Ik weet nog niet precies wat er misgegaan is. Ik heb nog niet de kans gehad daarover na te denken. Maar ik heb het verpest, Nellie. En ik heb altijd tegen mezelf gezegd…'

Ze stak haar hand op om zijn woordenstroom te stoppen. 'Je moet niet zoveel praten. Dat is veel te vermoeiend voor je. Daarbij: ik weet toch al wat je gaat zeggen. Je hebt met jezelf de afspraak gemaakt dat je ermee op zult houden als je fouten begint te maken.'

Kevin knikte. 'En nu Tony dood is…' Hij was niet in staat zijn zin af te maken. Er trok een wolk over zijn gezicht.

'Ja, Kev,' zuchtte ze. In een poging hem wat op te vrolijken nam ze zijn hand en zei: 'Natuurlijk wil ik met je trouwen.' Ze stond op, boog zich over hem heen en kuste zijn lippen. 'En wel zo gauw mogelijk,' voegde ze er nog aan toe.

Er werd geklopt en Rosie kwam binnen, op de voet gevolgd door Gavin.

'Raad eens!' riep Nell. 'Jullie komen net op tijd om ons te feliciteren.'

Rosie keek van Nell naar Kevin. Ze zag hoe gelukkig ze waren, allebei, en ze grinnikte: 'Jullie gaan trouwen.'

Kevin lachte en gleed wat onderuit in de kussens. Hij voelde zich plotseling doodmoe. Hij had de kracht niet meer om te praten.

'Geraden!' Nell omhelsde Rosie en daarna Gavin. 'En hier hebben we een bruidsmeisje en een bruidsjonker, nietwaar, Kev? Wat denk je – willen jullie die verantwoordelijkheid op je nemen? Willen jullie onze getuigen zijn?'

'Ik zal niemand anders de kans geven,' zei Gavin, en hij ging naast het bed zitten. 'Gefeliciteerd, jullie allebei.'

'Kev gaat weg bij de politie!' kondigde Nell aan.

'Godzijdank!' Rosie keek naar haar broer. 'Twee wijze besluiten op één dag! Je eigen leven redden en trouwen met de heerlijkste meid ter wereld.'

'Daar heb je gelijk in,' mompelde Kevin. 'Dat is ze.'

'Gaat het een beetje?' Rosie stond aan het voeteneinde van zijn bed en ze keek bezorgd naar zijn gezicht. 'Ik bedoel – je klinkt zo vermoeid, Kev. Gavin en ik hadden het erover, toen we hiernaartoe reden – of we weg zullen gaan of niet. Misschien kunnen we toch beter nog een paar dagen blijven.'

'Nee, Rosie, dat is niet nodig. Met mij komt het wel weer in orde. En mijn… Kleine Nell blijft bij me.'

'Daar kan je op rekenen,' viel Nell hem in de rede. 'Ik blijf bij je. De rest van je leven.'

46

Rosie had niet in de gaten dat ze de Trump Tower al voorbij waren, voordat ze op de 72nd Street, hoek Madison, waren.

'Gavin, waar gaan we heen? Ik moet nog pakken.'

'We hebben tijd zat. We hoeven niet voor morgenochtend half elf uit het appartement weg. Het vliegtuig gaat pas om een uur. Ik wou je alleen even iets laten zien.'

'Wat wil je me laten zien?'

Hij trok haar naar zich toe en en kuste haar op het puntje van haar neus. 'Wacht maar af, Engel.'

Even later sloeg de wagen linksaf, de East 83rd Street Oost in, richting Central Park. Toen de chauffeur stopte bij een flatgebouw op Fifth Avenue, keek Rosie even van terzijde naar Gavin en vroeg: 'Gaan we ergens op bezoek?'

'Wie niets vraagt, hoeft ook geen leugens aan te horen.'

De chauffeur liep om de wagen heen en hielp Rosie met uitstappen. Gavin volgde. De portier bij de deur knikte en lachte toen hij met Rosie naar binnen ging. Toen ze in de hal van het gebouw op de lift stonden te wachten, zei ze: 'Vooruit, Ambrosini, bij wie gaan we op visite?'

'Dat is een verrassing,' antwoordde hij.

De lift bracht hen naar de bovenste verdieping, en Rosie wist niet wat ze zag toen Gavin een sleutel uit zijn zak haalde en die in het slot stak. Hij zwaaide de voordeur open en leidde haar binnen in het appartement.

Er staat niets in, was het eerste wat ze dacht. Ze draaide zich naar hem toe en vroeg: 'Is dit van jou, Gavin?'

Hij knikte. 'Dat is het zeker, Engelensmoeltje.

'Hoe lang heb je dit al?'

'Ik heb het een paar maanden geleden gevonden, maar de koop is net gesloten. Je weet hoe het is, zo'n vereniging van huiseigenaren. Maar goed, het is nu van mij. Dus kom, dan zal ik je eens even rondleiden.'

Hij nam haar hand, liep met haar door de ruime ontvangsthal naar de grote werkkamer en vandaar naar de zitkamer en de daaraan grenzende half open keuken, die weer uitkwam op de hal.

'De meeste kamers zijn aan de kant van Fifth Avenue, en dat is geweldig,' zei hij. 'Ik vind het heerlijk om uit te kijken over Central Park. Jij niet?'

'Ja,' antwoordde ze. 'En die gang daar?'

'Kom, dan zal ik het je laten zien.' Ze liepen de brede gang in, hij deed de eerste deur open en legde uit: 'Ik dacht dat deze kamer heel geschikt zou zijn voor David. Groot genoeg, en niet te dicht bij de andere kamers van het appartement. En dan zou hier de bibliotheek moeten komen.' Hij liet haar de volgende kamer zien en liep toen weer verder de gang in, waar hij bleef staan voor een paar grote, dubbele deuren.

Gavin nam haar mee naar binnen. 'Hier is een open haard, en ook vanuit deze kamer heb je uitzicht over het park.' Hij liet haar hand los en liep naar het midden van de ruimte. Hij keek om zich heen en zei: 'Is dit niet een prachtige kamer voor ons, Rosie? Wat denk je?'

'Voor ons?' herhaalde ze met onzekere stem. 'Wat bedoel je, Gavin?'

Hij kwam weer naar haar toe en nam haar gezicht tussen zijn handen. 'Ik had gedacht dat dit onze slaapkamer moet worden, Rosie.'

'O.' Dat was alles wat ze kon zeggen.

Hij bracht zijn gezicht dicht bij het hare en kuste haar op de mond. 'We hebben al veel te veel jaren verloren laten gaan. Denk je niet dat het tijd wordt dat we trouwen? Zodra we allebei vrij zijn?'

Ze lachte naar hem. Het was een stralende lach waardoor haar hele gezicht werd opgelicht en waardoor haar groene ogen begonnen te schitteren.

'O, Gavin, lieveling. Já,' zei ze zonder een moment van aarzeling.

Gavin sloeg zijn armen om haar heen en kuste haar teder. Toen keek hij haar aan en zei: 'Ik heb laatst iets gelezen, Rosie, en dat wil ik graag met je delen.'

Ze knikte.

'"Geen engel stond ooit zijn hemeltroon af;
Ga dus vrijuit en pluk de dag!
Gij zijt het die beschroomd en laf
't Grootste geluk nimmer smaken mag." '

Terwijl hij de dichtregels voordroeg liet hij haar gezicht geen moment los met zijn blik. Weer boog hij zich naar haar over om haar lippen te kussen. 'Ik ben zo blij dat wíj ons grootste geluk niet hoeven missen, Rosie.'